Paul Carell · Stalingrad

Paul Carell

STALINGRAD

Sieg und Untergang der 6. Armee

ULLSTEIN

Mit 17 Original-Farbaufnahmen,
164 Schwarzweiß-Fotos, 3 farbigen Karten,
24 Schwarzweiß-Karten, 5 Schaubildern

Grafische Gestaltung: Bernhard Ziegler

Die Deutsche Bibliothek – CIP-Einheitsaufnahme

Carell, Paul:
Stalingrad : Sieg und Untergang der 6. Armee / Paul Carell. –
2., unveränd. Aufl. – Berlin ; Frankfurt/Main : Ullstein, 1992
ISBN 3-550-07515-4

© 1992 by Verlag Ullstein GmbH, Berlin–Frankfurt/M
Alle Rechte vorbehalten
Satz: Fotosatz-Service Weihrauch, Würzburg
Druck und Bindung: Offizin Andersen Nexö GmbH, Leipzig
Printed in Germany 1993
ISBN 3-550-07515-4

Gedruckt auf Papier mit chlorfrei gebleichtem Zellstoff

1. Auflage August 1992
2. Auflage Januar 1993

INHALTSVERZEICHNIS

versorgung – Das OKH schickt einen Vertreter in den Kessel – General
von Seydlitz fordert Ungehorsam – Manstein kommt – Wenck rettet
am Tschir

Dritter Teil · Der Marsch nach Stalingrad
Fotografiert von Soldaten

Anhang

VORWORT

Die Schlachten eines Krieges darzustellen, der verloren wurde und als verbrecherischer Angriffskrieg in den Geschichtsbüchern steht, ist ein schweres Unterfangen. Das gilt vor allem für die 180 Tage dauernde Schlacht um Stalingrad, die mit dem Untergang, mit Tod und Verderben einer ganzen deutschen Armee endete. Weit über hunderttausend Männer gingen in Gefangenschaft. Nur 6000 kehrten zurück.

Immer wieder wird die Frage gestellt, was diese Schlacht, diese »Wendemarke für einen anderen Verlauf des Krieges« aus heutiger Sicht bedeutet und welche Lehren aus diesem Ereignis zu ziehen sind. Allein dieser Tatbestand wäre Grund genug, sich mit dieser Schlacht zu befassen, sie im Sinne eines historischen Anliegens darzustellen: wie es wahrhaftig war, wie es dazu kam und wie alles verlief.

Dazu kommt, daß sich in 50 Jahren manche Wertung verändert hat und viele neue Erkenntnisse durch Erschließung bisher unbekannter Quellen, auch sowjetischer, gewonnen wurden.

Die Memoiren sowjetischer Militärs und die Publikationen russischer Historiker lassen zum Beispiel klarer erkennen, wie verzweifelt, wie auf des Messers Schneide die Lage auf sowjetischer Seite während der deutschen Sommeroffensive 1942 – auch in Stalingrad – gewesen ist, welche entscheidenden Lehren das sowjetische Oberkommando aus der deutschen Blitzkriegstrategie zog, wie und mit welchen Mitteln stahlharte junge russische Generale operative Krisen meisterten und wie der russische Soldat unter entsagungsvollsten Umständen trotz größter Verluste weiterkämpfte.

Wie war es möglich, daß die Rote Armee Stalins, ihre Soldaten und Offiziere so hingebungsvoll und so leidenschaftlich fochten? Wie war es möglich, daß die Verbände von Hitlers Wehrmacht, Soldaten und Offiziere, noch im dritten Kriegsjahr so todesmutig kämpften, gehorchten und in den Tod gingen?

Fragten nach dem Krieg noch begierig und betroffen die Söhne, wie das war, worin ihre Väter verwickelt waren, so ist für die Enkel die Schlacht von

Stalingrad zwar als Hitlers »Eroberungskrieg« mit schrecklichen Opfern asso-
ziiert, aber vielfach so sach- und detailfremd, wie für den Verfasser in seiner
Jugend die Schlacht von Waterloo, die zum Sturz Napoleons führte.

Aber sollte nicht das militärische Ereignis Stalingrad, das ein Schicksals-
name für die deutsche und die Weltgeschichte ist, Wissensstoff für eine bessere Urteilsfähigkeit sein? Denn die Geschichte dieser Schlacht gehört zur
Geschichtsschreibung unseres Volkes. »Man kann sie nicht durch Inquisition
ersetzen«, wie der Nestor der Geschichte des Zweiten Weltkriegs, Walter
Görlitz, formulierte. Die verlorene Schlacht und die Brutalität dieses Krieges
zum Exempel für die Verurteilung soldatischen Einsatzes und der soldatischen Tugenden zu machen, ist unredlich und geschichtswidrig.

Deshalb gilt es, Stalingrad nicht nur als Folge einer utopischen Strategie
Hitlers zu erkennen, sondern auch ins Bewußtsein zu heben, was vor 50 Jahren die Verbände der Wehrmacht noch in ausweglosen Lagen zu vollbringen
vermochten. Was jene 19-, 20-, 30- und 40jährigen Soldaten, Gefreiten, Unteroffiziere und Offiziere – unsere Väter und Großväter – durchgehalten, durch-
gestanden und durchlitten haben, ist heute zwar vielen unverständlich,
verdient aber Respekt, nicht Kriminalisierung.

Die soldatische Leistungskraft, wie sie sich gerade in der »Operation Blau«
erweist – auf den Märschen und in den Kämpfen in glühender Steppe bei
30 Grad Hitze und in Schneelöchern bei 30 Grad Kälte; in den Gefechten auf
den Pässen des Hochkaukasus und auf den alten Hochgebirgsstraßen Asiens;
bei den Stürmen durch die subtropischen Täler, dem Übergang über reißende
Ströme im Granathagel und im Kampf Mann gegen Mann im Labyrinth
gigantischer Festungswerke und Häuserruinen –, war nur möglich durch die
anerzogenen und haltungsbestimmenden Maximen wie Pflicht und Gehorsam, Mut und Einsatzbereitschaft, Mannschaftsgeist und Kameradschaft.
Sind sie heute in unserem Zeitalter so noch realisierbar? Daß tragischerweise
gerade die ranghöchsten soldatischen Tugenden, nämlich Pflichtgefühl und
Gehorsam, zum Schlüsselproblem, ja, zur Ursache für den Untergang der
6. Armee in Stalingrad geworden sind, lag nicht an diesen Tugenden, sondern
war in der diktatorischen Struktur des nationalsozialistischen Staates und der
Wehrmachtführung begründet.

Der große 112seitige Bildteil stellt die operativen Vorgänge zum Textteil
dokumentarisch vor Augen. Die Fotos, von deutschen Soldaten und sowjetischen Berichterstattern gemacht, sagen oft mehr, als jeder Wortbericht es
kann. Man muß die Weite der Steppe vor Augen haben, um die Strapazen der
Märsche ahnen zu können. Man muß die mächtigen russischen Ströme

sehen, wenn man ermessen will, was es hieß, sie im Blitzkrieg-Tempo zu überspringen. Die Fotos zeigen die Schluchten des Waldkaukasus und die Gletscher des Elbrus. Den Don, die Wolga, den Terek. Die baumlose Kalmückensteppe. Sie lassen die elementaren Hindernisse in den unendlichen Räumen erstehen, die der größten Tapferkeit eine Grenze setzten und den letzten Sprung zu dem entscheidenden Ziel verhinderten. Wer die Fotografien vom Trümmergewirr der Stalingrader Fabrikhallen anschaut, versteht, warum jeder Schritt hier mit Blut bezahlt werden mußte.

Das alles ist Grund genug, einer schicksalhaften Schlacht zu gedenken, ihrer Irrtümer und Brutalitäten, um, im Sinne von Clausewitz, zu erkennen, »wie alles kam und immer wieder kommen wird«.

Erster Teil
Das Vorspiel zu Stalingrad

1
Fall Blau: Der Kaukasus und das Öl

Generaloberst Halder fährt in die »Wolfsschanze« – Führerweisung Nr. 41 »Fall Blau« – Eröffnung auf der Krim – Mißglücktes Dünkirchen der Russen – Kleists einarmige Panzerzange – Die Straße des Todes – 239 000 Gefangene

Der Wagen von Generaloberst Halder biegt aus dem ostpreußischen Mauerwald, wo gut versteckt das Hauptquartier des OKH liegt, auf die Straße nach Rastenburg. Ein Frühjahrssturm fegt durch die Kronen der mächtigen Buchen. Er peitscht die Wellen des Mauersees, daß sie schäumen, und er läßt die Wolken tief über das Land segeln, so tief, daß man meint, sie würden drüben von dem hohen Steinkreuz aufgeschlitzt, das den Soldatenfriedhof von Lötzen krönt.

Es ist der Nachmittag des 28. März 1942. Generaloberst Halder, Chef des Generalstabs des Heeres, fährt zu Hitler ins Führerhauptquartier »Wolfsschanze«, das in den Wäldern von Rastenburg verborgen liegt.

Der Ordonnanzoffizier hält die Aktenmappe auf dem Schoß. Sie ist in dieser Stunde die wertvollste Mappe der Welt. Sie enthält den Kriegsplan des deutschen Generalstabs für das Jahr 1942, die Offensive zur endgültigen Niederwerfung der Roten Armee an der Südfront: Fall »Blau«, die Führerweisung Nr. 41.

Halder überdenkt noch einmal seine Vorschläge. In wochenlanger Arbeit hat er die Ideen, Gedanken und Wünsche, die Hitler als Oberbefehlshaber des Heeres und Oberster Befehlshaber der Wehrmacht in den täglichen Lagebesprechungen der letzten Zeit entwickelt hatte, in einen Entwurf gebracht. Das Kernstück dieses Feldzugplans für 1942 ist die Großoffensive im Südabschnitt zum Kaukasus, Ziel dieser Offensive: die russischen Hauptkräfte zwischen Donez und Don vernichten, die Kaukasusübergänge gewinnen und dann die mächtigen Ölgebiete am Kaspischen Meer in deutsche Hand bringen.

Der Chef des Generalstabs ist nicht glücklich über den Plan. Er ist voller Zweifel, ob eine große deutsche Offensive nach dem Aderlaß des Winters überhaupt vertretbar ist. So manche gefährliche Krisenlage lastet Ende März noch schwer auf dem deutschen Oberkommando und dem Generalstab des Heeres.

Noch ist ja in den letzten Märztagen des Jahres 1942 General Wlassows Armee am Wolchow nicht vollends geschlagen.

Noch steckt Graf Brockdorff-Ahlefeldt mit den Divisionen seines II. Korps im Kessel von Demjansk.

Im Kessel von Cholm ist die Kampfgruppe Scherer um diese Zeit noch nicht befreit.

Und auch im Raum Dorogobusch – Jelnja, nur vierzig Kilometer ostwärts Smolensk, herrscht Ende März noch Krisenstimmung. Hier operieren die Sowjets mit Teilen einer Armee, einem Gardekavalleriekorps und einem Luftlandekorps.

Aber das sind noch lange nicht alle Sorgen, die den deutschen Generalstabschef Ende März 1942 bedrücken. Auf der Krim liegt Manstein mit der 11. Armee vor Sewastopol fest, und die Halbinsel Kertsch haben die Russen im Januar sogar wieder zurückerobert. Vor allem aber vor Charkow ist die Lage kritisch: Seit Mitte Januar toben hier schwere Kämpfe. Das sowjetische Oberkommando versuchte mit aller Kraft, in einem Zangengriff Charkow zu packen. Der südliche Zangenarm, die 57. sowjetische Armee, hatte die deutsche Donezfront beiderseits Isjum in einer Breite von achtzig Kilometern aufgesprengt. Die sowjetischen Divisionen hatten sich bereits einen Brückenkopf von hundert Kilometer Tiefe geschlagen. Die Spitzen des Angriffs bedrohten Dnjepropetrowsk, das Versorgungsherz der Heeresgruppe Süd (s. Karte Seite 20).

Ob sich der sowjetische Einbruch zu einem Dammbruch mit unabsehbaren Folgen entwickeln würde, hing davon ab, ob die beiden Eckpfeiler nördlich und südlich der Einbruchsstelle, Balakleja und Slawiansk, gehalten werden konnten. Hier fochten seit Wochen die Bataillone von zwei deutschen Infanteriedivisionen einen beinahe schon legendären Abwehrkampf. Von dem Ausgang hing die ganze Entwicklung an der Südfront ab. Die Berliner 257. Infanteriedivision hielt Slawiansk, die 44. Infanteriedivision aus Wien den Eckpfeiler Balakleja.

In blutigen Kämpfen verteidigten die Berliner Regimenter den Südrand des Isjumer Bogens. Die Kampfgruppe Oberst Drabbe focht mit einer Wendigkeit und Tapferkeit um die elenden Dörfer, Kolchosen und Gehöfte, daß selbst die sonst bei der Würdigung deutscher Leistungen sehr zurückhaltenden sowjetischen Kriegsberichte voller Bewunderung sind. Das Dorf Tscherkasskaja wurde zum blutigen Symbol dieses Kampfes. In elf Tagen verlor die Gruppe Drabbe hier von ihren tausend Mann fast die Hälfte. Sechshundert Kämpfer hielten eine Rundumfront von vierzehn Kilometern. Die Sowjets verloren vor diesem Nest 1100 gezählte Tote. Sie nahmen schließlich das Dorf, aber es hatte auch ihre Kraft, die Kraft von fünf Regimentern, aufgezehrt.

Ehe Generaloberst Halder am Nachmittag des 28. März aus seinem Quartier in die »Wolfsschanze« abgefahren war, hatte er sich die Gefechtsberichte der Infanteriedivision über die nun bereits siebzig Tage während Schlacht vorlegen lassen; denn die Division sollte im Wehrmachtbericht genannt werden: Die Regimenter hatten drei sowjetische Schützendivisionen und eine Kavalleriedivision aufgerieben. Allerdings zeigten auch die eigenen Verluste die Härte des Kampfes: 652 Tote, 1663 Verwundete, 1689 Erfrierungen, 296 Vermißte – insgesamt 4300 Mann, die Hälfte der Gesamtverluste, welche die Division in zehn Monaten Rußlandkrieg gehabt hatte: Slawiansk!

Am nördlichen Rand des Isjumer Einbruchs, im Raum Balakleja, focht die Wiener 44. Infanteriedivision. Sie hielt eine Front von hundert Kilometern. Und auf diesen hundert Kilometern griff ein ganzes sowjetisches Korps an, verstärkt von Panzerkräften und Raketenbatterien.

Auch hier waren die Kampfgruppen und ihre Kommandeure die Seelen des Widerstandes. Was die Kampfgruppe unter Oberst Boje, Kommandeur des Infanterieregiments 134, das die Hoch- und Deutschmeister-Tradition führte, in den entscheidenden Abschnitten auf den vom Eiswind gepeitschten Uferhöhen des Balakleja durchstand, gehört zu den außergewöhnlichen Kapiteln des Ostkrieges.

Der Kampf ging um die Dörfer und Gehöfte, das heißt um die Unterkünfte. Denn bei 40 Grad Kälte waren ein Haus und ein wärmender Ofen für eine Stunde Schlaf eine Frage von Leben oder Tod. Die Deutschen klammerten sich an die Dörfer, die Russen versuchten, sie hinauszuwerfen, weil auch sie aus ihren Schneeburgen, hinter denen sie sich zu ihren Angriffen sammelten, heraus wollten, unter ein Dach, in eine warme Ecke, um einmal ohne Angst vor dem Erfrierungstod ein Auge voll Schlaf nehmen zu können.

Der Krieg ging also für den Soldaten wieder um die elementaren Dinge des Lebens. Und Deutsche wie Russen fochten mit letztem Einsatz. Beide wollten Balakleja und die Dörfer nördlich davon, wegen der Häuser und wegen der Strategie. Wenn der Eckpfeiler Balakleja und die Höhen, von denen aus die Straßen nach Westen beherrscht wurden, verlorengegangen wären, hätte Timoschenko den Isjumer Einbruch strategisch zum großen Durchbruch auf Charkow ummünzen können.

Aber Balakleja hielt. Doch nördlich davon geriet der Stützpunkt 5 in so massierte Angriffe, daß er nicht zu halten war. Das Bataillon verteidigte sich bis auf den letzten Mann gegen sowjetische Panzerangriffe. Hier fiel auch Leutnant von Hammerstein, ein Neffe des ehemaligen Chefs der Heeresleitung von Hammerstein-Equord.

Diese jungen, zu jedem Einsatz und zu jedem Opfer bereiten Offiziere wie Hammerstein waren in den schrecklichen Abwehrkämpfen ein hervorstechendes Element. Zusammen mit den abgebrühten, unerschrockenen alten Unteroffizieren und Gefreiten bildeten sie kleine Kampfgemeinschaften, die fast immer unglaubliche Leistungen vollbrachten.

Wie erbittert der Kampf um den Frontabschnitt Balakleja geführt wurde, zeigt auch die Tatsache, daß Oberst Boje selbst und sein Stab mehr als einmal im Nahkampf mit Pistole und Handgranate fechten mußten.

Es waren furchtbare Kämpfe. Das Typische daran war, daß sie immer vom Einzelkämpfer entschieden wurden. Wie überhaupt die erfolgreichen deutschen Abwehrschlachten im Winter und im Frühjahr 1942 im wesentlichen vom Einsatz des deutschen Einzelkämpfers abhingen. Er war, damals jedenfalls noch, dem russischen Soldaten an Erfahrung und Kampfmoral überlegen. Nur so sind die erstaunlichen Leistungen zu verstehen, die deutsche Soldaten, oft auf sich allein gestellt, an allen Frontabschnitten zwischen Schlüsselburg und Sewastopol gegen den zahlenmäßig und in der Ausrüstung überlegenen Feind vollbrachten.

Der schwerumkämpfte Raum Charkow mag als eine herausragende Leistung des Mutes, der Unerschrockenheit und der taktischen Kunst von allen betrachtet werden. Im März focht hier die Berliner 3. Panzerdivision als Feuerwehr für die ständig bedrohte Front. Feldwebel Erwin Dreger hielt mit fünfzehn Mann einen zwei Kilometer breiten Streifen. Das ging natürlich nur dank einer besonderen Taktik, die sich Dreger ausgedacht hatte, und dank der eisernen Nerven seiner Männer, alles »alte Füchse« der Ostfront. Dreger hatte aus Beuteständen jeden mit einem MG bewaffnet, drei weitere hatten sie in Reserve, für alle Fälle.

In einem weiten Bogen lagen Dregers Schützen tief gestaffelt im Gelände, mit Front auf eine Waldspitze, aus der die Russen immer wieder angriffen. Denn hier hatten sich sowjetische Vorausabteilungen den Durchbruch vorgenommen. Am 17. März sollte er erzwungen werden. Gegen 10 Uhr 30 trat der Russe in Bataillonsstärke an. Dreger war mit seiner »Spitze« in der Mitte, und damit am tiefsten Punkt der Verteidigungslinie, in Stellung gegangen. Die Russen kamen näher und näher, ohne daß auch nur ein Schuß fiel. Eisern hatte es Dreger seinen Männern eingeschärft: »Warten, bis ich das Feuer eröffne.« Bis auf fünfzig Meter etwa waren die Spitzen des feindlichen Angriffs bereits herangekommen, als Dreger mit seinem »Leit-MG« den ersten Feuerstoß abgab. Da der feindliche Stoß fast genau in die Mitte der Verteidigungslinie gezielt hatte, konnte er gewissermaßen »umfassend« abgewehrt werden. Unter dem wirkungsvollen Feuer von beiden Flanken brach der russische Vorstoß nach zwanzig Minuten in sich zusammen.

Fünfmal griffen die Russen innerhalb von vierzehn Stunden an. Fünfmal brachen ihre Bataillone im massierten MG-Feuer der Gruppe Dreger zusammen. Sechzehn entschlossene Männer trotzten einem Feind, der ihnen zahlenmäßig um mehr als das Hundertfache überlegen war.

Drei Tage später allerdings forderte der Krieg auch Dreger das Letzte ab: Er war mit seinem Zuge schließlich aus seinem Dorf herausgedrückt worden. Aber bei der Eiseskälte brauchten die Männer wenigstens während der Nacht ein paar Stunden ein Haus, eine Stube, einen Keller gegen den Frost und, vor allem, zum Schutz vor dem eisigen Wind. Dreger wollte eine Kolchose im Handstreich zurückerobern. Er wurde von einer MPi-Garbe getroffen. Seine Männer schleppten ihn zurück. Hinter einer Strohmiete betteten sie ihn. Dreger klopfte die eiskalten Finger gegeneinander, wie um sie zu wärmen. Und er lauschte dabei in die stille eiskalte Nacht. Leise sagte der sonst so ganz unpathetische Mann zu den Kameraden: »Hört Ihr, Freund Hein klopft schon!« Dann starb er.

Die Geschichte von Feldwebel Dreger kannte Generaloberst Halder nicht. Aber die Kampfberichte vom Einsatz bei Balakleja hatte er am 28. März 1942 genau im Kopf. Am 13. Februar hatte er sie an Jodl geschickt zur Aufnahme in den Wehrmachtbericht. Am 14. wurden die Wiener zum erstenmal genannt. Seitdem waren schon wieder sechs Wochen vergangen. Der sowjetische Sturm hatte sich im großen und ganzen dank einer erstaunlichen Leistungskraft der Truppe an den Eckpfeilern des Isjumer Bogens gebrochen. Aber selbst wenn man optimistisch war und davon ausging, daß dieser Krisenherd, wie alle die anderen, bald ganz beseitigt sein würde, so blieb doch die berechtigte Frage: Wäre es nicht besser, angesichts der großen Verluste an der ganzen Ostfront, auch bei der Heeresgruppe Süd, eine Pause einzulegen und den Russen kommen zu lassen, um ihn aus der Abwehr heraus zu zermürben, ihn angreifen zu lassen, damit sich seine Reserven verbluteten?

Das war die Frage, die Halder bei der Planung für 1942 sich und seinen Offizieren immer wieder stellte.

Aber der Chef der Operationsabteilung, Generalmajor Heusinger, hatte darauf hingewiesen, daß man dadurch die Initiative und damit unübersehbare Zeit verlieren würde. Die Zeit jedoch arbeite für die Russen und die westlichen Alliierten, die dabei waren, ihre großen Kraftquellen zu mobilisieren – auch für die Russen. Wenn also überhaupt, so Heusinger, müsse man so bald als möglich versuchen, die Rote Armee in die Knie zu zwingen.

Halder hatte diesen Einwand akzeptiert. Aber seiner Meinung nach hätte dann eine neue Offensive wieder gegen das Herz der Sowjetunion, gegen Moskau geführt werden müssen.

Genau dagegen aber wehrte sich Hitler mit Händen und Füßen. Er schien geradezu einen Horror vor Moskau zu haben. Er wollte jetzt etwas ganz anderes machen, wollte nach den schlechten Erfahrungen des vergangenen Jahres an der Mittelfront nunmehr die Entscheidung im Süden suchen, wollte Stalin das kaukasische Öl wegnehmen und nach Persien stoßen. Auch Rommels Afrika-Armee war in diesen Plan einbezogen. Der »Wüstenfuchs«, der gerade seine Offensive aus der Cyrenaika heraus gegen die britische Gazala-Stellung und das nordafrikanische Herz der britischen Abwehr, Tobruk, vorbereitete, sollte über Ägypten durch die arabische Wüste bis an den Persischen Golf durchstoßen. Dann wäre auch Persien, der einzige Treffpunkt zwischen England und Rußland und neben Murmansk die zweite große Nachschubbasis der amerikanischen Hilfslieferungen für die Rote Armee, ausgeschaltet. Und mit den russischen wären dann auch die noch reicheren arabischen Ölvorkommen in deutscher Hand: Mars war zum Gott der Kriegswirtschaft ernannt.

Halders Wagen stoppt vor dem Schlagbaum am Tor I zum Sperrkreis I der »Wolfsschanze«, des eigentlichen Führerlagers. Die Wache grüßt. Schlagbaum hoch. Über die schmale Teerstraße geht es in die Waldburg Hitlers. Die niedrigen Betonbaracken mit Tarnanstrich und bepflanzten Flachdächern liegen gut versteckt zwischen hohen Buchen. Selbst von einem Flugzeug aus sind sie nicht zu erkennen. Weithin war die Gegend hermetisch abgesperrt. Von Drahthindernissen und Minengürteln gesichert. Die Straßen blockiert. Die kleine Stichbahn stillgelegt und nur noch von dem Triebwagen Görings benutzt, der südlich von Rastenburg, nahe dem Spirding-See, im Johannisberger Forst seinen Gefechtsstand hatte.

Generaloberst Jodl hat einmal gesagt, die »Wolfsschanze« sei eine Mischung aus Konzentrationslager und Kloster gewesen. Auf jeden Fall war es ein spartanisches Feldlager, nur mit dem einzigen Unterschied zum militärischen Leben, daß Hitler die Nacht zum Tage machte, bis zwei, drei, ja vier Uhr arbeitete und dann morgens »bis in die Puppen« schlief. Seine engsten Mitarbeiter mußten sich wohl oder übel diesem Rhythmus anpassen.

Halder fährt an der Nachrichtenzentrale des Reichspressechefs vorbei. Rechter Hand liegt die Funk- und Telefonzentrale des Lagers, daneben die Quartiere von Jodl und Keitel. Links am Wege haben Bormann und der Reichssicherheitsdienst ihre Unterkünfte. Am Waldrand endlich kommt die

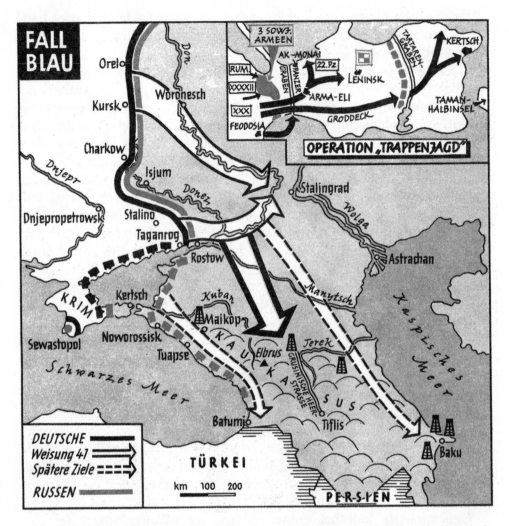

Karte 1. Mit der Sommeroffensive 1942, »Operation Blau«, wollte Hitler die Entscheidung am Südflügel erzwingen. Westlich Stalingrad sollte eine riesige Zange die Sowjets einschließen und dann der Stoß ins Ölgebiet geführt werden. Kleine Karte: Die Offensive begann mit der »Operation Trappenjagd«, der Wiedereroberung von Kertsch.

Führerbaracke, die noch einmal von einem hohen Drahtzaun abgesperrt ist. Zusammen mit Hitlers Schäferhündin »Blondi« ist dieser Maschendraht das letzte Hindernis vor Hitlers spartanischer Eremitage im Rastenburger Forst.

Hitler hatte zu der Besprechung am 28. März nur einen kleinen Kreis gebeten, die Führungsspitze der Wehrmacht: mit Keitel, Jodl und Halder noch ein halbes Dutzend hoher Militärs der drei Wehrmachtteile. Sie stehen oder sitzen auf Holzhockern um den eichenen Kartentisch herum. Hitler in der Mitte der Längsseite; ihm schräg gegenüber, an der Schmalseite, der Generalstabschef.

Halder erhält das Wort und beginnt seinen Plan vorzutragen. Er trägt das Deckwort »Fall Blau«. Ursprünglich sollte er »Fall Siegfried« heißen. Doch Hitler wollte keine verpflichtenden Mythenfiguren mehr als Paten für seine Operationen haben, seit Kaiser Rotbart als »Barbarossa« sich so wenig glückhaft erwiesen hatte.

Hitler unterbricht Halder immer wieder mit Zwischenfragen. Man kommt vom Hundertsten ins Tausendste, aber nach drei Stunden gibt Hitler den Grundzügen des Planes seine Zustimmung: I. Akt: Zwei Armeegruppen bilden eine mächtige Zange. Der nördliche Zangenarm stößt aus dem Raum Kursk–Charkow den mittleren Don entlang südostwärts vor, während der rechte Zangenarm aus dem Raum Taganrog direkt nach Osten vorschnellt. Westlich Stalingrad vereinigen sich die beiden Arme, schließen die Zange um die sowjetischen Hauptkräfte zwischen Donez und Don und vernichten sie.

II. Akt: Danach Vorstoß in den Kaukasus, das 1100 Kilometer lange Hochgebirge zwischen dem Schwarzen und dem Kaspischen Meer, und Eroberung der kaukasischen Ölgebiete.

Die Stadt Stalingrad an der Wolga war nach dem Offensivplan »Blau« kein operatives Ziel. Es wurde offengelassen, die Stadt »zu erreichen« oder Stalingrad »zumindest unter die Wirkung unserer schweren Waffen zu bringen, daß es als weiteres Rüstungs- und Verkehrszentrum ausfällt«.

Es ist Mittag, als Halder die »Wolfsschanze« wieder verläßt und zurück in den Mauerwald fährt. Der Chef des deutschen Generalstabs ist müde und zerschlagen, ist voller Zweifel und über Hitlers Einwände verdrossen. Aber er glaubt doch, Hitler wenigstens für einen durchführbaren Plan gewonnen zu haben. Für einen Plan, der mit den deutschen Kräften haushält und Schritt für Schritt mit klaren Schwerpunkten die gesteckten Ziele an der Südfront angeht. Klappt es, dann verliert Stalin ganz Kaukasien mitsamt Astrachan und der Wolgamündung, das heißt Landbrücke und Wasserweg nach Persien. Das südliche Ziel von »Unternehmen Barbarossa« wäre dann erreicht.

Jetzt gilt es nur noch, das Ganze in einen klaren Befehl für die Spitzen der Wehrmachtteile zu bringen.

Sieben Tage später. Am 4. April 1942 legte Generaloberst Jodl den Befehlsentwurf vor. Der Wehrmachtführungsstab hatte die Aufgabe nach traditioneller Generalstabssitte gelöst: die Lage knapp dargestellt, die Ziele in »Aufträge« gefaßt und auf diese Weise dem Oberbefehlshaber der Heeresgruppe Süd, Feldmarschall von Bock, die Durchführung der riesigen Operation in eigener Verantwortung überlassen. Das war eine seit 130 Jahren bewährte Generalstabstradition, von Scharnhorst über Schlieffen bis Ludendorff.

Aber schon an dieser Ecke scheiterte die OKW-Fassung der »Operation Blau«. Hitler hatte in den Winterkrisen das Vertrauen in seine Generale verloren. Oberbefehlshaber und Korpskommandeure hatten gezeigt, daß sie seine Befehle zum Teil nur widerstrebend erfüllten. Nun hatte Hitler selbst den Oberbefehl über das Heer übernommen. Er war nicht gewillt, sich seine Befehlsgewalt durch »elastisch gefaßte Aufträge« derart einschränken zu lassen.

Nachdem Hitler den Entwurf gelesen hatte, verweigerte er seine Zustimmung: Der Plan lasse dem Oberbefehlshaber Süd viel zuviel freie Hand. Er – Hitler – wolle nichts von elastischer Auftragserteilung wissen.

Hitler verlangte detaillierte Befehlsgebung. Er wollte die Durchführung genau festgelegt sehen. Als Jodl muckte, nahm Hitler ihm die Unterlagen mit den Worten ab: »Ich werde die Sache selber durcharbeiten.« Am nächsten Tag lag das Ergebnis auf zehn Schreibmaschinenseiten vor: die Führerweisung Nr. 41 vom 5. April 1942. Sie ist neben dem »Barbarossa-Plan«, der Weisung Nr. 21, das schicksalhafteste Papier des Zweiten Weltkrieges, eine Mischung aus Operationsbefehl, Grundsatzentscheidungen, Durchführungsbestimmungen und Geheimhaltungsvorschriften.

Da es sich bei dieser Weisung nicht nur um einen gigantischen Feldzugsplan, sondern vor allem bereits um den Fahrplan nach Stalingrad handelt, um das Papier also, in dem eine Wende des Krieges beschlossen liegt, seien hier die wichtigsten Abschnitte zitiert.

Schon in der Einleitung wird eine gewagte These aufgestellt: »Die Winterschlacht in Rußland geht ihrem Ende zu. Der Feind hat schwerste Verluste an Menschen und Material erlitten.« Das war richtig: Aber die Schlußfolgerung: »In dem Bestreben, scheinbare Anfangserfolge auszunutzen, hat er auch die Masse seiner für spätere Operationen bestimmten Reserven in diesem Winter weitgehend verbraucht«, war falsch. Denn: Als der Satz zur Grundlage der großen Offensive aufs Papier gebracht wurde, war Stalin dabei, aus seinem Riesenreich neue Armeen und eine Reihe selbständiger Großverbände – insgesamt rund 80 Divisionen – aus dem Boden zu stampfen.

Auf diesen gefährlichen Irrtum aufbauend, stand der Befehl: »Sobald Wetter- und Geländeverhältnisse die Voraussetzungen dazu bieten, muß nunmehr die Überlegenheit der deutschen Führung und Truppe das Gesetz des Handelns wieder an sich reißen, um dem Feinde ihren Willen aufzuzwingen.

Das Ziel ist, die den Sowjets noch verbliebene lebendige Wehrkraft endgültig zu vernichten und ihnen die wichtigsten kriegswirtschaftlichen Kraftquellen so weit als möglich zu entziehen.«

Zur Durchführung des Plans hieß es so: »Unter Festhalten an den ursprünglichen Grundzügen des Ostfeldzuges kommt es darauf an, bei Verhalten der Heeresmitte ... zunächst alle greifbaren Kräfte zu der Hauptoperation im Süd-Abschnitt zu vereinigen, mit dem Ziel, den Feind vorwärts des Don zu vernichten, um sodann die Ölgebiete im kaukasischen Raum und den Übergang über den Kaukasus selbst zu gewinnen.«

Seine Direktive zur operativen Führung des Feldzuges lautet: »Erste Aufgabe des Heeres und der Luftwaffe nach Abschluß der Schlammzeit ist es, die Vorbedingungen für die Durchführung der Hauptoperation zu schaffen.

Das erfordert die Bereinigung und Festigung an der gesamten Ostfront und in den rückwärtigen Heeresgebieten.

Die nächsten Aufgaben sind es, auf der Krim die Halbinsel Kertsch zu säubern und Sewastopol zu Fall zu bringen.«

Ein Kernproblem dieser weitgespannten Offensive war die lange Flanke am Don. Um die Gefahr, die sich hieraus ergab, zu bannen, fällte Hitler eine verhängnisvolle Entscheidung, durch welche die Katastrophe von Stalingrad heraufbeschworen wurde. Er befahl nämlich: »Zur Besetzung der sich im Laufe dieser Operation mehr und mehr verlängernden Donfront werden in erster Linie die Verbände der Verbündeten herangezogen ... (Sie) sind weitgehend in eigenen Abschnitten so zu verwenden, daß am weitesten nördlich die Ungarn, demnächst die Italiener, am weitesten südostwärts die Rumänen eingesetzt werden.«

Diese Entscheidung basierte auf politischen Rücksichten; denn sowohl der rumänische Staatschef Marschall Antonescu, wie Italiens Duce Mussolini hatten aus nationalem Prestige die Forderung nach geschlossenem Einsatz ihrer Truppenverbände gestellt.

Die Durchführung des großen Planes beginnt mit der Operation »Trappenjagd« auf der Krim. Der sowjetische Kriegshistoriker Oberst P.A. Shilin schreibt in seinem Buch »Die wichtigsten Operationen des Großen Vaterländischen Krieges« über die Lage auf der Krim im Frühjahr 1942: »Der hartnäckige Kampf der Sowjettruppen und der Schwarzmeerflotte brachte uns großen strategischen Nutzen und durchkreuzte die Berechnungen des

Gegners. Die hier gebundene 11. deutsche Armee konnte nicht zum Angriff auf die Wolga und den Kaukasus angesetzt werden.«

Das ist vollkommen richtig. Und weil es für die Sowjets so wichtig war, die 11. deutsche Armee Mansteins auf der Krim eingemauert zu halten, hatte Stalin eine mächtige Streitmacht für diese Aufgabe aufgeboten:

Drei sowjetische Armeen mit siebzehn Schützendivisionen, zwei Kavalleriedivisionen, drei Schützenbrigaden und vier Panzerbrigaden verbarrikadierten die achtzehn Kilometer schmale Landenge von Parpatsch, den Zugang von der Krim zur Halbinsel Kertsch. Kertsch wiederum war ein Sprungbrett hinüber zur östlichen Schwarzmeerküste und damit in das Vorfeld des Kaukasus.

Jeder Kilometer dieser entscheidenden Brücke wurde von rund 10 000 sowjetischen Soldaten verteidigt. Auf jeden Meter zehn Mann.

Die Rotarmisten lagen hinter einem zehn Meter breiten und fünf Meter tiefen Panzergraben, der die ganze Landenge durchzog. Dahinter waren breite Drahthindernisse gezogen und Tausende von Minen gelegt. Spanische Reiter, mächtige Eisenigel aus zusammengeschweißten Eisenbahnschienen sicherten Maschinengewehrstände, Kampfstützpunkte und Geschützstellungen. Und an beiden Enden der Achtzehn-Kilometer-Front befand sich Wasser, also keine Chance zu einer Umgehung.

»Und da soll'n wir durch, Herr Generaloberst«, fragte Mansteins Fahrer und Adlatus Fritz Nagel seinen Oberbefehlshaber nach einem Blick durchs Scherenfernrohr auf der Beobachtungsstelle des Artillerieregiments 114, von der man einen guten Blick über die sowjetischen Stellungen hatte.

»Da müssen wir durch, Nagel«, nickte Manstein. Er schob die Feldmütze ins Genick und trat wieder ans Scherenfernrohr, durch das er eben seinen Oberfeldwebel hatte blicken lassen.

Fritz Nagel war bei allen Stäben gern gesehen. Der Karlsruher fuhr seit 1938 den Wagen Mansteins. Bei jeder Frontfahrt saß er am Steuer, war immer die Ruhe selbst und hatte viele Male gefährliche Situationen gemeistert. Mehrmals wurde er verwundet. Manstein jedoch war nie etwas passiert: Nagel war eine Art Talisman.

Manstein war auf die vorgeschobene Beobachtungsstelle des Artillerieregiments 114 gefahren, im nördlichen Teil der Front vor der Parpatsch-Enge, um noch einmal das sowjetische Stellungssystem einzusehen.

»Sonst noch Neuigkeiten?« fragte er den Kommandeur der 46. Infanteriedivision. »Nichts Besonderes, Herr Generaloberst«, antwortete Generalmajor Haccius.

24

»Dann Hals- und Beinbruch übermorgen«, nickte Manstein. »Los, Nagel, nach Hause.«

Übermorgen. Das war der 8. Mai. Der Tag der »Trappenjagd«, wie der Deckname für den Durchbruch nach Kertsch hieß.

Wenn man einen dreimal stärkeren Feind in einer raffinierten Verteidigungsstellung vor sich hat, kann man ihn nur mit Mut und List werfen. Und auf eine List setzte Manstein seinen Plan.

Die sowjetische Front in der Enge verlief kurios: Im Südteil kerzengerade nach Norden, im Nordteil in einer weit nach Westen vorgetriebenen Blase. Sie war entstanden, nachdem die Sowjets im Winter die rumänische 18. Division geworfen hatten und deutsche Bataillone den roten Einbruch nur mit Mühe und Not hatten abriegeln können.

Was bot sich aufgrund dieser Lage an? Natürlich ein Stoß gegen die Flanke dieser Frontausbuchtung. Aber gerade weil sich dies anbot – und weil die Russen damit rechneten und deshalb zwei Armeen sowie fast ihre gesamten Reserven in diesem Frontabschnitt massiert hatten –, ließ sich Manstein nicht zu dieser naheliegenden Angriffsoperation verleiten. Der überragendste Stratege des Zweiten Weltkrieges ging wieder einmal ganz anders vor.

Der Generaloberst tat allerdings alles, um die feindliche Aufklärung in dem Glauben zu bestärken, daß er im Norden angreifen werde. Artilleristische Scheinstellungen wurden gebaut, Truppenbewegungen im Nord- und Mittelraum der Front inszeniert, für den feindlichen Abhördienst bestimmte Funksprüche abgesetzt und Scheinerkundungsangriffe gestartet.

Inzwischen wurde der Angriff am anderen Ende, am Südabschnitt, vorbereitet. Das XXX. Armeekorps unter Generalleutnant Fretter-Pico sollte mit seinen drei Infanteriedivisionen am Südrand ein Loch in die Front schlagen. Dann sollte die 22. Panzerdivision sowie eine motorisierte Brigade wie die wilde Jagd hindurchfegen, tief ins rote Hinterland fahren, um dann zu einem Umfassungsstoß nach Norden einzudrehen und nach Osten weiter durchzubrechen.

Ein kühner Plan: mit fünf Infanteriedivisionen und einer Panzerdivision gegen drei Armeen. Stukaverbände des VIII. Fliegerkorps unter Generaloberst Freiherr von Richthofen und Teile der 9. Flakdivision waren zur Unterstützung der Infanterie bereitgestellt. Schwere Heeresartillerie wurde zum massierten Feuerschlag von Sewastopol herangeholt.

Als Schlag gegen die Hauptbefestigung, den Panzergraben, hatte sich Manstein etwas ganz Listiges ausgedacht.

In der Nacht vom 7. auf den 8. Mai herrscht am Strand ostwärts Feodosia merkwürdiges Treiben. Sturmboote werden ins Wasser geschoben. Pioniere und Infanteristen der bayerischen 132. Infanteriedivision steigen ein. Aber die Motoren bleiben stumm. Boot um Boot legt lautlos vom Ufer ab, nur durch Paddelschläge vorangetrieben. Bald ist die geheimnisvolle Flotte von der Nacht verschluckt: Vier Sturmkompanien schaukeln auf dem Schwarzen Meer. Gegen 2 Uhr treiben sie an der Küste entlang nach Osten.

3 Uhr 15: Wie ein urweltlicher Donnerschlag bricht das Feuer der deutschen Artillerie los. Schwere Mörser donnern. Werfer heulen. Flak hämmert. Feuer, Qualm und Morgendunst brodeln über dem Südabschnitt der Parpatsch-Enge. Stukas heulen heran. Stürzen. Ihre Bomben zerfetzen Bunker und Drahtverhaue.

3 Uhr 25: Überall gehen zwei weiße Leuchtkugeln hoch. Angriff der Infanterie. Voran die Pioniere. Sie haben das schlimmste Geschäft zu besorgen: Minen wegräumen, Draht zerschneiden, alles im Abwehrfeuer des Feindes.

Der Russe schießt Sperrfeuer. Die sowjetischen MG-Schützen an den Scharten der Bunker drücken auf den Abzug. Sie brauchen nicht zu zielen. Das Feuer ist flankierend eingestellt, das heißt, die Garben der verschiedenen Gewehre überschneiden sich. Nur schießen, schießen.

Sowjetische Schiffsgeschütze orgeln. Granatwerfer flappen. Immer nach vorn, dorthin, wo die Deutschen kommen müssen. Und sie müssen ja über die schmale Landbrücke kommen. Oder?

Als die deutsche Artillerie losschlägt, werfen auch die Sturmboote draußen vor der Küste ihre Motoren an. Niemand bei den Russen kann das Geräusch jetzt noch hören.

Die Boote schießen pfeilschnell der Küste zu. Genau auf die Stelle, wo der breite sowjetische Panzergraben, offen wie ein Scheunentor und mit Wasser gefüllt, im Meer endet.

Die Sturmboote fahren einfach in den Graben hinein. Die Männer springen an Land und feuern sofort aus der Hüfte mit ihren MG. Die Sowjets in den Schützenständen an der Grabenwand fallen im Feuer, noch ehe sie begreifen, was los ist.

Aber da faucht ein eingebauter russischer Flammenwerfer los. Die erste deutsche Welle preßt sich an den Boden. Sie liegt fest.

Ein Messerschmitt-Jäger kurvt von See her im Tiefflug heran. Er streicht den Graben entlang, schießt mit seinen Bordwaffen hinein und zwingt nun die Sowjets in Deckung.

Die Männer des deutschen Sturmbootkommandos springen auf und brechen in den Graben ein. Die ersten Russen heben die Hände. Heillose Verwirrung.

Links, beiderseits der Straße Feodosia–Kertsch, arbeitet sich inzwischen das schlesische Jägerregiment 49 durch die Minenfelder. Hauptmann Greve führt die Spitze des I. Bataillons südlich der Straße. Er springt durch den Eisenhagel, jagt durch die schmalen geräumten Gassen der Minenfelder.

Der Division sind Sturmgeschütze zugeteilt. Oberleutnant Buff fährt mit drei dieser eisernen Festungen und gibt Greves Männern Feuerschutz.

Bereits um 4 Uhr 30 haben die Jäger den Panzergraben erreicht. Keuchend liegt der Hauptmann auf dem Grabenrand. Unteroffizier Scheidt schießt mit dem MG nach links und rechts. Pioniere kommen mit einer Sturmleiter. Greve rutscht als erster in den Graben.

Beim II. Bataillon bleibt der Kommandeur, Major Kutzner, am »Tatarenhügel« schwer verwundet im sowjetischen Ratsch-Bumm-Feuer liegen. Die Sowjets haben dort eine Pakfront errichtet, mit den Geschützen eines ganzen Pakregiments. Leutnant Fürnschuß wird mit seinen Sturmgeschützen zum Retter. Seine 7,5-cm-Langrohrkanonen schießen die russische Pakfront zusammen.

Oberleutnant Reissner springt an der Spitze seiner 7. Kompanie vorwärts. Er unterläuft schweres feindliches Artilleriefeuer und wirft sich hin. Wieder hoch. Da ist der Graben. Der Rand ist zerschossen. Reissner läßt sich hinunterrollen. Eine MPi-Garbe fetzt von der Seite heran und reißt den Oberleutnant von den Beinen. Verwundet, winkt er noch seine Jäger gegen den sowjetischen Schützenstand ein.

Die Infanteristen an der linken Flanke des Durchbruchraumes arbeiten sich durch die Minenfelder und Drahtverhaue hindurch. Gutgetarnte und vom Artillerieüberfall nicht getroffene MG-Bunker legen überschneidendes und flankierendes Sperrfeuer.

Mit einem Stoß quer zur Front werden die sowjetischen MG-Nester ausgeschaltet, dann gelingt es gegen Abend auch hier, bis in den Panzergraben vorzudringen.

Leutnant Reimann rollt mit seiner 9. Kompanie den Graben vom rechten Flügel bis zum Parpatsch-See auf, setzt im erbitterten Nahkampf alle eingebauten Schartenstände und Bunker außer Gefecht und sprengt die Grabenwände für die Anlage von Panzerübergängen zusammen: Das Kernstück der sowjetischen Verteidigung ist in der ganzen Breite der Angriffsfront genommen.

Die motorisierte Brigade aus rumänischen und deutschen Einheiten war noch am Nachmittag des ersten Angriffstages direkt am Meeresufer, wo in der Frühe die Sturmboote den Panzergraben genommen hatten, über schnell errichtete Übergänge gefahren und in den Rücken der sowjetischen Front gestoßen.

Die Angriffsgruppen der 22. Panzerdivision warteten indessen noch auf den Befehl zum Antreten. Aber erst am 9. Mai vormittags waren die Brückenköpfe über den Panzergraben so erweitert, daß die Abteilungen nachgezogen werden konnten.

Die Panzerkompanien und Schützenpanzerwagen entwickelten sich, rollten in die zweite und dritte sowjetische Verteidigungsstellung, brachen den Widerstand, erreichten das Straßenknie nach Arma Eli und platzten dort mitten in die Versammlung einer sowjetischen Panzerbrigade hinein.

Als wäre es geprobt, rollten im selben Augenblick auch sechs Kolosse der Sturmgeschützabteilung heran. Ehe sich die Sowjets entwickeln konnten, wurden sie von den deutschen Panzern und Sturmgeschützen zerschlagen.

Wie geplant, schwenkte die 22. Panzerdivision nun nach Norden ein, hinter die Front der weit vorn noch gegen die Fesselungsangriffe der fränkisch-sudetendeutschen 46. Infanteriedivision und die rumänischen Brigaden haltenden zwei sowjetischen Armeen. Alles lief nach Mansteins Plan. Doch mit einem Schlag änderte sich dann die Szene. Am Spätnachmittag des 9. Mai setzte ein schlimmer Frühjahrsregen ein. Er verwandelte in wenigen Stunden die Wege und den lehmigen Boden in grundlose Moräste. Der Verkehr mit Kübel- und Lastwagen lag bald völlig still. Nur die Zugmaschinen mit Raupenketten kamen noch durch. Jetzt kämpfte Mansteins Wille gegen die Widrigkeiten der Natur.

Die Kampfwagen quälten sich noch bis tief in die Nacht vorwärts. Igelten sich dann ein. Befanden sich auf diese Weise am nächsten Morgen, dem 10. Mai, als es aufklarte, in der tiefen Flanke und im Rücken der 51. sowjetischen Armee.

Ein Entlastungsangriff der Russen, den sie mit starken Panzerkräften führten, wurde abgeschlagen. Wind kam auf und trocknete den Boden. Die Division rollte nach Norden. Stand am 11. Mai bei Ak-Monai am Meer und damit nun auch im Rücken der 47. Sowjetarmee. Zehn rote Divisionen waren im Sack. Der Rest floh nach Osten.

Inzwischen jagte Oberst von Groddeck mit seiner schnellen Brigade in einem kühnen Vorstoß gleichfalls ostwärts und verhinderte, daß der Russe irgendwo in rückwärtigen Stellungen Front machte. Wo sich sowjetische Regimenter festsetzen wollten, schlug von Groddeck zu. Und jagte weiter.

Als die Brigade fünfzig Kilometer tief ins Hinterland vorgestoßen war und völlig überraschend am »Tatarengraben« auftauchte – weit im Rücken des Hauptquartiers von Generalleutnant D.T. Koslow, dem Oberbefehlshaber der Heeresgruppe Krimfront –, war es mit der Fassung der sowjetischen Führung vorbei. Truppen und Stäbe lösten sich auf. Auf den Straßen wälzten sich riesige Kolonnen fliehender Verbände in Richtung Kertsch, an die Ost-küste der Halbinsel. Von dort hofften sie, sich über die schmale Meeresstraße hinüber aufs Festland retten zu können.

Verzweifelt versuchten sowjetische Eingreifreserven die deutschen Spitzen zu stoppen, damit möglichst viele Verbände, die massenweise am Strand der Halbinsel Kertsch lagen, mit Motorbooten und Kuttern aufs Festland gebracht werden könnten. Genau wie es die Engländer – fast auf den Tag genau zwei Jahre zuvor – in Dünkirchen mit ihrem Expeditionskorps auf dem französischen Festland erfolgreich vorexerziert hatten.

Aber Manstein dachte nicht daran, sich den Sieg durch ein sowjetisches Dünkirchen schmälern zu lassen. Er setzte seine Panzer und mot.-Verbände mit zwei Infanterieregimentern zur überholenden Verfolgung an. Am 16. Mai war Kertsch erreicht. Dem sowjetischen Oberkommando gelang kein Dün-kirchen. Stalin könnte seine Armeen nicht retten. Der Einsatz der Sturmartil-lerie und der Sturmgeschützabteilungen machten den improvisierten See-transporten schnell ein Ende.

170 000 Gefangene: Drei Sowjetarmeen waren in acht Tagen von einem halben Dutzend deutscher Divisionen geschlagen worden.

Am 17. Mai in der Frühe steht Manstein zusammen mit Generaloberst Freiherr von Richthofen auf einer kleinen Anhöhe bei Kertsch. Vor ihnen liegt das Meer, die Straße von Kertsch, und drüben, keine zwanzig Kilometer entfernt, im strahlenden Sonnenschein das Ufer der Tamanhalbinsel, das Vorfeld Asiens, das Entree zum Kaukasus. Manstein hatte mit seinem Sieg die Hintertür zu Stalins Ölparadies aufgestoßen.

Und in der Stunde, da Manstein zum großen Ziel hinüberschaut, treten 650 Kilometer weiter nördlich, im Raum Charkow, die Divisionen der Armee-gruppe von Kleist an, um auch am Donez die entscheidende Ausgangsposi-tion zur Sommeroffensive, zum »Fall Blau«, zu erkämpfen. Generaloberst von Kleist trat zu einer Offensive an, die im Hinblick auf Wagemut und ope-rativen Ansatz ihresgleichen nicht hatte.

Im Osten rötet sich der Horizont. Wolkenloser Himmel. Stille. Man hört nur das Atmen. Und das Ticken der großen Armbanduhr des Leutnants Teuber, der die Hand auf den Grabenrand stützt, Tropfen der Zeit, die ins Meer der Ewigkeit fallen.

Dann ist es soweit. Donnergebraus erfüllt die Luft. Aber während der Neuling auf dem Schlachtfeld nur entnervendes Krachen vernimmt, unterscheiden die alten Hasen der Ostfront die dumpfen Schläge der Haubitzen, die knallenden Abschüsse der Kanonen, das Heulen der Infanteriegeschütze.

Drüben, im Wald, wo die Stellungen der Sowjets liegen, steigt Rauch auf. Dreckfontänen spritzen in die Luft, Baumäste wirbeln über den Einschlägen hoch: die Kulisse des massierten Artillerieschlages vor einer Offensive.

Wie hier, in der Sturmausgangsstellung der Berliner Bären-Division, so ist es auch bei den Regimentern der 101. leichten Division, bei den Grenadieren der 16. Panzerdivision und bei den Jägern der 1. Gebirgsdivision, der Angriffsspitze von Mackensens III. Panzerkorps. Überall zwischen Slawiansk und Losowaja, südlich Charkow, stehen die Kompanien der Armeegruppe von Kleist am Morgen des 17. Mai 1942 angriffsbereit unter dem orgelnden Donnerschlag der Artillerie.

Jetzt macht die Feuerwalze vor den sturmbereiten deutschen Soldaten einen sichtbaren Sprung nach Norden. Im gleichen Augenblick brausen die Stukas über die deutschen Linien hinweg.

»Los!« ruft der Kompanieführer, Leutnant Teuber. Und wie er, so rufen in dieser Sekunde ein halbes Tausend Leutnante und Oberleutnante: »Los!«

Die Frage, die Offizier und Mann in den letzten Tagen und Stunden geplagt hatte, war weggefegt, die große Frage nämlich: Würde es gelingen, die seit fünf Tagen nach Westen rollende russische Offensive an ihrer Wurzel zu treffen?

Um was ging es an diesem 17. Mai 1942? Welcher Zweck wurde mit dem Angriff der Armeegruppe Kleist verfolgt? Zur Beantwortung dieser Frage muß man einen Blick zurückwerfen.

Um die Ausgangsbasis für den Hauptstoß der großen Sommeroffensive 1942 aus dem Raum Charkow in Richtung Kaukasus–Stalingrad zu gewinnen, hatte die Führerweisung Nr. 41 befohlen, den sowjetischen Frontvorsprung beiderseits Isjum, der die ständige Bedrohung Charkows darstellte, in einer Zangenoperation zu beseitigen. Der Oberbefehlshaber der Heeresgruppe Süd, Feldmarschall von Bock, hatte für diese Operation einen einfachen Plan gemacht: Die 6. Armee sollte von Norden, die Armeegruppe von Kleist mit Teilen der 1. Panzerarmee und der 17. Armee von Süden angreifen. Sie sollten Timoschenkos prall gefüllten Frontvorsprung abkneifen und die darin aufmarschierten Sowjetarmeen in einer Kesselschlacht vernichten. Das Deckwort für diesen Plan hieß »Fridericus«.

Aber nicht nur Feldmarschall von Bock, auch die Russen hatten ihren Plan: Marschall Timoschenko wollte seine mißglückte Januar-Offensive wiederholen und bereitete diesmal mit noch stärkeren Kräften einen Angriff vor, der auf kriegsentscheidende Wirkung zielte. Mit fünf Armeen und einer Armada von Panzerverbänden wollte er aus dem so schwer erkämpften Frontvorsprung mit zwei Stoßkeilen die deutsche Front sprengen. In umfassender Operation sollte dann die Großstadt Charkow, das Verwaltungszentrum der ukrainischen Schwerindustrie, zurückerobert werden. Die Deutschen hätten damit ihr riesiges Versorgungszentrum für die Südfront verloren, in dem gewaltige Vorräte lagerten.

Gleichzeitig wollte Timoschenko seinen Versuch vom Januar wiederholen und den Deutschen auch noch Dnjepropetrowsk entreißen, mit dem hundert Kilometer entfernten Saporoschje, dessen gewaltiger Staudamm in den vierziger Jahren eine Art Weltwunder darstellte.

Die Verwirklichung dieses Planes wäre für die deutsche Heeresgruppe Süd noch verhängnisvoller gewesen als der Verlust der Etappe Charkow. Denn über Dnjepropetrowsk und Saporoschje führten die Straßen und Eisenbahnen zum breiten seenartigen Unterlauf des Dnjepr, über den es weiter südlich bis zum Schwarzen Meer keinen weiteren festen Übergang mehr gab. Der gesamte Nachschub für die Armeen des deutschen Südflügels, die östlich des Dnjepr im Donezgebiet und auf der Krim standen, mußte über diese beiden Verkehrssterne rollen. Ihr Verlust hätte eine Katastrophe ausgelöst.

So kreisten im Frühjahr 1942 die Gedanken beider Seiten um den großen Frontbogen von Isjum, der für Bock wie für Timoschenko ein schicksalhafter Hintergrund der zukünftigen Entscheidungsschlachten war. Die Frage war nur, wer schlägt zuerst zu, wer gewinnt das Rennen mit der Zeit: Timoschenko oder Bock?

Der deutsche Fahrplan sah den 18. Mai als Angriffstag vor. Timoschenko aber war schneller.

Am 12. Mai trat er mit überraschend starken Kräften zu seiner Zangenoperation gegen die 6. Armee an. Den nördlichen Zangenarm bildete die 28. sowjetische Armee mit sechzehn Schützen- und Kavalleriedivisionen, drei Panzerbrigaden und zwei mot.-Brigaden. Das war eine überwältigende Streitmacht gegen zwei deutsche Korps mit zusammen sechs Divisionen.

Mit noch geballterer Kraft kam Timoschenkos südlicher Zangenarm aus dem Frontvorsprung: Hier waren es zwei sowjetische Armeen, die mit sechsundzwanzig Schützen- und achtzehn Kavalleriedivisionen sowie vierzehn Panzerbrigaden gegen die Stellungen des deutschen VIII. Korps und des rumänischen VI. Korps brandeten: Ein halbes Dutzend deutsche und rumänische Infanteriedivisionen, zunächst ohne einen einzigen Panzer, sahen sich also einer mehrfachen Übermacht gegenüber, die mit überwältigenden Panzerkräften anrollte.

Es bestand gar keine Möglichkeit, den russischen Stoß an den Schwerpunkten aufzufangen. Die deutschen Linien wurden überrannt. Allerdings hielten sich noch, genau wie in der Winterschlacht, zahlreiche deutsche Stützpunkte im Rücken des durchgebrochenen Feindes.

General Paulus warf alle erreichbaren Einheiten seiner 6. Armee gegen den reißenden Durchbruchsstrom der Russen. Zwanzig Kilometer vor Charkow gelang es, wirklich im letzten Moment, die Nordzange Timoschenkos durch Flankenstöße zum Stehen zu bringen. Aber die ungeheuer starke Südzange Timoschenkos war nicht zu stoppen. Eine Katastrophe drohte. Der Russe brach weit nach Westen durch und näherte sich mit Kavallerieverbänden am 16. Mai der Stadt Poltawa, dem Hauptquartier des Feldmarschalls von Bock. Die Lage wurde dramatisch. Bock stand vor einer schweren Entscheidung. In zwei Tagen sollte der deutsche Angriff beginnen. Aber die Lage hatte sich durch die russische Offensive von Grund auf geändert. Die 6. Armee war festgenagelt und mußte sich erbittert verteidigen. Sie fiel deshalb als nördliche Angriffsgruppe aus. Die Zangenoperation war damit hinfällig geworden.

Sollte man also den ganzen Plan aufgeben? Oder sollte man die Operation mit nur einem Arm durchführen? Bocks Generalstabschef, General von Sodenstern, drängte den zögernden Feldmarschall immer wieder, die »einarmige« Lösung zu wählen. Sie war angesichts des starken Feindes riskant. Aber für diesen wagemutigen Plan sprach die Tatsache, daß Timoschenko mit jedem Kilometer, den er weiter nach Westen vorstieß, seine Flanke gefährlich verlängerte.

Das war Bocks Chance. Und der Feldmarschall ergriff sie schließlich. Er entschloß sich, das Unternehmen »Fridericus« mit einem Arm zu schlagen. Um den Russen keine Möglichkeit zu lassen, ihre lange Flanke abzuschirmen, setzte er den Angriff sogar einen Tag früher an, als geplant gewesen war.

So trat die Armeegruppe von Kleist am Morgen des 17. Mai an. Acht Infanteriedivisionen, zwei Panzerdivisionen und eine motorisierte Infanteriedivision umfaßte Kleists Streitmacht. Rumänische Divisionen sicherten den linken Angriffsflügel.

3 Uhr 15 springt Leutnant Teuber an der Spitze seiner Kompanie aus dem

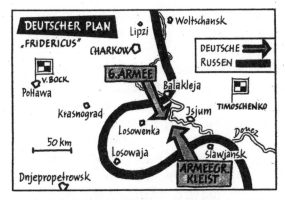

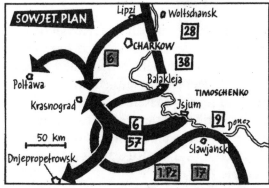

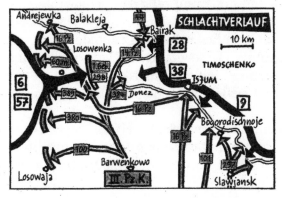

Karte 2: Die große Schlacht südlich Charkow im Frühsommer 1942. Vorspiel zu »Operation Blau«. Oben: der deutsche Plan »Fridericus«. Darunter: der sowjetische Plan zur Einkesselung der 6. Armee. Unten: der Verlauf der Kesselschlacht südlich Charkow.

Graben und bricht mit seinen Männern gegen die russischen Stellungen am Waldrand vor. Stukas heulen über ihren Köpfen, stürzen und werfen Bomben auf die erkannten Stützpunkte, Bunker und Feuerstellungen der Russen.

2-cm-Heeresflak auf Selbstfahrlafette fährt zwischen Teubers Zügen vor und ersetzt die fehlenden Panzer. Im direkten Feuer jagen die 2-cm-Flak ihre Granaten peitschend gegen sowjetische Widerstandsnester. Die Infanteristen schätzen diese Waffe und ihre unerschrockenen Männer, die immer in vorderster Linie die Sturmangriffe mitfuhren.

Die ersten gutausgebauten Stellungen der Russen sind im Bomben- und Granatenhagel zusammengestürzt. Trotzdem leisten die Sowjets, die dieses Artilleriefeuer überlebt haben, Widerstand. Ein Sturmbataillon hält bis zum letzten Mann. 450 tote Russen zeugen von dem erbitterten Kampf.

Schrittweise nur kann sich das Regiment durch dichtes Unterholz, Minenfelder und über Baumhindernisse vorwärts kämpfen. Leutnant

33

Teuber gerät mit seiner Kompanie in die besonders zäh verteidigten Stellungen der Honigkolchose Majaki, die dicht hinter der Hauptkampflinie liegt. Keinen Schritt kommt die Kompanie vorwärts.

»Artilleriefeuer anfordern«, ruft Teuber dem Artillerie-Verbindungsoffizier zu. Der gibt die Anforderung durch Tornisterfunk nach hinten: »Feuer auf Planquadrat 14.« Ein toller Feuerzauber setzt wenige Minuten später ein. Auch die russische Artillerie schießt Sperrfeuer vor die Kolchose.

Teuber und seine Männer springen vor. Da ist der russische Graben. Die Sowjets sind noch drin und haben sich eng an die Grabenwand gepreßt. Die heranstürmenden deutschen Soldaten springen hinein und ducken sich unter den heulenden Granaten, die vor, hinter und in den Graben schlagen, ebenfalls an die Wand.

Sie hocken und liegen mit den Russen Schulter an Schulter. Keiner tut dem anderen etwas. Jeder krallt sich in die Erde. Jeder ist nur Mensch, der sich vor den heulenden, mordenden, glühenden Eisensplittern retten will. Es ist, als wäre die Feindschaft der Menschen wie weggeblasen angesichts der sinnlosen Urgewalt, die auf Russen und Deutsche niederprasselt.

Erst als nach einer halben Stunde das Artilleriefeuer plötzlich schweigt, reißen sich Teubers Männer hoch, und man hört sie überall im Graben rufen: »Ruki werch! Ruki werch! – Hände hoch!« Und die Russen lassen ihre MPi und die Gewehre sinken und heben die Arme.

Teubers Züge gehen weiter vor und stoßen auf zehn dampfende russische Feldküchen, die gerade Tee und Hirsebrei kochen. Die Russen sind verblüfft, als sich plötzlich deutsche Landser zum Essenempfang einfinden.

»Komm, Iwan, schenk ein«, rufen sie. Die sowjetischen Küchenbullen sind zunächst ängstlich, aber bald hauen sie den »Germanskis« die Kellen voll Hirsebrei in die Kochgeschirre und gießen duftenden, grünschimmernden Tee in die Feldflaschen.

Das Frühstück endet mit einem düsteren Schauspiel: Ein sowjetischer Doppeldecker kurvt plötzlich herunter und greift den Rastplatz mit Bordwaffen an. Die Soldaten von Teubers Kompanie schießen mit ihren Gewehren und MG auf die tieffliegende alte »Nähmaschine«. Zahlreiche Schüsse treffen den Motor und zerfetzen die Tragflächen. Die Maschine torkelt und geht im Gleitflug, keine 200 Meter vom Rastplatz entfernt, nieder.

Der 1. Zug stürmt zum Flugzeug. Aber der Pilot verteidigt sich mit dem eingebauten MG. Als er seine Munition verschossen hat, klettert er mit seinem Begleiter, beide im Lederdreß, aus der Maschine.

»Ruki werch!« rufen die Deutschen. Aber die beiden Russen heben die Hände nicht hoch. Sie ziehen die Pistole.

»Deckung«, ruft der Zugführer. Das ist jedoch unnötig. Die beiden Flieger wollen sich nicht mehr verteidigen, sondern nur der Gefangenschaft entgehen: Zuerst schießt sich der Begleitoffizier und dann der Pilot eine Kugel in den Kopf. Als Teubers Männer kopfschüttelnd die Toten bergen, erkennen sie, daß der Begleitoffizier eine Frau im Range eines Unterleutnants ist.

Am Abend des 17. Mai haben die Regimenter in ihrem gesamten Angriffstreifen den Donez erreicht. Am 18. Mai nehmen sie ihr nördlichstes Angriffsziel: Bogorodischnoje. An der Übersetzstelle des Donez versucht eine mit dreißig Pferden vollgestopfte Brückenfähre noch aus dem Wirrwarr der brennenden Kähne abzulegen. Aber der Fährmann gibt das Abenteuer auf, als er die Deutschen sieht. Den Fluß hinab treiben brennende Kähne, trudelnden Feuerinseln gleich.

Auch die links benachbarte 101. leichte Division kämpft sich bis zum Abend des 18. Mai an den Donez heran. Bei glühender, tropisch-feuchter Hitze von 30 Grad müssen die Bataillone ein riesiges Waldgebiet durchstoßen, sich vorsichtig in Schützenreihe an gutgetarnten sowjetischen Waldstellungen vorbeikämpfen und durch breite Minenfelder quälen. Die Pioniere entschärfen am ersten Tag 1750 Minen aller Art.

Zum erstenmal seit der Sommeroffensive des Vorjahres tauchen auch wieder Minenhunde auf, Schäferhunde und Dobermänner mit scharfgemachten Panzerminen auf dem Rücken. Die in gut getarnten Stellungen hockenden Hundeführer jagen die Tiere immer wieder gegen die vordringenden deutschen Verbände. In einer schauerlichen Treibjagd werden die Hunde abgeschossen. Immer wieder kommen ganze Rudel und versuchen, getreu ihrer Dressur, unter Wagen und Protzen zu laufen. Gelingt ihnen das und findet der hochragende Auslösestift der Mine Widerstand, dann explodiert die starke Sprengladung mitsamt dem Hund und reißt in einem Umkreis von mehreren Metern alles kurz und klein.

Mit dem Gewinnen der Donezlinie übernehmen die Divisionen den östlichen Flankenschutz für den tiefen Vorstoß der gepanzerten Stoßgruppen zur eigentlichen Kesselbildung: Die 16. Panzerdivision, als Speerspitze, stößt mit den drei Kampfgruppen von Witzleben, Krumpen und Sieckenius durch die russischen Stellungen. Wirft den Feind. Wehrt starke Gegenangriffe ab. Und stößt dann zügig bis in die Vororte von Isjum vor.

Den Hauptstreich der Operation »Fridericus« hatte General von Mackensen mit seinem III. Panzerkorps zu führen. Mit der Dresdener 14. Panzerdivision in der Mitte, rechts und links die Wiener 100. leichte Division und die bayerische 1. Gebirgsdivision, wird der überraschte Russe am morastigen Suchoj-Torez geworfen, eine Brücke gebaut. Dann nach Norden eingedreht. Brodelnde Staubwolken hüllen die Panzer ein. Die mehlige Schwarzerde macht die Männer zu Schornsteinfegern.

Im Zusammenwirken mit Eisenacher Panzerkompanien unter Sieckenius wird der Bereka-Fluß überquert, sowjetische Panzerstöße erfolgreich abgewehrt. Am 22. Mai steht man am nördlichen Donezbogen.

Das war die Entscheidung. Denn drüben, am anderen Ufer, stand die Spitze der 6. Armee: Die Hoch- und Deutschmeister. Mit dieser Handreichung war der Isjumer Bogen durchstoßen und Timoschenkos weit nach Westen durchgebrochene Armee abgeschnitten. Der Kessel war geschlossen.

Zu spät hatte Marschall Timoschenko die Gefahr erkannt. Mit einer solchen Antwort auf seine Offensive hatte er nicht gerechnet. Jetzt blieb ihm nichts anderes übrig, als seinen so hoffnungsvoll begonnenen Marsch nach Westen abzubrechen, seine Divisionen umzudrehen und mit umgekehrter Front nach Osten den Ausbruch aus dem Kessel zu versuchen. Würde die dünne deutsche Kesselwand halten können?

Für Generaloberst von Kleist kam es darauf an, seine Abschnürungsfront so stark zu machen, daß die sowjetischen Ausbruchsversuche abgewehrt werden könnten.

In glänzender Führungskunst gruppierte General von Mackensen alle ihm unterstellten Infanterie- und mot.-Divisionen wie einen Fächer um die Achse der 14. Panzerdivision: Die 16. Panzerdivision wurde nach einer Westdrehung nordwärts auf Andrejewka am Donez geführt. Die vier anderen Divisionen fächerten nach Westen aus und bildeten die Kesselfront gegen Timoschenkos zurückflutende Armeen.

In der Mitte, wie die Spinne im Netz, saß die 1. Gebirgsdivision.

Diese Voraussicht brachte die letzte Entscheidung der Schlacht. Denn mit wilder Entschlossenheit jagten Timoschenkos Armeeführer ihre Divisionen gegen die deutsche Kesselfront. Sie bildeten Schwerpunkte und legten es darauf an, koste es, was es wolle, ein Loch in die deutsche Front zu schlagen, um die nur vierzig Kilometer entfernte rettende Donezfront zu erreichen.

Am Pfingstmontag gelang es den eingeschlossenen Armeen, sich durch die Absperrfront zu wälzen und auf Losowenka zu stoßen. Es war klar: Die Russen wollten auf die Rollbahn nach Isjum.

Aber jetzt wirkte sich Mackensens Vorsichtsmaßnahme entscheidend aus:

Die Sowjets trafen auf die 1. Gebirgsdivision, die eine Riegelstellung besetzt hielt. Was nun geschah, gehört zu den blutigsten Ereignissen des Rußlandkrieges.

Wir folgen bei unserer Schilderung der Darstellung des damaligen Kommandeurs der 1. Gebirgsdivision, Generalmajor Lanz, die er in seiner Divisionsgeschichte gegeben hat: Im Lichte Tausender weißer Leuchtkugeln stoßen die russischen Kolonnen gegen die deutschen Linien. Gellende Kommandos der Offiziere und Kommissare feuern die Bataillone an. Untergehakt stürmen die Rotarmisten vorwärts. Fürchterlich schallt ihr heiseres »Urrä« durch die Nacht.

Die ersten Wellen fallen. Da drehen die erdbraunen Kolonnen nach Norden ab.

Aber auch dort stoßen sie auf die Sperren der Gebirgsjäger. Wogen zurück und stampfen nun ohne Rücksicht auf Verluste in die deutsche Front hinein. Sie erschlagen und erstechen alles, was sich ihnen in den Weg stellt, kommen noch ein paar hundert Meter vorwärts und sinken dann im flankierenden deutschen MG-Feuer zusammen. Was nicht tot ist, wankt, kriecht, stolpert zurück in die Schluchten der Bereka.

Am nächsten Abend wiederholt sich die Szene. Diesmal fahren mehrere T 34 mitten in den dichten Knäuel der anstürmenden Rotarmisten. Die untergehakten Massen stehen zum Teil unter Wodka. Woher sollen die armen Kerle denn sonst auch den Mut nehmen, mit »Urrä« in den sicheren Tod zu stürmen?

Am dritten Tag endlich ist die Kraft der Russen gebrochen. Die beiden Oberbefehlshaber der 6. und 57. sowjetischen Armee, Generalleutnant Gorodnjanskij und Generalleutnant Podlas, sowie ihre Stabsoffiziere liegen tot auf dem Kampffeld. Die große Schlacht ist zu Ende, Timoschenko geschlagen. Er verlor die Masse von zweiundzwanzig Schützendivisionen und sieben Kavalleriedivisionen. Vierzehn Panzer- und mot.-Brigaden wurden vollständig vernichtet. 239 000 Rotarmisten wanken in die Gefangenschaft. 1250 Panzer und 2026 Geschütze wurden zerstört oder erbeutet. Das war das Ende der Schlacht südlich Charkow, bei der die Sowjets die Deutschen einkesseln wollten und selber eingekesselt wurden. Es war ein ungewöhnlicher deutscher Sieg, der in wenigen Tagen aus einer Niederlage heraus gezaubert wurde.

Aber die siegreichen deutschen Divisionen ahnten nicht, daß dieser durch Führungskunst und Tapferkeit erzielte Erfolg das Tor zu einem düsteren Schicksal öffnete: denn sie marschierten nun nach Stalingrad.

Aber noch sah niemand den Schatten dieser Stadt. Kertsch und Charkow beherrschten die Gemüter und die Wehrmachtsberichte. Es war ja auch erstaunlich: Zwei große Vernichtungsschlachten innerhalb von drei Wochen. Sechs sowjetische Armeen zerschlagen. 409 000 sowjetische Soldaten gefangen. 3159 Geschütze und 1508 Panzer zerstört oder erbeutet. Das deutsche Ostheer zeigte sich wieder auf der Höhe seiner überlegenen Kraft. Das Glück marschierte wieder mit Hitlers Fahnen. Vergessen war der schreckliche Winter mit dem Gespenst der Niederlage.

Und während noch im Kessel südlich Charkow die letzten Schüsse gewechselt wurden und Gruppen und Grüppchen halbverhungerter Rotarmisten aus ihren Schlupflöchern krochen, da lief schon wieder das Räderwerk einer neuen Schlacht an: Der Kampf um Sewastopol, den letzten sowjetischen Stützpunkt auf der Südwestecke der Krim, die stärkste Festung der Welt. Unternehmen »Störfang« war das Deckwort.

2

Sewastopol – Unternehmen »Störfang«

Ein Grab auf dem Friedhof von Jalta – Die Riesenmörser »Karl« und »Dora« – Die Batterie »Maxim Gorki« wird gesprengt – »Wir sind noch zweiundzwanzig . . . lebt wohl« – Kampf um den Rosenhügel – Komsomolzen und Kommissare

»Wir können ablegen, Herr Generaloberst.« Der italienische Leutnant zur See salutierte. Manstein tippte an seinen Mützenrand, nickte lächelnd und sagte zu seiner Begleitung: »Also dann, meine Herren, besteigen wir unseren Kreuzer.«

Der Kreuzer war ein italienisches Schnellboot, das einzige Kriegsschiff, das Manstein zur Verfügung hatte. Kapitän zur See Joachim von Wedel, der Hafenkommandant von Jalta, hatte es herangeschafft. Manstein wollte am 3. Juni 1942 eine Fahrt an der Südküste der Krim entlang machen, um selbst zu prüfen, ob die Küstenstraße von See her einzusehen sei. Denn über diese Straße lief der gesamte Nachschub des XXX. Korps, das unter General Fretter-Pico an der Südfront von Sewastopol lag. Eine Gefährdung dieses

Nachschubs durch sowjetische Seestreitkräfte könnte das Programm der Schlacht um Sewastopol durcheinanderbringen.

Bei strahlender Sonne schoß das Boot an der Schwarzmeerküste entlang. Die Gärten von Jalta umrahmten mit ihren hohen Bäumen die weißen Villen und Paläste. Bis auf die Höhe von Balaklawa fuhr das Boot nach Westen. Das alte Fort auf der kahlen Felskuppe ragte mit seinen beiden Wehrtürmen in den blauen Himmel.

Blau schimmerte auch die Bucht, die am Fuße des Felsens ins Land schnitt. Hier fochten 1854/55 während des Krimkrieges Franzosen, Engländer, Türken und Piemonteser, die mit einem Expeditionskorps in Eupatoria gelandet waren, um Zar Nikolaus zur Räson zu bringen. Fast ein Jahr, 347 Tage, hatten damals die Belagerung und der Kampf um Sewastopol gedauert, dann erst gaben die Russen auf. Die Zahl der Opfer – einschließlich der Zivilbevölkerung – war für damalige Zeiten sehr hoch. Die Schätzungen bewegten sich zwischen 100 000 und 500 000.

Generaloberst von Manstein kannte diese Tatsachen. Er hatte alle Studien über den Krimkrieg gelesen. Und er wußte, daß die Sowjets unter den alten Forts ganz neue, moderne Verteidigungswerke angelegt hatten: riesige Kasematten, betonierte Geschützstände mit Panzerkuppeln und einem Labyrinth von unterirdischen Versorgungslagern. Es bestand kein Zweifel, daß Stalin im Jahre 1942 diese Seefestung genauso mit Krallen und Zähnen verteidigen würde, wie es Zar Nikolaus I. in den Jahren 1854/55 getan hatte. Denn Sewastopol mit seinem günstigen Naturhafen war der Hauptstützpunkt, der Rückhalt der russischen Kriegsflotte im Schwarzen Meer. Fiel es, blieb der Flotte nichts anderes übrig, als sich in die Schlupfwinkel an der Ostküste zurückzuziehen.

Manstein und Kapitän von Wedel waren im Gespräch vertieft, als plötzlich ein schreckliches Krachen, Blitzen, Splittern und Schreien das Boot erfüllte.

»Flieger!« schrie Mansteins Ordonnanzoffizier, Oberleutnant Specht. Zu spät sprangen die Italiener ans Fla-MG. Aus der Sonne heraus waren zwei sowjetische Jäger von Sewastopol herangeflogen und dann heruntergestoßen. Mit ihren Bordwaffen hatten sie das Boot erwischt.

Decksplanken splitterten. Feuer schoß auf. Kapitän von Wedel, der neben Manstein gesessen hatte, brach getroffen zusammen – tot. An der Reling lag der italienische Oberbootsmannsmaat – tot.

Fritz Nagel, Mansteins treuer Begleiter in jeder Schlacht seit dem ersten Kriegstage, wurde mit einem schweren Oberschenkelschuß gegen den Luftschacht am Heck geschleudert. Die Schlagader war zerrissen. Das Blut schoß in schnellen Schlägen aus der Wunde. Der italienische Kommandant riß sich sein Hemd vom Leibe, um die Schlagader abzubinden.

Oberleutnant Specht zog sich aus, sprang ins Wasser und schwamm zur Küste. Splitternackt hielt er einen erstaunten Lkw-Fahrer an, mit dem er nach Jalta brauste. Dort griff sich der Oberleutnant ein Motorboot, jagte zum brennenden Schnellboot zurück und schleppte es in den Hafen von Jalta ein.

Manstein brachte Fritz Nagel selber ins Lazarett. Aber es war zu spät. Der Oberfeldwebel war nicht mehr zu retten.

Zwei Tage später, als rings um Sewastopol die Geschwader des VIII. Fliegerkorps zum ersten Akt der großen Schlacht rüsteten und die Motoren anwarfen, stand Manstein auf dem Friedhof von Jalta am Grabe seines Fahrers. Was der Generaloberst am Sarge seines Feldwebels sagte, verdient in der sonst so schrecklichen Chronik jenes schrecklichen Krieges verzeichnet zu werden. Manstein: »In den gemeinsamen Jahren täglichen Lebens und Erlebens sind wir Freunde geworden. Das Band der Freundschaft kann auch die tückische Kugel, die dich traf, nicht zerschneiden. Meine Dankbarkeit und meine Treue, unser aller Gedenken folgen dir über das Grab hinaus in die Ewigkeit. Nun ruhe in Frieden, leb wohl, mein bester Kamerad!«

Die Ehrensalve rollte über die Baumwipfel. Von Westen her tönte grollendes Donnern: Richthofens Geschwader starteten gegen Sewastopol. Die große siebenundzwanzigtägige Schlacht gegen die stärkste Festung der Welt hatte begonnen.

Von der Felskuppe oberhalb des Dorfes hatte man einen großartigen Blick über das gesamte Gebiet von Sewastopol. Pioniere hatten einen Beobachtungsstand in die Felswand gebaut, der gegen feindlichen Artillerie- und Fliegerbeschuß einigermaßen sicher war. Von dort konnte man mit dem Scherenfernrohr, wie von einem Aussichtsturm, Stadt und Festungsgebiet in der ganzen Ausdehnung überblicken.

In diesem Beobachtungsstand verbrachte Manstein mit seinem Chef des Stabes, Oberst Busse, und mit seinem Ordonnanzoffizier, »Pepo« Specht, Stunden um Stunden und beobachtete die Wirkung der ersten Feuerschläge von Lufwaffe und Artillerie. Es war der 3. Juni 1942.

Hier, wo die Griechen im Altertum die ersten Handelsplätze errichtet, die Goten während der Völkerwanderung ihre Felsburgen gebaut, später die Genuesen und Tataren um die Häfen und die fruchtbaren Täler gekämpft hatten und schließlich im Krimkrieg des 19. Jahrhunderts das Blut von Engländern, Franzosen und Russen geflossen war, saß nun ein deutscher Feldherr eng an den Felsen gepreßt und lenkte aufs neue eine

Schlacht um die Häfen und Buchten der paradiesischen Schwarzmeerhalbinsel Krim.

»Ein toller Feuerzauber«, staunte Specht. Busse nickte zustimmend. Aber er war skeptisch: »Und trotzdem ist nicht sicher, ob wir für den Infanterieangriff genug Löcher in den Festungsgürtel kriegen.«

Manstein stand am Scherenfernrohr und blickte hinüber zum Belbek-Tal mit der hochragenden Bergkuppel, der die Landser den Namen »Ölberg« gegeben hatten. Stukas jagten staffelweise über ihre Köpfe hinweg. Stürzten sich auf Sewastopol. Warfen ihre Bomben. Ließen die Bordwaffen rasseln. Und drehten wieder ab. Schlachtflieger brausten über die Hochebene. Jäger fegten am Himmel entlang. Bomber zogen ihre Bahn. Die 11. Armee beherrschte den Luftraum bereits wenige Stunden nach Beginn des Bombardements. Die schwache sowjetische Luftwaffe der Küstenarmee war zerschlagen. Sie war mit ganzen dreiundfünfzig Flugzeugen in den Kampf gegangen.

Das VIII. Fliegerkorps flog täglich 1000, 1500, 2000 Einsätze. »Rollender Einsatz« hieß das Fachwort für diese Luftschlacht am laufenden Band. Und während aus dem Himmel über Sewastopol der tödliche Bombenregen fiel, hämmerten gleichzeitig alle Kaliber der deutschen Artillerie ihre Granaten in das feindliche Stellungssystem. Die Artilleristen suchten die eingebauten Batterien. Ebneten die Gräben und Drahtverhaue ein. Jagten Schuß um Schuß auf die Scharten und Panzerkuppeln der betonierten Geschützstellungen. Tag und Nacht – fünfmal vierundzwanzig Stunden.

Denn das hatte sich Manstein als entscheidende Eröffnung für den Angriff ausgedacht. Nicht wie üblich, ein massierter Feuerschlag der Artillerie und der Luftwaffe von ein, zwei Stunden und dann Sturmangriff. Nein, Manstein wußte: die starken Befestigungsanlagen Sewastopols mit Hunderten von betonierten und gepanzerten Werken, die breiten Bunkergürtel, die mächtigen Panzerbatterien, die drei Verteidigungsstreifen mit insgesamt 350 Kilometer Schützengraben, die tiefen Draht- und Minenhindernisse und die in den Felsen der Steilufer geschlagenen Kampfstände für Raketengeschütze und Granatwerfer waren nicht durch die übliche artilleristische Feuervorbereitung auszuschalten.

Deshalb Mansteins Plan, fünf Tage lang ein gewaltiges Vernichtungsfeuer im Zusammenwirken von Artillerie, Werfern, Flak und Sturmgeschützen zu schießen. 1300 Rohre feuerten auf die erkannten Befestigungsanlagen und Feldstellungen der Sowjets. Dazu hämmerten die Kampfgeschwader des VIII. Fliegerkorps ihre Bombenlast in die Ziele.

Es war eine mörderische Ouvertüre. Niemals während des Zweiten Weltkriegs, weder vor noch nach Sewastopol, wurden auf deutscher Seite so massierte Artilleriekräfte eingesetzt.

In Nordafrika eröffnete Montgomery Ende Oktober 1942 vor El Alamein die britische Offensive gegen Rommels Stellungen mit den historisch gewordenen 1000 Rohren. Manstein setzte vor Sewastopol noch 300 mehr ein.

Besonderen Anteil an den Artillerieschlägen hatten die Nebelwerfer. Zum ersten Mal wurde diese unheimliche Waffe in mächtiger Massierung schwerpunktmäßig eingesetzt. Zwei Werferregimenter sowie zwei Werferabteilungen waren unter dem Sonderstab von Oberst Niemann in der Front vor der Festung zusammengezogen: einundzwanzig Batterien mit 576 Rohren, darunter die Batterien eines schweren Werferregiments mit Spreng- und Flammölgranaten vom Kaliber 28 cm beziehungsweise 32 cm, die gegen die Befestigungsanlagen besonders wirksam waren.

Beim Feuereinsatz heulten jede Sekunde allein aus den Rohren dieses Regiments 324 Granaten auf die abgezirkelten Abschnitte der gegnerischen Feldbefestigungen. Die moralische Wirkung auf die Russen war ebenso groß wie die tödliche Vernichtungskraft. Wenn von einer einzigen Batterie mit sechs Geschützen sechsunddreißig feuerschweifbewehrte Geschoßungeheuer auf einen Schlag mit nervenzerfetzendem Geheul in eine feindliche Stellung schlugen, war die Wirkung fürchterlich.

Die Splitterkraft der einzelnen Granate war zwar nicht so groß wie die eines Artilleriegeschosses, aber die Druckwelle bei der Detonation eines solchen Feuerschlages auf engstem Raum eines Flächenziels ließ die Blutgefäße platzen. Die nicht in unmittelbarer Nähe des Einschlages liegenden Soldaten wurden durch den ohrenbetäubenden Lärm und den lähmenden Druck der Detonation demoralisiert. Schrecken und Angst führten zur Panik. Ähnliche Wirkungen hatten auf die sonst so unempfindlichen Russen nur noch die Stukas. Die deutsche Truppe hat übrigens gegenüber dem massierten Einsatz der russischen Raketenwaffe, der sogenannten Stalinorgel, gleichfalls oft mit Angst und Schrecken reagiert.

Unter der herkömmlichen Artillerie, die in Sewastopol an die Festungstore pochte, waren drei besondere Giganten, die in die Kriegsgeschichte eingegangen sind: der Gamma-Mörser, der Mörser »Karl« – auch »Thor« genannt – und das Eisenbahngeschütz »Dora«. Alle drei Höhepunkte der konventionellen Artillerieentwicklung. Sie waren für den Kampf gegen Festungen konstruiert worden. Vor dem Kriege gab es neben den Bollwerken in Belgien und neben der französischen Maginot-Linie nur noch die Festungen Brest-

Litowsk, Lomscha, Kronstadt und eben Sewastopol. Leningrad war keine Festung mehr im eigentlichen Sinne, und die alten französischen Stadtfestungen an der Atlantikküste schon gar nicht.

Der Gamma-Mörser war die Wiedergeburt der »Dicken Berta« des Ersten Weltkriegs. Seine Granaten vom Kaliber 42,7 cm wogen 923 Kilogramm und konnten auf Ziele bis zu 14,25 Kilometer Entfernung geschossen werden. Die Rohrlänge betrug 6,72 Meter. 235 Artilleristen waren zur Bedienung dieses ungewöhnlichen Riesen erforderlich.

Aber »Gamma« war ein Zwerg gegen den 61,5-cm-Mörser »Karl« beziehungsweise »Thor«, eines der schwersten Geschütze des Zweiten Weltkriegs und Spezialwaffe des Heeres gegen stärkste Betonfestungen. Die 2200 Kilogramm schweren Betongranaten, die stärkste Betondecken durchschlugen, wurden aus einem Ungeheuer verschossen, das mit einem herkömmlichen Mörser kaum noch Ähnlichkeit hatte. Das gedrungene, fünf Meter lange Rohr und das gewaltige Laufwerk des Fahrgestells glichen eher einer Fabrik mit einem unheimlichen Stummelschornstein.

Doch auch »Karl« war noch nicht das artilleristische Nonplusultra. Das stand in Bachtschisarei, im »Palast der Gärten«, der alten Residenz der Tatarenchane, und hieß »Dora«, von den Landsern auch »schwerer Gustav« genannt. Es war die schwerste Kanone des letzten Krieges. Kaliber: 80 cm. Sechzig Eisenbahnwagen waren nötig, um die Teile dieses Monstrums zu transportieren. Aus seinem 32,5 Meter langen Rohr wurden 4800 Kilogramm, also fast fünf Tonnen schwere Sprenggranaten siebenundvierzig Kilometer weit geschossen. Und die noch schwereren Panzergranaten (7000 Kilo) schoß »Dora« auf Ziele in achtunddreißig Kilometer Entfernung. Geschoß und Kartusche waren 7,8 Meter lang. Aufgerichtet entsprachen sie ungefähr der Höhe eines zweistöckigen Hauses.

In einer Stunde konnte »Dora« drei Schuß abfeuern. Das Riesengeschütz stand dabei auf zwei Doppelgleisen. Zwei Flakabteilungen waren ständig zur Überwachung eingesetzt. Bedienung, Schutz und Wartung erforderten 4120 Mann. Allein zur Feuerleitung und Bedienung gehörten ein Generalmajor, ein Oberst und eintausendfünfhundert Mann.

Diese wenigen Angaben zeigen, daß hier die alte traditionelle Kanone ins Gigantische, ins Überdimensionale gesteigert war, so daß der Nutzeffekt schon sehr fraglich wurde. Immerhin, ein einziger Schuß von »Dora« vernichtete bei Sewastopol, an der Sewernaja-Bucht, ein Munitionslager, das dreißig Meter unter der Erde lag.

Manstein stand schon die dritte Stunde auf seinem Felsennest. Er studierte die Einschläge und verglich sie mit den präzisen Unterlagen, die ihm die beiden Artillerieführer seiner Armee, Generalleutnant Zuckertort und Generalleutnant Martinek geliefert hatten. Manstein war bei aller genialen Feldherrnkunst ein Mann des Details. Vielleicht liegt hierin das Geheimnis seiner Erfolge.

»Die Flak ist einfach unersetzlich bei diesen Befestigungen«, und das Flakregiment 18 wurde im Artilleriekampf vor Sewastopol berühmt. Die rasante »Acht-Acht« war die beste Waffe zur Bekämpfung der Festungsanlagen, die über den Erdboden hervorragten. Wie die Werfer in vorderster Linie eingesetzt, knackte die 8,8, diese Wunderwaffe des Zweiten Weltkrieges, in direktem Punktfeuer Bunker und Schartenstände. 181 787 Schuß verfeuerten allein die 8,8-Batterien des Flakregiments 18 im Laufe der Schlacht um Sewastopol.

Von Mansteins Beobachtungsstand aus konnte man die drei tiefgestaffelten Verteidigungssysteme erkennen, welche die Kernfestung schützten:

Das erste, zwei bis drei Kilometer breit, mit vierfach hintereinander gestaffelten und verdrahteten Grabenstellungen, dazwischen Holzbunker und betonierte Kampfstände. Minendetonationen bei Artillerietreffern vor und zwischen den Gräben zeigten an, daß die Russen außerdem dichte Panzerminensperren gelegt hatten. Es war damit zu rechnen, daß viele dieser unsichtbaren Minensperren zum Schutz gegen einen Sturmangriff der Infanterie vorhanden waren.

Der zweite Verteidigungsgürtel war etwa anderthalb Kilometer breit, zu ihm gehörten vor allem im Nordabschnitt, zwischen Belbek-Tal und Sewernaja-Bucht, eine Reihe schwerster Befestigungswerke, denen die deutschen Artilleriebeobachter einprägsame Namen gegeben hatten: »Stalin«, »Molotow«, »Wolga«, »Sibirien«, »GPU« und – vor allem – »Maxim Gorki I« mit seinen schweren 30,5-cm-Panzerbatterien. Das Pendant dazu, »Maxim Gorki II« befand sich im Süden von Sewastopol, ähnlich stark bestückt.

Die Ostfront der Festung war von der Natur besonders begünstigt. Schwieriges Gelände mit tiefen Felsentälern und befestigten Bergkuppen bot hier ein ideales Verteidigungsfeld. »Adlerhöhe«, »Zuckerhut«, »Nordnase« und »Rosenhügel« wurden für die Sewastopol-Kämpfer des Ostabschnitts unvergessene Namen.

Ein dritter Verteidigungsgürtel lief direkt um die Stadt. Er war ein wahres Labyrinth von Gräben, MG-Nestern, Granatwerferstellungen und Kanonenbatterien.

Nach sowjetischen Angaben wurde Sewastopol von sieben Schützendivisionen, einer Kavalleriedivision zu Fuß, zwei Schützenbrigaden, drei

Marinebrigaden, zwei Marineinfanterieregimentern sowie verschiedenen Panzerbataillonen und verschiedenen selbständigen Verbänden – insgesamt 101 238 Mann – verteidigt. Zehn Artillerieregimenter und zwei Granatwerferabteilungen, ein Pakregiment sowie fünfundvierzig schwerste Geschützeinheiten der Küstenverteidigung standen mit insgesamt 600 Geschützen und 2000 Granatwerfern in der Verteidigungsfront.

Eine wahrhaft feuerspeiende Burg, die Manstein mit seinen sieben deutschen und zwei rumänischen Divisionen nehmen wollte.

Die Nacht vom 6. zum 7. Juni war heiß und schwül. Gegen Morgen kam von See her eine leichte Brise auf. Aber sie führte keine Seeluft heran, sondern Staub, der aus dem aufgewühlten Vorfeld von Sewastopol über die deutschen Linien zog, und Qualm, der von den brennenden Munitionsdepots in der Südstadt kam.

Als der Morgen graute, schwoll das deutsche Artilleriefeuer noch einmal

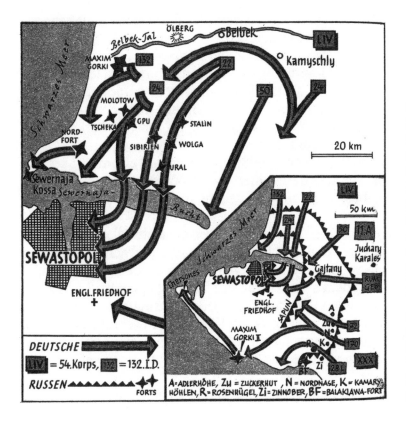

Karte 3: Die Eroberung von Sewastopol, »Unternehmen Störfang«. Nach fünftägigem Vernichtungsfeuer der Artillerie und der Luftwaffe trat die 11. Armee am 7. Juni 1942 zum Angriff auf die stärkste Festung der Welt an. Am 3. Juli 1942 fiel das letzte Fort.

45

gewaltig an. Dann sprang die Infanterie auf. Unter der mächtigen Feuerglocke jagten um 3 Uhr 50 Stoßtrupps der Infanterie und Pioniere auf der ganzen Front gegen die feindliche HKL.

Der Schwerpunkt lag an der Nordfront. Dort griff das LIV. Korps mit vier Infanteriedivisionen und dem verstärkten Infanterieregiment 213 an. Von Westen und Süden griff das XXX. Korps an.

Oben, am Belbek-Tal und in der Kamyschly-Schlucht, räumten die Pioniere Minengassen, damit die Sturmgeschütze möglichst schnell zur Unterstützung der Infanterie eingesetzt werden konnten. Die Infanteristen kämpften indessen um die ersten Feldstellungen des Feindes. Die Artillerie hatte zwar Gräben und Erdbunker zerschlagen, aber die überlebenden Russen wehrten sich verzweifelt. Mit Handgranaten und Nebelkerzen mußten die Sowjets aus ihren gut getarnten Erdlöchern geschlagen werden.

Den Niedersachsen der 22. Infanteriedivision fiel wieder die schwere Aufgabe zu, das Fort »Stalin« zu nehmen. Im vergangenen Winter hatten die Sturmkompanien vom Infanterieregiment 16 schon einmal die äußeren Wälle des Werkes erklommen, hatten dann wieder weichen müssen und waren auf das Belbek-Tal zurückgegangen.

Nun galt es, den blutigen Weg noch einmal zu machen. Der erste Versuch am 9. Juni scheiterte. Am 13. Juni gingen die 16er das Fort wieder an. »Stalin« war ein Trümmerfeld, aber aus allen Ecken und Löchern wurde noch geschossen. Im Andrejew-Flügel hatte der Kommandant nur Komsomolzen, Jungkommunisten, und Parteimitglieder eingesetzt. Im Gefechtsbericht steht: »Es war wohl der zäheste Feind, den wir je erlebt haben.«

Nur eins von vielen Beispielen: Dreißig Tote liegen in einem Bunker, der einen Volltreffer in die Scharte erhalten hat. Trotzdem wehren sich zehn Überlebende. Sie haben die Toten als Kugelfang vor die zerschossenen Scharten gepackt.

Flammenwerfer jagen ihren Feuerstrahl gegen die schreckliche Brustwehr. Handgranaten hinterher. Man sieht Landser, die sich erbrechen. Aber erst am Nachmittag wanken vollkommen fertig vier Russen aus den Trümmern.

Sie gaben auf. Nachdem sich der Politoffizier erschossen hatte.

Die beiden angreifenden Bataillone des niedersächsischen Infanterieregiments 16 wurden bei diesen unerbittlichen Kämpfen schwer mitgenommen. Sämtliche Offiziere waren ausgefallen. Ein Leutnant aus der Führerreserve übernahm das Kommando über die Reste der Schützenkompanien beider Bataillone.

Bis zum 17. Juni tobten die blutigen Kämpfe bei glühender Hitze in der zweiten Verteidigungszone. Unerträglicher Gestank zog über das Schlacht-feld, auf dem zahllose Leichen lagen, von riesigen Fliegenschwärmen umsummt. Die Bayern rechts neben den Niedersachsen hatten so hohe Ver-luste erlitten, daß sie zeitweilig aus der Front gezogen werden mußten.

Es sah nicht rosig aus bei den deutschen Verbänden. Die Verluste stiegen immer höher, und ein fühlbarer Munitionsmangel zwang zeitweilig zu einer Unterbrechung der Kämpfe. Schon gab es Kommandeure, die zu einer Ein-stellung des Angriffs rieten, bis neue Kräfte heran wären. Aber Manstein wußte, daß er mit Verstärkung nicht rechnen konnte.

Am 17. Juni gab er den Befehl zu einem neuen Generalangriff an der gan-zen Nordfront. Die ausgebluteten Regimenter traten noch einmal mit dem festen Willen an, diesmal die Haupthindernisse zu nehmen.

Im Belbek-Tal, vier Kilometer westlich des »Ölbergs«, werden zwei Mörser vom Kaliber 35,5 cm in Stellung gebracht. Sie haben den Auftrag, die Panzer-kuppeln des feuerspeienden »Maxim Gorki I« zu knacken. Die schweren 30,5-cm-Geschütze des sowjetischen Forts beherrschen das Belbek-Tal und den Weg zur Küste.

Es ist eine mühselige Arbeit, die beiden Riesen in Feuerstellung zu bringen. Nach vierstündigem Mühen der Bautrupps kann Batteriechef Ober-leutnant von Chadim endlich den Feuerbefehl geben.

Mit Donnergetöse gehen die Ungeheuer los. Nach der dritten Salve meldet Wachtmeister Meyer, der als vorgeschobener Beobachter in der vordersten Linie liegt, daß die Treffer der Betongranaten auf der Panzerkuppel ohne Wirkung bleiben.

»Spezial-Röchling-Granaten«, befiehlt Chadim. Die 3,6 Meter langen Geschosse mit einem Gewicht von 1000 Kilogramm werden mit Hilfe von Kränen herangebracht. Die »Röchling« hatte sich bereits im Frankreich-feldzug gegen die Anlagen von Lüttich bewährt. Sie explodierte nicht beim Aufschlag, sondern erst, wenn sie in den Widerstand eingedrungen war.

Unteroffizier Friedel Förster und seine vierzehn Kameraden am 1. Ge-schütz halten sich die Ohren zu, als der Oberleutnant die Hand hebt: »Feuer!«

Zwanzig Minuten später noch einmal für beide Geschütze zugleich: »Feuer!«

Kurz darauf kommt von Wachtmeister Meyer der Funkspruch: »Panzer-kuppel aus den Angeln geflogen!«

»Maxim Gorkis« Kopf ist eingeschlagen. Die Rohre der 30,5-cm-Schiffs-geschütze ragen quer in die Luft. Die Batterie schweigt.

Das ist die Stunde für Oberst Hitzfeld, den Eroberer des Tatarengrabens von Kertsch. An der Spitze der Bataillone seines Infanterieregiments stürmt er gegen das Fort und besetzt Panzertürme und Zugänge.

»Maxim Gorki I« kann nicht mehr feuern. Aber die sowjetische Besatzung im Innern des mächtigen Betonklotzes, der dreihundert Meter lang und vierzig Meter breit ist, ergibt sich nicht. Gruppenweise machen die Sowjets sogar noch blitzschnelle Ausfälle durch geheime Zugänge und Abzugskanäle.

Das Pionierbataillon 24 erhält den Auftrag, dem Spuk ein Ende zu machen. Übergabeaufforderungen beantworten die Sowjets mit MPi-Feuer. Die erste große Sprengung wird mit einem Berg von Dynamit, Flammöl und Nebelkerzen unternommen. Nachdem die Gase und der Qualm sich verzogen haben, schießen die Sowjets weiter aus Scharten und Öffnungen.

Die zweite Sprengung endlich reißt den Betonklotz auf und legt einen Zugang frei. Ein riesiger Bauch öffnet sich vor den Pionieren. Drei Stockwerke tief ist »Maxim Gorki I«. Eine Stadt. Millionen wurden hier verbaut.

Es gibt ein eigenes Wasser- und Kraftwerk, ein Lazarett, Kantinen, Maschinenräume mit Munitionsaufzügen. Arsenale und Kampfstollen. Jeder Raum und jeder Gang ist mit Doppelstahltüren versperrt. Und jede muß einzeln aufgesprengt werden.

Eng an die Wände gepreßt stehen die Pioniere. Zerbirst der Stahl, werfen sie ihre Handgranaten in den Qualm und warten, bis sich die Gase verzogen haben. Weiter!

In den Gängen liegen die toten Sowjets. Sie sehen gespenstisch aus, denn sie tragen alle Gasmasken. Rauch und Gestank hatten sie darunter gezwungen.

Aus dem nächsten Gang prasselt den Deutschen MPi-Feuer entgegen. Fliegen Handgranaten. Peitschen Pistolenschüsse. Dann knallt die Stahltür zu. Das blutige Spiel beginnt von neuem. So geht es Stunde um Stunde, bis sich der Kampf dem Hirn der Festung, der Befehlszentrale, nähert.

Auch in Sewastopol, im Gefechtsbunker von Vizeadmiral Oktjabrskij, der dicht am Hafen liegt, verfolgt man den Kampf im Fort »Maxim Gorki«. Der Funkoffizier, Unterleutnant Kusnezow, sitzt an seinem Apparat in der Funkzentrale und lauscht. Alle dreißig Minuten bekommt er von »Maxim Gorki« Bericht über die Lage. Der Befehl der Admiralität an die Kommandeure und Kommissare lautet: »Kampf bis zum letzten Mann!«

Da ist das Signal. Kusnezow lauscht und schreibt: »Wir sind noch sechsundvierzig Mann. Die Deutschen hämmern an die Panzertüren und fordern uns auf, uns zu ergeben. Zweimal haben wir die Luke geöffnet, um zu schießen. Jetzt ist das unmöglich.«

48

Dreißig Minuten später kommt der letzte Spruch: »Wir sind noch zweiundzwanzig! – Wir bereiten uns vor, uns in die Luft zu sprengen. Wir hören auf zu funken. Lebt wohl!«

Und so geschah es auch. Die Zentrale des Forts sprengte sich selbst in die Luft. Der Kampf war aus. Von der tausendköpfigen Besatzung gingen nur vierzig Verwundete in Gefangenschaft. Diese Zahl sagt alles.

Während die Kämpfe um »Maxim Gorki I« tobten, nahmen die sächsischen Bataillone am 17. Juni die Forts »GPU«, »Molotow« und »Tscheka«.

Auch die Bremer von Generalmajor Wolffs 22. Infanteriedivision bahnten sich links neben den Sachsen ihren Weg nach Süden und nahmen am 17. Juni mit einer Batterie Sturmgeschütze das Fort »Sibirien«. Das Infanterieregiment 16 knackte die Forts »Wolga« und »Ural«. Die Bremer erreichten als erste am 19. Juni die Sewernaja-Bucht, die letzte nördliche Barriere vor der Südstadt.

Die märkisch-mecklenburgische 50. Infanteriedivision und die 4. rumänische Gebirgsdivision hatten die undankbarste Aufgabe. Sie mußten sich durch das buschbewachsene Felsengelände von Nordosten her bis auf die Höhe von Gajtany quälen. Sie schafften es und erreichten die Ostecke der Sewernaja-Bucht.

An der Westfront war das XXX. Korps unter Fretter-Pico planmäßig erst am 11. Juni angetreten. Beiderseits der großen Straße, die von der Küste zur Stadt führte, stießen die Divisionen vor. Es galt, die beherrschenden Sapunhöhen zu gewinnen. Sie waren das Schlüsselloch zur Südstadt. Hier wurde um Bergkuppen und Schluchten gekämpft. Kleinkrieg gegen gutversteckte Stützpunkte und befestigte Felsennester: »Nordnase«, »Kapellenberg« und die Kamary-Höhlen waren Brennpunkte der Schlacht.

Die Jägerregimenter kämpften sich über die schroffen Felsen des Küstengebirges. Das Fort Balaklawa war schon im Herbst 1941 im Handstreich genommen worden. Aber die Jäger hatten auch im Juni 1942 noch genug zu tun. Es waren die Stunden der Stoßtruppkämpfer und ihrer mutigen Führer. Unvergessen sind Leutnant Koslar, Oberfeldwebel Keding und Feldwebel Hindemith. Höhe »Kaulquappe«, »Zinnober I, II, III« sowie »Rosenhügel« und das berüchtigte Weingut, so hießen in diesem Abschnitt die blutigen Stationen des Kampfes.

Die verstärkte 170. Infanteriedivision nahm die wichtigen Sapunhöhen. In anderthalb Stunden schlug sich das Pionierbataillon 240 unter Leutnant Mylius zum Kamm der Höhen hoch. Dort am Ziel, bildete das Infanteriebataillon einen Brückenkopf, Stadt und Hafen von Sewastopol vor Augen.

Am 18. Juni eroberte Major Baake mit der Aufklärungsabteilung 72 die »Adlerhöhe«.

Einen makabren Auftrag hatte Infanterieregiment 420. Es mußte den alten englischen Friedhof stürmen, auf dem die Gefallenen des Krimkrieges lagen. Die Sowjets hatten den Friedhof zu einem schweren Batteriestützpunkt ausgebaut: eine schauerliche Festung.

Am 20. Juni fällt Fort »Lenin«.

Als nach schweren Kämpfen das Nordfort und die berüchtigte Konstantinowski-Batterie auf der schmalen Landzunge Sewernaja–Kossa genommen war und damit die Hafeneinfahrt beherrschte, lag Sewastopol im Würgegriff. Manstein hatte alle Befestigungen um Sewastopol in der Hand. Trotzdem warf das sowjetische Oberkommando in der Nacht des 26. Juni noch eine Schützenbrigade auf alle möglichen Seefahrzeuge in die Stadt. Sie kamen gerade noch zum Untergang zurecht.

Den Fangstoß führten die 22. und 24. Infanteriedivision.

27. Juni, kurz nach Mitternacht: Lautlos fahren die Kompanien in Flußsäcken und Floßsackfähren über die Bucht. Zu spät erkennt der Feind das Manöver. Schon sind die ersten Stoßtruppes am E-Werk. Es fällt.

Die Bataillone pirschen sich weiter bis an den Stadtrand. Als es hell wird, kommen die Stukas. Schlagen den Infanteristen den Weg frei. Der letzte große Panzergraben wird bezwungen.

Die sowjetische Verteidigung bricht zusammen. Hier und dort nur kämpft noch ein Kommissar, ein Kommandeur, ein Komsomolze bis zum letzten Atemzug.

Am Steilufer der Nordbucht sitzen rund tausend Frauen, Kinder und Soldaten in einem verbarrikadierten Stollen. Der kommandierende Kommissar verweigert die Öffnung der Tore. Pioniere bereiten die Sprengung vor. Da jagt der Kommissar den ganzen Stollen mit allen Menschen und sich selbst in die Luft. Ein Dutzend deutscher Pioniere wird mit in den Tod gerissen.

Am 3. Juli ist alles zu Ende. Sewastopol, die stärkste Festung der Welt, ist gefallen. Zwei sowjetische Armeen zerschlagen. 90 000 Rotarmisten gehen in Gefangenschaft. Auf dem wüsten Schlachtfeld liegen neben Tausenden von Toten: 467 Geschütze, 758 Granatwerfer sowie 155 Pak und Flak.

Die Befehlshaber der Festung, Admiral Oktjabrskij und Generalmajor Petrow, blieben allerdings nicht auf dem Schlachtfeld. Sie waren am 30. Juni von einem Schnellboot aus der Festung herausgeholt worden.

Mansteins 11. Armee war nun frei für den großen Plan, für die bereits angelaufene Offensive gegen Stalingrad und den Kaukasus.

3
Der Aufmarschplan fällt in russische Hände

Ein gestörtes Fest – Major Reichel ist verschwunden – Ein verhängnisvoller Flug – Zwei geheimnisvolle Gräber – Die Russen kennen den Offensivplan – Der Angriff wird trotzdem gestartet

Die Villa des Kommissars war mit überraschend gutem Geschmack eingerichtet. Sie lag in einem kleinen Garten am Stadtrand von Charkow und hatte zwei Stockwerke. Auch das Kellergeschoß war ausgebaut. Der Genosse Kommissar hatte nicht schlecht gelebt. Er war allerdings auch ein verantwortungsvoller Mann gewesen: Die Schwerindustrie des Charkower Gebietes hatte ihm unterstanden. Hatte. Denn jetzt residierte General der Panzertruppe Stumme mit dem Stab seines XXXX. Panzerkorps in der Villa.

Stumme war ein ausgezeichneter Offizier und ein Lebenskünstler dazu. Immer quicklebendig. Klein von Gestalt, aber groß an Energie. Nie ohne das Monokel, das er auch schon als junger Reiteroffizier getragen hatte. Wegen zu hohen Blutdrucks war sein Gesicht leicht gerötet. Der Spitzname lag daher bei solcher körperlichen und geistigen Konstitution auf der Hand: »Kugelblitz« nannten ihn Offiziere und Soldaten seines Stabes heimlich. Stumme selbst wußte es natürlich auch, aber er spielte den Ahnungslosen. Auf diese Weise brauchte er nie zu reagieren, wenn er sich zufällig so tituliert hörte.

Stumme war kein wissenschaftlicher Generalstäbler, sondern ein Mann der Praxis mit dem echten Gespür für taktische oder operative Chancen. Er gehörte zur Spitzengruppe der deutschen Panzerführer, ein kluger Planer und schneller Zupacker. Ein Mann der Front, geliebt von seinen Soldaten, für die er mit rastlosem Eifer sorgte. Geachtet aber auch von seinen Offizieren, die seine Energie und seinen Spürsinn bewunderten.

Seine Schwäche, eine angenehme Schwäche, war gutes Essen und Trinken. »Krieg – und dann noch schlecht essen? Nee, meine Herren!« war eine beliebte Redensart von ihm. Er teilte allerdings die guten Happen, die der Kommandant des Stabsquartiers besorgte, immer mit Gästen.

So hatte er auch am 19. Juni 1942 zu einem Abendessen in sein Stabsquartier eingeladen. Die drei Divisionskommandeure des Korps und der Artillerieführer waren da: Generalmajor von Boineburg-Lengsfeld, Generalmajor Breith, Generalmajor Fremerey und Generalmajor Angelo Müller, der Arko. Der Chef des Generalstabs des Korps, Oberstleutnant

Franz, der Ia, Oberstleutnant Hesse und der O 1, Leutnant Seitz, sowie der Korpsadjutant, Oberstleutnant Harry Momm, der weltbekannte Springreiter, waren ebenfalls anwesend.

»Noch ein paar Tage können wir uns ausschlafen, meine Herren«, begrüßte Stumme seine Offiziere. »Hoffentlich klappt es diesmal, Stalin auf die Knie zu zwingen.«

»Hoffentlich«, knurrte der robuste General Breith, der Pfälzer.

Die drei Divisionskommandeure waren von Stumme schon zwei Tage zuvor mündlich über die Aufgaben des Korps im Rahmen der ersten Phase von »Operation Blau« unterrichtet worden. Mündlich, wohlgemerkt, denn den Plan oder die Korpsbefehle für eine Offensive durfte auch ein Divisionskommandeur nach den sehr strengen, von Hitler befohlenen Geheimhaltungsvorschriften nicht vor Angriffsbeginn erfahren.

»Können wir nicht doch ein paar schriftliche Anhaltspunkte haben«, hatte einer der Kommandeure gebeten. Auch das war zwar gegen die strengen Geheimhaltungsvorschriften, aber Stumme hatte zugestimmt.

»Ein Panzerkorps kann man nicht am zu kurzen Zügel führen«, hatte er zu seinem Chef des Stabes gesagt und dann eine Aktennotiz von einer halben Schreibmaschinenseite diktiert: »Nur für die Herren Divisionskommandeure!« Und nur über die erste Phase der »Operation Blau«. Oberstleutnant Hesse hatte das supergeheime Papier durch besonders zuverlässige Kuriere den Divisionen zugehen lassen.

Diese Handhabung war bei vielen Panzerkorps üblich. Denn wie sollte ein Divisionskommandeur, der Führer eines schnellen Verbandes, der plötzlich überraschend zu einem Durchbruch kam, die Chance nutzen können, wenn er nicht wußte, ob es nach Nord, Süd oder West weitergehen sollte?

Das Korps Stumme zum Beispiel hatte gemäß der ersten Phase der Aufmarschweisung den Auftrag, im Verband der 6. Armee über den Oskol zu stoßen und dann nach Norden zu einer Kesseloperation einzudrehen. Kamen die Divisionen schnell über den Fluß, war es wichtig, daß die Kommandeure diese große Absicht kannten und ohne Zeitverlust sofort richtig handelten.

Stumme war mit seiner Methode der kurzen schriftlichen Information der Divisionskommandeure immer gut gefahren. Er hatte auf diese Weise nie eine Chance verpaßt, und es war noch nie etwas passiert – bis zu diesem 19. Juni jedenfalls nicht.

Stumme genoß schmunzelnd die Überraschung des Abends: Es gab Rehrücken, von einem Rehbock, den Oberstleutnant Franz auf einer Erkundungsfahrt geschossen hatte. Als Vorspeise wurde eine Dose Kaviar serviert, dazu gab es Krimsekt. Beides hatte ein eifriger Verpflegungsoffizier in einem Charkower Warenlager ausfindig gemacht, und die Gäste ließen sich nicht nötigen.

Süßer Krimsekt macht fröhlich. Davon künden die Tafelrunden des Zaren wie auch die der Sowjetmenschen. Auch an Stummes Tisch regierte am Abend des 19. Juni der Frohsinn. Die Offiziere, die alle den schrecklichen Winter mitgemacht hatten, sahen die Dinge wieder zuversichtlich.

Vor allem der Kommandierende General selbst war voller Energie und Optimismus. Er hatte am Nachmittag mit der Armee gesprochen. Auch dort herrschte gute Stimmung. General von Mackensen hatte gerade oberhalb Charkows im Raume Woltschansk, ostwärts des Donez, der 6. Armee eine Bresche geschlagen und ihr so jenseits des Flusses, am Burluk, sehr gute Ausgangspositionen für die große Offensive erkämpft.

In einer kühnen Kesseloperation hat Mackensen mit seinen vier schnellen und vier Infanteriedivisionen wesentlich stärkere sowjetische Kräfte zerschlagen, die auf dem beherrschenden Höhengelände am Donez gut verschanzt gelegen hatten. Vom Korps wurde das Gelände erobert und noch 23 000 Gefangene gemacht. General Paulus' 6. Armee brauchte nun bei der bevorstehenden Großoffensive unter feindlichem Feuer keinen risikoreichen Übergang über den Donez zu erzwingen.

Oberstleutnant Franz demonstrierte mit Messer und Gabel, Dessertlöffel und einem Schnapsglas die interessante Operation Mackensens, die mit außergewöhnlich geringen Verlusten zu einem großen Erfolg geführt hatte. Diese Operation war ein erneuter Beweis dafür, daß das deutsche Ostheer nach der Winterkatastrophe seine alte Schlagkraft zurückgewonnen hatte.

Es war fünf Minuten vor zehn. Es erschien keine Feuerschrift an der Wand wie bei Belsazars Festmahl. Es schlug keine Bombe in die fröhliche Runde. Es kam nur der Ia-Schreiber Odinga, beugte sich zu Oberstleutnant Hesse und flüsterte ihm etwas zu. Der Ia stand auf und sagte erklärend zu Stumme: »Ich werde dringend am Telefon verlangt, Herr General.«

Der lachte: »Bringen Sie uns keine Tatarennachricht!«

Hesse: »Das glaube ich nicht, Herr General, es ist der Ordonnanzoffizier der 23. Panzerdivision.«

Als die beiden draußen waren und die Treppe zum Kartenzimmer hinuntergingen, meinte Feldwebel Odinga: »Scheint dicke Luft bei der 23. zu sein, Herr Oberstleutnant.«

»So?«

»Ja, anscheinend ist der Ia, Major Reichel, seit heute Nachmittag verschwunden.«

»Was?«

Hesse sprang die letzten Stufen hinunter ans Telefon und meldete sich: »Ja, was gibt's, Teichgräber?« Er lauschte. Dann sagte er: »Nein, bei uns ist er nicht!« Hesse blickte auf seine Armbanduhr: »Um 14 Uhr ist er weggeflogen, sagen Sie? Jetzt ist es 22 Uhr. Mann! Was hat er denn bei sich gehabt?« Hesse horchte angestrengt. »Sein Kartenbrett? Was? Auch die Mappe mit der Aktennotiz? Ja, um Himmels willen, mit so etwas fliegt der Erkundung?«

Hesse war wie entgeistert. Er warf den Hörer auf die Gabel und sprang die Treppe hinauf ins Eßzimmer. Wie auf einen Schlag verebbte die gehobene Laune der fröhlichen Runde. Alle sahen dem Ia an, daß etwas passiert war.

In knappen Worten berichtete Oberstleutnant Hesse, abwechselnd zu Stumme und zu von Boineburg-Lengsfeld gewandt: Der Ia der 23. Panzerdivision, Major i.G. Reichel, ein ausgezeichneter und zuverlässiger Offizier, ist um 14 Uhr in einem Storch mit Oberleutnant Dechant als Pilot zum Gefechtsstand des XVII. Armeekorps gestartet, um von dort aus den Marschraum der Division, wie er in der Aktennotiz für den Herrn Divisionskommandeur mitgeteilt wurde, sich noch einmal anzusehen. Reichel ist offenbar über den Korpsgefechtsstand hinaus weiter an die Hauptkampflinie geflogen. Er ist bisher nicht zurückgekehrt und im Divisionsbereich auch nicht gelandet. Er hat sowohl die Notiz bei sich, wie auch sein Kartenbrett mit den eingezeichneten Divisionen des Korps und den Eintragungen über die Angriffsziele der ersten Phase von »Operation Blau«.

Stumme war sofort vom Stuhl hoch. Boineburg-Lengsfeld wollte begütigen: »Er wird irgendwo hinter unseren Divisionen runtergegangen sein. Es muß ja nicht gleich das Schlimmste eingetreten sein.« Er wehrte sich gegen den Gedanken, der in allen Gesichtern stand: von den Russen erwischt. Mit der Weisung. Mit den Zielen von »Operation Blau«!

Stumme war jetzt ganz »Kugelblitz«. Alle Divisionen in der Front wurden telefonisch angesprochen: Divisionskommandeure, Regimentskommandeure wurden beauftragt, vorn bei den Artilleriebeobachtern und Kompanieführern rückzufragen, ob irgend etwas beobachtet worden war.

Der Korpsstab war wie ein Bienenschwarm. Es summte und klingelte, und es dauerte dann auch keine dreiviertel Stunde, da meldete die 336. Infanteriedivision: Ein vorgeschobener Artilleriebeobachter habe im brütend heißen Nachmittagsdunst einen Fieseler Storch gesehen, so zwischen 15 und 16 Uhr. Er sei zwischen den sehr tiefen Wolken herumgekurvt und dann, gerade als ein schweres Sommergewitter über dem ganzen Kampfabschnitt niederging, dicht bei den russischen Linien gelandet. »Starken Stoßtrupp losschicken«, befahl Stumme.

Oberstleutnant Hesse gab die detaillierten Befehle für die Erkundung durch: In erster Linie interessierten natürlich die beiden Vermißten. Sollten Reichel und sein Pilot nicht gefunden werden, dann nach Aktentasche und Kartenbrett suchen. Wenn der Feind bereits dagewesen, kontrollieren, ob Brand- oder Kampfspuren vorhanden, die auf Vernichtung der Papiere schließen lassen.

Die 336. Infanteriedivision schickte im Morgengrauen des 20. Juni eine verstärkte Kompanie in das recht unübersichtliche Gelände. Eine zweite Kompanie gab Flankenschutz und machte Feuerzauber, um die Russen abzulenken.

In einem kleinen Tal wurde das Flugzeug gefunden. Aber leer. Keine Aktentasche, kein Kartenbrett. Die Armaturen waren ausgebaut, wie das die Russen gern taten, wenn sie eine deutsche Maschine erbeuteten. Es waren keine Brandspuren zu sehen, die auf Vernichtung der Karte und der Papiere hätte schließen lassen. Auch keine Blutspuren. Keine Zeichen von Kampf. Der Tank der Maschine hatte einen Einschuß. Das Benzin war ausgelaufen.

»Umgebung absuchen«, befahl der Hauptmann. Gruppenweise pirschten die Männer los. Da kam von einem Unteroffizier der Zuruf: »Hier!« Er zeigte auf zwei Erdhügel, dreißig Meter vom Flugzeug entfernt: zwei Gräber. Damit schien dem Kompanieführer die Sache klar. Die Sicherungen wurden eingezogen. Abmarsch.

General Stumme schüttelte den Kopf, als er die Meldung von den beiden Gräbern erhielt. »Seit wann ist der Iwan so pietätvoll? Beerdigt die Toten. Und gleich neben dem Flugzeug.«

»Mir will das auch nicht in den Kopf«, meinte Oberstleutnant Franz.

»Das will ich genau wissen, vielleicht ist das eine Teufelei«, entschied Stumme.

Die 336. Infanteriedivision erhielt Befehl, das Unternehmen noch einmal zu starten, die Gräber zu öffnen und zu prüfen, ob Reichel und Oberleutnant Dechant darin lagen.

Die Männer des Infanterieregiments 685 zogen erneut los. Die Ordonnanz des Majors Reichel ging mit, um den Vermißten zu identifizieren. Die Gräber wurden aufgemacht. Der Bursche glaubte, in dem einen Toten seinen Major zu erkennen, obwohl die Leiche nur mit Unterzeug bekleidet war und auch sonst keinen guten Anblick bot. Auch im zweiten Grab fanden sich keine Uniformstücke.

Welche Meldung das XXXX. Panzerkorps, in dessen Stab die ganze Untersuchung und die Berichterstattung an die Armee zusammenlief, über die gefundenen Leichen gemacht hat, läßt sich heute nicht mehr präzise feststellen. Einzelne Stabsoffiziere erinnern sich überhaupt nicht daran, daß die Leichen gefunden wurden. Der Nachrichtenoffizier des XXXX. Panzerkorps, der sich zur fraglichen Zeit als Vorkommando des Generalkommandos Stumme wenige Kilometer von der Unglücksstelle entfernt befand und sofort in die Suchaktion mit eingespannt wurde, hält Major Reichel für spurlos verschwunden. Der damalige Oberstleutnant Franz hingegen ist der Meinung, daß die Leichen eindeutig identifiziert wurden. Man könnte aber trotz der absolut klaren Angaben von Stabsoffizieren der 336. Infanteriedivision Zweifel hegen, ob die Sowjets nicht doch einen Teufelstrick gemacht haben, um die Deutschen irrezuführen. Frau Reichel allerdings erhielt von Oberst Voelter, dem Ia der 6. Armee, eine briefliche Mitteilung, daß ihr Mann »mit allen militärischen Ehren« auf dem Soldatenfriedhof von Charkow beigesetzt wurde. Sie bekam auch Fotos von dem Grab; der Ehering, den ihr Mann immer trug, wurde ihr jedoch nicht zugesandt. So bleibt auch heute noch ein Schimmer des Zweifels über dem ganzen Fall.

Für die deutsche Führung war es Ende Juni 1942 natürlich von entscheidender Wichtigkeit zu wissen, ob Reichel tot war oder sich lebend in russischer Gefangenschaft befand. War er tot, kannten die Russen nur das, was auf seinem Kartenbrett und in der Aktennotiz stand: die erste Phase von »Operation Blau«. Hatten sie den Major lebend in die Hand bekommen, bestand die Gefahr, daß ihn GPU-Spezialisten zur Preisgabe dessen brachten, was er wußte. Und Reichel wußte natürlich in groben Zügen alles über den großen Plan. Er wußte, daß er in den Kaukasus und auf Stalingrad zielte. Nicht auszudenken – wenn der sowjetische Geheimdienst Mittel und Wege gefunden hätte, einen lebenden Reichel zum Sprechen zu bringen! Es bestand Grund genug, das zu befürchten.

Es war kein Geheimnis, daß die russischen Fronttruppen strikten Befehl hatten, jeden Offizier mit roten Streifen an den Hosen, das heißt jeden Generalstabsoffizier, wie ein rohes Ei zu behandeln und sofort zum nächsthöheren Stab zu bringen. Auch gefallene deutsche Generalstabsoffiziere mußten möglichst geborgen werden, weil man auf diese Weise bei den Deutschen Ungewißheit und Unbehagen erzeugte, ob die Betreffenden noch lebten.

Durch geschickte Frontpropaganda wurde diese Ungewißheit noch vergrößert.

Warum sollten die Sowjets von all dem plötzlich abgewichen sein? Und wenn schon, warum dann die Beerdigung?

Es gibt nur eine Lösung für dieses Rätsel, die logisch wäre: Reichel und sein Pilot waren von dem sowjetischen Spähtrupp gefangengenommen und dann niedergemacht worden. Als der Truppführer die Karte und die Aktentasche seinem Kommandeur brachte, erkannte dieser sofort, daß es sich um einen höheren deutschen Stabsoffizier gehandelt hatte. Um Scherereien zu vermeiden und einer eventuellen Kontrolle oder der Frage nach den Leichen aus dem Wege zu gehen, schickte er den Spähtrupp zurück und ließ die beiden umgebrachten Offiziere begraben.

Natürlich mußte Stumme den Fall Reichel sofort der Armee melden. Oberstleutnant Franz hatte bereits in der Nacht zum 20. Juni, gegen 1 Uhr, den Chef des Generalstabs der 6. Armee, den damaligen Oberst und späteren Generalleutnant Arthur Schmidt, telefonisch von dem Fall unterrichtet. Und General der Panzertruppe Paulus blieb nichts anderes übrig, als die Sache pflichtgemäß und schweren Herzens über die Heeresgruppe an das Führerhauptquartier nach Rastenburg weiterzumelden.

Zum Glück war Hitler in Berchtesgaden und erfuhr die Angelegenheit nicht in brühwarmem Zustand. Generalfeldmarschall Keitel leitete die ersten Untersuchungen. Er war geneigt, Hitler strengste Maßnahmen »gegen die mitschuldigen Offiziere« vorzuschlagen.

Keitel ahnte natürlich Hitlers Reaktion. Gemäß Führerbefehl war es ganz klar, daß Operationspläne durch höhere Stäbe nur mündlich weitergegeben werden durften. In seiner Weisung Nr. 41 hatte Hitler selbst noch einmal strenge Geheimhaltungsvorschriften gerade für die entscheidende »Operation Blau« erlassen. Auch bei jeder anderen Gelegenheit hatte er aufgrund seiner Spionagefurcht auf den Grundsatz hingewiesen: Niemand darf mehr wissen, als für die Durchführung seiner Aufgabe unbedingt erforderlich ist.

General Stumme, sein Stabschef, Oberstleutnant Franz, und der Divisionskommandeur der 23. Panzerdivision, General von Boineburg-Lengsfeld, wurden – drei Tage vor der Offensive – ihrer Ämter enthoben, Stumme und Franz vor den Sondersenat des Reichskriegsgerichts gestellt. Reichsmarschall Göring präsidierte. Die Anklage umfaßte zwei Punkte: Zu frühe und zu weitgehende Befehlsherausgabe.

In zwölfstündiger Verhandlung konnten Stumme und Franz nachweisen, daß »von zu früher« Befehlsherausgabe keine Rede sein konnte. Für das Vorziehen des Panzerkorps in den Brückenkopf Woltschansk über die einzige Donezbrücke wurden allein fünf von den kurzen Juninächten benötigt. Blieb der Vorwurf der »zu weitgehenden Befehlsgebung«. Sie wurde zum Kernstück der Anklage, da das Korps die Panzerdivisionen darauf hingewiesen hatte, daß sie nach Überschreiten des Oskol, beim Eindrehen nach Norden, mit dort vorgehenden ungarischen Verbänden in russenähnlichen erdbraunen Uniformen zusammentreffen könnten. Dieser Hinweis war wichtig, da die Gefahr bestand, daß die deutschen Panzerverbände irrtümlich die Ungarn als Russen ansprachen.

Aber diese Entschuldigung wurde vom Gericht nicht akzeptiert. Beide Angeklagten wurden zu fünf beziehungsweise zwei Jahren Festung verurteilt. Göring reichte am Schluß der Verhandlung allerdings beiden Verurteilten die Hand und sagte: »Sie haben Ihre Sache offen, tapfer und ohne Winkelzüge verfochten. Ich werde dem Führer darüber Meldung machen.«

Göring hielt anscheinend Wort. Auch Feldmarschall von Bock setzte sich in einem persönlichen Gespräch mit Hitler im Führerhauptquartier für die beiden bewährten Offiziere ein. Wer den Ausschlag gab, ist nicht mehr festzustellen. Aber nach vier Wochen erhielten Stumme und Franz in gleichlautenden Schreiben die Mitteilung, daß der Führer die ausgesprochenen Strafen in Anbetracht ihrer Verdienste und ihrer hervorragenden Tapferkeit erlassen habe. Stumme ging als Vertreter Rommels nach Afrika, Franz folgte ihm als Chef des Generalstabs des Afrikakorps. Am 24. Oktober fiel General Stumme beim Großangriff vor El Alamein. Er liegt dort begraben.

Das Kommando über das XXXX. Korps bekam nach der Abberufung Stummes General der Panzertruppe Leo Freiherr Geyr von Schweppenburg. Er trat ein schweres Erbe an.

Man muß davon ausgehen, daß das russische Oberkommando spätestens am 21. Juni Teile vom Plan und Aufmarsch der ersten Phase der großen deutschen Offensive kannte. Der Kreml also wußte, daß die Deutschen mit stärksten Kräften durch einen direkten West-Ost-Stoß aus dem Raum Kursk und durch einen Umfassungsstoß aus dem Raum Charkow den Eckpfeiler Woronesch gewinnen wollten, um in einem Kessel zwischen Oskol und Don die sowjetischen Kräfte vor Woronesch zu vernichten.

Aus der Karte und aus dem Papier, die der unglückliche Reichel bei sich gehabt hatte, konnten die Sowjets jedoch nicht ersehen, daß die Armeegruppe Weichs anschließend am Don nach Süden beziehungsweise Südosten stoßen sollte und daß die großen Operationsziele Stalingrad und der Kaukasus waren. Es sei denn, Reichel wäre noch lebend in russische Hände gefallen und ausgepreßt worden und im Grab am Flugzeug hätte ein anderer gelegen.

Die Frage, die sich deshalb für das Führerhauptquartier stellte, war: Sollte man den Operationsplan und den Termin umwerfen?

Sowohl Feldmarschall von Bock als auch General Paulus sprachen sich dagegen aus. Der Angriffstermin stand vor der Tür, viel konnten die Sowjets also nicht mehr tun. Dazu kam, daß am 22. Juni General Mackensen zu seiner zweiten »Wegebereitungsoperation« angetreten war und im Zusammenwirken mit Teilen der 1. Panzerarmee im Raume Kupjansk für die 6. Armee die Ausgangspositionen mit einer erfolgreichen kleinen Kesselschlacht erfochten hatte: 24 000 Gefangene und Raumgewinn über den Donez bis zum unteren Oskol waren das Ergebnis.

Die Sprungbretter für den Start ins Abenteuer der »Operation Blau« waren also gewonnen. Jetzt konnte man das ineinandergreifende Räderwerk des großen Plans nicht mehr umschalten, ohne alles zu gefährden. Die angekurbelte Maschine mußte laufen. Hitler bestimmte deshalb, es wird, wie vorgesehen, angetreten: X-Tag für die Armeegruppe Weichs am Nordflügel der 28. Juni, für die 6. Armee mit XXXX. Panzerkorps der 30. Juni. Die Würfel waren gefallen.

68 deutsche Divisionen und rund 30 Divisionen der Verbündeten Italiens, Rumäniens, Ungarns und der Slowakei, sowie wallonische, finnische, kroatische und andere Freiwilligenverbände aus vielen europäischen Ländern treten zur Entscheidungsoffensive »Fall Blau« an.

Was nun geschieht, ist vielleicht mit dem tragischen Fall Reichel verbunden und stellt die Geburtsstunde der deutschen Tragödie im Rußlandkrieg dar. Wir sehen den Anfang einer Kette von strategischen Fehlern, die zwangsläufig zur Katastrophe von Stalingrad führten.

Wer diese Wende begreifen will, die das deutsche Ostheer traf, der muß sich die Mühe machen, den etwas schwierigen, aber dramatischen strategischen Zügen der »Operation Blau« zu folgen.

Die Grundlage der ersten Phase war die Eroberung von Woronesch. Denn diese Zwei-Flüsse-Stadt war ein wichtiges Rüstungs- und Wirtschaftszentrum und beherrschte sowohl den Don mit seinen zahlreichen Übergängen wie auch den Woronesch-Fluß. Sie war außerdem die Schaltstelle der zentralrussischen Nord-Süd-Verbindungen per Straße, Eisenbahn und Flußschifffahrt von der »Verkehrsspinne« Moskau zum Schwarzen und zum Kaspischen Meer. Im deutschen »Plan Blau« war Woronesch Drehscheibe für die Bewegungen nach Süden und Rückhalt für die Flankensicherung.

Am 28. Juni tritt die Armeegruppe von Weichs zum Stoß auf Woronesch an. Hoths 4. Panzerarmee ist der Stoßkeil. In ihrem Zentrum wiederum, als Rammbock, das XXXXVIII. Panzerkorps unter General der Panzertruppe Kempf.

Die 24. Panzerdivision – ehemals die ostpreußische 1. und einzige Kavalleriedivision der Wehrmacht, die im Winter 1941/42 zu einer Panzerdivision umbewaffnet worden war – hat die Aufgabe, Woronesch zu nehmen.

Die Division, die Generalmajor Ritter von Hauenschild führt, schlägt mit aller Wucht zu. Unter dem Feuerschutz des VIII. Fliegerkorps werden die sowjetischen Verteidigungsstellungen überrannt, der Tim-Fluß erreicht, die Timbrücke gestürmt und die schon brennende Zündschnur abgerissen. Dann braust der Divisionskommandeur in seinem Schützenpanzerwagen über die Brücke, dem verstärkten Panzerregiment voraus.

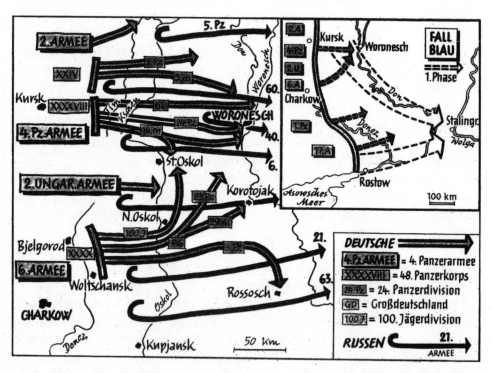

Karte 4: Der erste Takt von »Operation Blau« (28. Juni bis 4. Juli 1942). Woronesch soll genommen und im Zusammenwirken zwischen 4. Panzerarmee und 6. Armee der erste Kessel im Raum Stary Oskol gebildet werden. Aber die sowjetischen Armeen stellen sich zum ersten Male nicht zur Schlacht, sondern weichen nach Osten über den Don aus.

Artillerie und Kolonnen der sowjetischen Schützendivisionen werden zerschlagen. Auch hier wird die Brücke unversehrt genommen. Es geht wie die wilde Jagd. Divisionskommandeur und Führungsstaffel, ohne Rücksicht auf ungedeckte Flanken, mit der Spitze voran, getreu Guderians Rezept: »Die Panzertruppe wird vorn geführt und ist in der glücklichen Lage, immer offene Flanken zu haben.«

Wenn getankt werden muß, wird umgruppiert, und schnell neuformierte Kampfgruppen brausen weiter. Am Abend des ersten Angriffstages fahren Kradschützen und Panzer den Angriff auf das Dorf Jefrossinowka.

»Was ist denn hier los?« denkt Rittmeister Eichhorn: ein Schilderwald am Dorfeingang, Funkwagen, Stabsrosse, Lkw. Das kann nur ein hoher Stab sein.

Um ein Haar gelingt den Kradschützen ein großer Fang: In letzter Minute flüchtet der Stab der 40. sowjetischen Armee, der hier lag. Man erwischt ihn nicht mehr, aber die ganze Armee wird nach dem Verlust des Hauptquartiers führerlos.

So wiederholte die 24. Panzerdivision in diesen glühend heißen Sommertagen des Jahres 1942 noch einmal jene klassischen Panzerstöße der ersten Kriegswochen und zeigte damit, was eine gut ausgerüstete, unverbrauchte Panzerdivision gegen die Russen auszurichten vermochte. Nur ein wolkenbruchartiger Regen konnte die siegeszuversichtlichen Verbände stoppen. Man igelte, wartete das Aufschließen der Grenadierregimenter ab, dann stieß die Spitze weiter.

Am 30. Juni ist die Hälfte des Weges nach Woronesch zurückgelegt. Man steht vor einer stark ausgebauten sowjetischen Stellung, die von vier Schützenbrigaden gehalten wird. Dahinter können zwei Panzerbrigaden festgestellt werden. Es wird Ernst.

Die Sowjets versuchen, mit drei Panzerkorps die durchgebrochenen deutschen Verbände einzuschließen und Woronesch abzusichern. Generalleutnant Fedorenko, Vertreter des Volkskommissars für Verteidigung und Chef der Panzertruppen, führt persönlich die Operation. Man sieht, der Russe ist sich im klaren über die Bedeutung des deutschen Stoßes nach Woronesch.

Aber Fedorenko hat kein Glück. Sein groß angelegter Panzerstoß gegen die Spitze von Hoths 4. Panzerarmee wird ein Fehlschlag. Die bessere deutsche Taktik, die weitreichende Aufklärung und die beweglichere Führung erringen den Sieg über die stärkeren sowjetischen Panzer vom Typ T 34 und KW.

Am 30. Juni, dem Tag, da die 24. Panzerdivision in ihre erste große Panzerschlacht geht, tritt, 150 Kilometer weiter südlich, die 6. Armee zu ihrem Stoß nach Nordosten an: Angriffsziel Woronesch. Die große Zange wird angesetzt, um Stalin den ersten Zahn zu ziehen.

Das XXXX. Panzerkorps prescht aus dem Raum Woltschansk los, eine mächtige Faust aus durchweg kampferprobten Einheiten.

Freiherr von Geyrs erster Auftrag lautet: Wenn der Oskol erreicht ist, eindrehen nach Norden, um im Zusammenwirken mit Kempfs XXXXVIII. Panzerkorps gegen die Sowjets im Raum Stary Oskol einen Kessel zu bilden.

Aber nun geschieht etwas Merkwürdiges. Die Truppe stellt fest, daß der Feind zwar in stark ausgebauten Verteidigungsstellungen mit Nachhuten energisch kämpft, die Masse der Sowjets aber geordnet nach Osten abmarschiert. Zum ersten Male nimmt der Russe den Großkampf nicht an. Er zieht sich aus dem drohenden Kessel heraus. Was bedeutet das? Weiß er so genau, was die Deutschen wollen?

Oder haben die Russen aus den schweren Niederlagen des letzten Jahres gelernt und verteidigen strategisch nicht entscheidende Räume nicht mehr, um nicht eingekesselt zu werden? Oder hatte die 6. Armee ihren Angriffsstoß falsch, d.h. zu weit nördlich angesetzt und die große Kesselbildung verpaßt?

Wie es auch sei, auf jeden Fall war damit der entscheidende Befehl in Hitlers »Fall Blau« nicht erfüllt: »Bei der nunmehr zur Genüge erwiesenen Unempfindlichkeit des Russen gegenüber operativen Einschließungen ist entscheidender Wert darauf zu legen, die einzelnen Durchbrüche in die Gestalt enger Umklammerungen zu bringen.

Es muß vermieden werden, daß durch spätes Einschwenken der Umklammerungsverbände dem Gegner die Möglichkeit offenbleibt, sich der Vernichtung zu entziehen . . . Es ist also, abgesehen von dem großen operativen Ziel, in jedem einzelnen Fall die Vernichtung des angegriffenen Gegners schon durch die Art des Ansatzes und der Führung der eigenen Verbände unter allen Umständen sicherzustellen.«

4

Die neue Taktik der Russen

Das Verhängnis Woronesch – Hitler ändert erneut den Plan – Kriegs-rat im Kreml – Die Schlacht rollt zum südlichen Don – Kampf um Rostow – Straßenschlacht mit NKWD – Die Brücke von Bataisk

Als dem Kommandierenden General des XXXX. Panzerkorps die Rückzüge der Sowjets gemeldet werden, begreift er sofort, daß damit der ganze erste Teil der deutschen Operation gefährdet ist. Er erbittet aufgrund dieser Lage die Genehmigung, ohne Verzögerung gleich nach Osten zum Don weiterstoßen zu dürfen. Aber die 6. Armee beharrt auf ihrem Kesselplan und befiehlt: »Es wird nach Norden eingedreht, um der 4. Panzerarmee die Hand zu reichen.« Befehl ist Befehl. Es geschieht. Der Kessel wird geschlossen. Aber es ist nichts drin. Der Russe hat sich sogar mit seinen schweren Waffen abgesetzt. Der Berg hat gekreißt, und eine Maus ist dabei herausgekommen.

Jetzt kommt auch dem Führerhauptquartier die Erkenntnis, daß die Sache nicht planmäßig läuft. Der Russe setzt sich schnell auf den Don ab. Wird er – während die 4. Panzerarmee noch auf Woronesch operiert – eventuell sogar über den Fluß entkommen? Dann wäre die ganze erste Phase der »Operation Blau« ein Schlag ins Wasser. Die Gefahr ist groß. Man darf keine Zeit ver-lieren.

Angesichts dieser Lage kommt Hitler am 3. Juli zu der vollkommen richti-gen Auffassung, daß ein Festhalten an dem Plan, erst Woronesch zu nehmen, die ganze »Operation Blau« gefährden könnte. Er teilt deshalb bei einem Blitzbesuch in von Bocks Hauptquartier dem Feldmarschall mit: »Ich bestehe nicht mehr auf der Eroberung der Stadt, Bock, ich halte sie auch nicht für not-wendig und stelle Ihnen frei, sofort nach Süden zu stoßen.« Das ist ein ent-scheidender Augenblick. Das Schlachtenglück liegt auf der Waage. Welche Schale wird sinken?

Geyr atmet auf, als er am 3. Juli spät in der Nacht von der 6. Armee den Befehl erhält, direkt nach Osten auf den Don zu stoßen, um dort den russi-schen Rückzug abzuriegeln.

Aber schon am Mittag des 4. Juli erreicht ihn ein neuer Befehl: nicht nach Osten, sondern doch nach Norden, Richtung Woronesch, um die Südflanke der 4. Panzerarmee freizuhalten. Was war los? Was war bei Woronesch geschehen? Was steckte hinter diesem Hin und Her?

Es ist merkwürdig: Alle richtigen Entscheidungen der ersten Kriegshälfte fällte Hitler in einer wunderlichen, ihm sonst gar nicht eigenen Schüchternheit. Im Falle Woronesch tat er es nicht.

Er befahl Feldmarschall von Bock nicht: Sie lassen die Stadt links liegen und verfolgen ohne Zeitverlust den Fahrplan nach Stalingrad. Nein, er ließ Bock ausrichten, er bestehe nicht mehr auf der Eroberung von Woronesch. Die Verantwortung, ob man die Schwenkung ohne den Besitz dieser wichtigen Verkehrsdrehscheibe machen sollte, blieb also an dem Oberbefehlshaber der Heeresgruppe Süd hängen. Und der Feldmarschall stand damit vor der Alternative: Die Stadt nehmen oder liegenlassen? Der nüchtern denkende von Bock erwog: Wäre es nicht doch besser, den Eckpfeiler Woronesch erst zu nehmen, schnell zu nehmen, wenn es ging? Es jedenfalls zu versuchen? Bock schwankte. Er zögerte.

Da kam die Meldung, daß die 24. Panzerdivision mit ihrem verstärkten Schützenregiment 26 einen Brückenkopf an einer Fährstelle über den Don gewonnen hatte. Über eine sowjetische Kriegsbrücke rollten die Bataillone mitten zwischen zurückmarschierenden Russenkolonnen. Am späten Abend standen Spähtrupps drei Kilometer vor Woronesch.

Der linke Nachbar, die Infanteriedivision (mot.) »Großdeutschland«, die der 24. Panzerdivision den nördlichen Flankenschutz gab, war ihrerseits auch schnell vorangekommen und stand gleichfalls am 4. Juli, abends gegen 18 Uhr, am Don. Weiter südlich hatte die 16. Infanteriedivision (mot.) den Fluß mit ihrem verstärkten Kradschützenbataillon erreicht.

Die Sowjets hatten die Donbrücke bei Semiluki, die nach Woronesch führte, nicht gesprengt. Diese Tatsache zeigte, daß sie selber noch mit der Masse ihrer Armeen über den Fluß wollten. Mit T 34 und starken Gegenstößen versuchten sie, die Deutschen von der Brücke fernzuhalten und einen breiten Brückenkopf auf dem Westufer zu verteidigen.

Gegen 20 Uhr am 4. Juli nahm Oberleutnant Blumenthal mit Männern einer Kompanie von »Großdeutschland« die Straßenbrücke über den Don nach Woronesch und bildete am Ostufer einen Brückenkopf. Die Sowjets wollten noch schnell die Brücke sprengen, hatten aber wohl keine elektrische Zündung vorbereitet und steckten deshalb normale Zündschnüre an, die zu den Dynamitstapeln unter den Brückenpfeilern führten. Schnell glimmten dort die feurigen Schlangen dem Verderben entgegen.

Da sprang der Unteroffizier Hempel in den Fluß, watete, bis zum Hals im Wasser, unter der Brücke entlang und riß die brennenden Schnüre ab, die letzten zwanzig Zentimeter vor sechzig Kilo Dynamit.

Unterdessen rollten noch immer russische Kolonnen von Westen über die Brücke. Sie wurden am Ostufer von Blumenthals Kompanie in Empfang genommen. Die Brücke hatte man. Würde man auch Woronesch im Handstreich nehmen können?

Auf Sturmgeschützen aufgesessene Gruppen des Infanterieregiments »Großdeutschland« machten einen gewaltsamen Aufklärungsstoß gegen die Stadt und kamen bis zum Bahnhof. Sie mußten dann zwar wegen erbitterter Gegenstöße der starken Verteidigung zurückgenommen werden. Immerhin, man war schon in der Stadt. Das waren die Nachrichten, die Feldmarschall von Bock veranlaßten, Hitlers Anregung, Woronesch liegenzulassen, nicht zu befolgen, sondern es anzugreifen. Er wollte die Gunst des Augenblicks nutzen und die wichtige Stadt im Handstreich nehmen. Er glaubte, dann immer noch rechtzeitig mit seinen schnellen Truppen von Woronesch aus in den Rücken von Timoschenkos Armeen zu gelangen und ihnen die Flucht über den Don sperren zu können: Das war ein weiterer Grundirrtum, aus dem sich Schritt für Schritt die Tragödie Stalingrad entwickelte.

Als der glutheiße Tag des 5. Juli mit seinen 40 Grad Celsius der Nacht weicht, stehen von den schnellen Verbänden die beiden mot.-Infanterieregimenter von »Großdeutschland« wie auch Panzer und Kradschützen in weiten Brückenköpfen ostwärts des Don vor Woronesch. Nach Norden zu decken die herankommenden Infanteriedivisionen. Aber nun zeigt sich die falsche Beurteilung der Feindlage durch die Heeresgruppe. Die Stadt ist bis zum Rand vollgestopft mit sowjetischen Truppen. Der Russe hat Woronesch noch sehr schnell in ganz besonderer Weise verstärkt.

Als Hitler die Lage erfuhr, wurde er endlich energisch. Jetzt verbot er strikt den weiteren Angriff auf die Stadt. »Südwärts«, mahnte er, »südwärts.«

Aber am 6. Juli waren Teile der 24. Panzerdivision und der Division »Großdeutschland« in der Stadt. Der Russe schien zu weichen. Da ließ sich auch Hitler von der Gunst des Augenblicks verführen und genehmigte erneut die Eroberung Woroneschs. Er befahl aber, daß wenigstens ein Panzerkorps den am 4. Juli begonnenen Stoß nach Süden fortzusetzen und unverzüglich den Don hinunterzustoßen habe. Die 4. Panzerarmee wird angewiesen, baldmöglichst weitere Panzerverbände frei zu machen, um sie diesem Panzerkorps nachführen zu können.

Damit begann die zweite Phase der »Operation Blau« bereits mit einer Verwässerung. Denn obwohl der Kampf um den großen Platz Woronesch zunächst mit den dazu recht ungeeigneten Panzerverbänden geführt worden war, wurden Bock im Kampf um Woronesch jetzt nach und nach die schlagkräftigsten Divisionen entzogen, die dann zunächst noch teilweise wegen Betriebsstoffmangels südlich Woronesch festlagen. So war die Heeresgruppe Süd im Kampf um den wichtigen Platz Woronesch nicht mehr stark genug für eine Entscheidung, aber auch für den Stoß nach Süden sowie die schnelle Abriegelung des Don war das eine Panzerkorps trotz Zuführung weiterer schneller Verbände zu schwach.

Am 7. Juli wurde nach schweren Kämpfen der Westteil von Woronesch genommen. Aber über den Woronesch-Fluß, der von Nord nach Süd quer durch die Stadt fließt, kamen die Bataillone nicht hinüber. Immer wieder machte der Russe Gegenstöße, warf Infanterie und Panzerrudel in den Kampf.

Timoschenko hatte um Woronesch die Masse der 40. sowjetischen Armee mit neun Schützendivisionen, vier Schützenbrigaden, sieben Panzerbrigaden und zwei Panzerabwehrbrigaden zusammengezogen. Die Massierung verstärkt den Verdacht, daß Timoschenko Hitler im wörtlichsten Sinne in die Karte geguckt hatte und nun die richtigen Züge machte: Festhalten der deutschen Hauptkräfte des Nordflügels vor Woronesch, um Zeit zu gewinnen, sich mit der eigenen Masse seiner Heeresgruppe vom Oskol und vom Donez zu lösen, und über den Don zurückzugehen.

Wohin? Nach Stalingrad.

Der deutsche Rundfunk meldete am 7. Juli bereits die Einnahme von Woronesch. Aber am 13. Juli wurde weiterhin im Universitätsviertel und in den Wäldern nördlich der Stadt gekämpft. Es gelang auch in den nächsten Tagen nicht, den östlichen Stadtteil sowie die Brücke im Norden der Stadt zu nehmen und die entscheidend wichtige Nord-Süd-Bahn am Ostufer des Flusses für den russischen Nachschub lahmzulegen. Die große Nachschubstraße von Moskau herunter blieb in russischer Hand.

Statt daß motorisierte deutsche Verbände, wie geplant, nach schnellem Fall Woroneschs südlich stoßen, am Don entlang, um sich den aus dem riesigen Gebiet zwischen Donez und Don absetzenden Divisionen Timoschenkos von Osten vorzulegen und sie am Don abzufangen, beißen sich die wertvollen Panzer- und mot.-Divisionen an der verfluchten Stadt fest. Marschall Timoschenko lenkte persönlich die Operationen. Die Stadt sollte so lange wie möglich gehalten werden, um den deutschen Stoß nach Südosten zu verzögern. Jeder Tag war für Timoschenko ein Gewinn.

In den Abendstunden des 6. Juli standen südlich Woronesch die Spitzen des XXXX. Panzerkorps, ungefähr achtzig Kilometer vor Rossosch. Aber der Sprit wurde knapp. Major Wellmann entschloß sich trotzdem, im Vertrauen auf die Versorgungsstaffel, mit zwei gepanzerten Kompanien und einer Batterie vom Artillerieregiment 75 den Stoß fortzusetzen und weiterzufahren.

Bei sternenklarer Nacht ging es durch die Steppe. Voran die Kompanie Busch, dahinter die von Bremer. Erinnert sich der Kommandeur: »Wenn wir die Brücken über die Kalitwa unversehrt in die Hand bekommen wollten, mußte Rossosch im Morgengrauen erreicht und schon wegen des Munitions- und Kraftstoffmangels jede Feindberührung vermieden werden. So rauschten wir, stur die Marschzeit einhaltend, unerkannt an vormarschierenden russischen Artillerie- und Infanterieeinheiten vorbei.«

Kurz vor 3 Uhr waren die ersten ärmlichen Häuser von Rossosch erreicht. Der Bataillonsdolmetscher, Unteroffizier Krakowka, griff sich einen überraschten Russen und quetschte ihn aus. Der »Towarisch« gab zitternd preis, daß neben den zwei auf der Karte verzeichneten Brücken noch eine weitere über die Kalitwa führte, eine »Tankimost« – eine Panzerbrücke –, die vor kurzem fertiggestellt worden war. Die Kompanieführer Bremer und Busch machten mit dem Bataillonskommandeur ihren Kampfplan.

Im Morgengrauen stießen Wellmanns Kolonnen durch das noch schlafende und nichtsahnende Rossosch. Auf einem Sportplatz standen Kurierflugzeuge. Da und dort ein Panzer. Vor einem großen Gebäude mit drei Stockwerken waren Posten aufgezogen, die aber in der heranbrausenden Staubwolke nichts Feindliches vermuteten.

Kurz hinter der 1. Kompanie rollte der Schützenpanzer von Major Wellmann. Die Kompanie fuhr über die Brücke. Wellmann erreichte den sowjetischen Brückenposten auf der nördlichen Seite. Der erkannte die Gefahr und riß das Gewehr von der Schulter.

Funker Tenning sprang blitzschnell aus dem Wagen und rammte dem Russen die MPi in den Bauch, schlug ihm das Gewehr aus der Hand und schleppte ihn als ersten, aber wichtigen Gefangenen zum Kommandeur. Der Russe berichtete, daß Rossosch von einem ganz hohen Stab belegt sei und mindestens acht Panzer zur Sicherung der Stadt vorhanden seien.

Da knallten am jenseitigen Flußufer auch schon die ersten Schüsse. Es begann ein fast fünfstündiger, erbitterter Kampf mit der überraschten, aber starken Besatzung der Stadt.

Aus allen Richtungen schoß es. T 34 rollten durch die Gegend. Sowjetische Infanterie formierte sich. Aber Wellmanns Männer hielten die Brücken. Ihre Rettung war die mitgerollte Feldhaubitzbatterie, deren Geschütze von alten Praktikern so in Stellung gebracht waren, daß sie die breite Straße am Fluß beherrschten.

In Rossosch herrschte im wahrsten Sinne »wilde Sau«, wie der Landser zu sagen pflegte. Aber der Elan und die besseren Nerven der Deutschen siegten. Die sowjetischen Panzer wurden zumeist im Nahkampf geknackt. Einen besonderen Fang machte Feldwebel Naumann: Er hob die Kartenstelle von Timoschenkos Heeresgruppenstab aus und fing zweiundzwanzig hohe Stabsoffiziere, zumeist im Oberstenrang. Timoschenko selbst war noch die Nacht über in Rossosch gewesen. Er muß in letzter Minute entwischt sein.

Trotz aller Tapferkeit wäre die Partie für Wellmann jedoch wahrscheinlich schlecht ausgegangen, hätte nicht die 3. Panzerdivision mit ihrem Gros endlich Rossosch erreicht. Der sowjetische Widerstand wurde gebrochen. Generalmajor Breiths Berliner Division hatte wieder einmal einen entscheidenden Punkt auf ihrem Weg am Don entlang erreicht.

Aber die Erschütterung des Fahrplans durch den Kampf um Woronesch wirkte sich überall aus. Da im Raum südlich Rossosch um Millerowo noch stärkere Feindkräfte vermutet wurden, sollten diese erst noch durch direkten Angriff vernichtet werden. Damit wurde erneut vom Plan abgewichen, wieder eine Sünde gegen den Geist einer schnellen Operation Richtung Stalingrad begangen.

In dieser führungsmäßig reichlich verworrenen Situation begann die dritte Phase der »Operation Blau«, welche nach der Planung der »Weisung Nr. 41« eigentlich die Entscheidung der großen Sommeroffensive 1942 einleiten sollte: Der Angriff der Südzange mit der 7. Armee und der 1. Panzerarmee am 9. Juli. Ziel: Vereinigung im Raum – wohlgemerkt im Raum – nicht in der Stadt, Stalingrad, um die zwischen Donez und Don stehenden Russen einzukesseln.

Aber wie im Norden, so kämpfte Timoschenko auch im Süden nur an bestimmten Schwerpunkten, während er sich sehr schnell entschloß, mit der Masse seiner Armeen nach Osten und Süden auszuweichen.

Der Angriff der Südzange erreichte nichts anderes, als daß er die ausweichenden Russen frontal vor sich herschob, in die große Donschleife hinein. Dort aber war noch keine deutsche Abwehrfront errichtet, die sich den ausweichenden russischen Verbänden hätte vorlegen können.

Als Hitler erkannte, daß eine Kesseloperation am mittleren Don durch den schnellen Rückzug der Russen und die bei Woronesch erlittene Verzögerung nicht mehr gelingen konnte, wollte er wenigstens am unteren Don die dort noch vermuteten Feindkräfte packen und einkesseln. Um dieses Ziel zu erreichen, ließ er am 13. Juli das Kernstück seines großen Plans fallen: mit allen Kräften schnell auf Stalingrad zu operieren und die untere Wolga zu sperren.

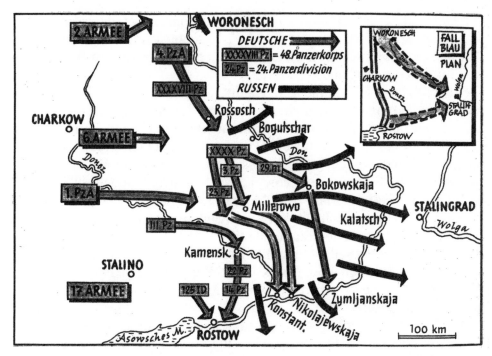

Karte 5: Hitler weicht von dem ursprünglichen Plan ab, möglichst schnell mit allen verfügbaren Streitkräften nach Stalingrad vorzustoßen, und läßt statt dessen am 13. Juli 1942 seine Armeen nach Süden schwenken, weil er hofft, Timoschenkos Hauptkräfte bei Rostow zu vernichten. Timoschenko aber entzieht sich der Einkesselung.

Hitler wäre zu dieser Operation durchaus in der Lage gewesen, ja er hätte sie in dieser Situation durchführen müssen. Denn wenn sich der Feind nicht einkesseln läßt und flieht, dann muß man ihm nachsetzen. Dann darf man ihm keine Zeit lassen, sich zu einer Verteidigung einzurichten, und muß auf diese Weise das gesteckte Ziel erreichen. Und das Ziel hieß: Ausschaltung der Feindkräfte im Raum um Stalingrad.

Dieses Ziel war zu erreichen. Hitler hatte zwei Panzerarmeen zur Verfügung, wichtige Donübergänge waren genommen. Er hätte in kürzester Frist in Stalingrad sein können. Aber Hitler war von einem großen Irrtum gefangen: Er glaubte, die Sowjets seien mit ihrer Kraft am Ende. Er sah in dem sowjetischen Rückzug nichts anderes als Flucht, Auflösung, moralischen Zusammenbruch, während es sich in Wirklichkeit um einen planmäßigen Rückzug handelte.

Die Panikerscheinungen, die sich dabei an vielen Stellen zeigten, lagen in der Unfähigkeit der unteren russischen Führung. Operativ hatte Timoschenko diesen Rückzug in der Hand. Er hatte ihn schnell eingeleitet. Sein Ziel war, die sowjetischen Hauptkräfte für einen entschlossenen Widerstand weit im Inneren des Landes zu retten.

Hitler sah diese Gefahr nicht. Er glaubte, Stalingrad »mit der linken Hand forcieren« und inzwischen auch noch schnell eine mächtige Kesselschlacht am unteren Don mit Rostow im Zentrum ansetzen zu können. Er unterbrach deshalb die Marschbewegung der 4. Panzerarmee am Don entlang nach Stalingrad, stoppte sie vor der großen Donschleife und drehte sie in totaler Änderung der Phase III des großen Planes kerzengerade nach Süden ab. So wie er im Frühherbst 1941 den Marsch auf Moskau gestoppt und Guderians schnelle Truppen zur Kesselschlacht um Kiew nach Süden geworfen hatte, so wollte er nun wieder die Russen überraschend mit einer improvisierten Operation bei Rostow schlagen. Es sollte die größte Kesselschlacht des Krieges werden.

Einsam zog indessen die 6. Armee ihren Weg nach Stalingrad weiter, ohne ihre Speerspitze, die schnellen Truppen des XXXX. Panzerkorps, die auch mit auf Rostow angesetzt wurden.

Am Tage dieser verhängnisvollen Entscheidung mußte Generalfeldmarschall von Bock gehen. Er stand gegen Hitlers auseinanderstrebende Operationsabsichten und wollte die Heeresgruppe schwerpunktmäßig unter seiner Führung zusammenhalten.

Das Führerhauptquartier hatte aber bereits die Teilung der Heeresgruppe Süd befohlen. Am 7. Juli notierte Feldmarschall von Bock in seinem Tagebuch: »Befehl kommt, daß Feldmarschall List den Oberbefehl über 11., 17. Armee und 1. Panzerarmee übernimmt. Damit wird die Schlacht in zwei Teile zerschnitten.«

Hitler konnte sich auf den legendären Gründer und Chef des preußischen Generalstabs, Graf Moltke, berufen, der richtig lehrte, daß kein Feldzugsplan über die erste Schlacht hinausreichen könne, weil die erste Schlacht oft eine nicht voraussehbare Lage schaffe.

Das war an der Südfront durch das Ausweichen Timoschenkos geschehen. Also Änderung im Operationsplan »Blau«. Doch Hitler vergaß die andere Regel Moltkes, daß durch solche Änderungen die strategische Grundidee eines Operationsplanes nicht verlassen werden dürfe. Und genau das geschah. Denn die richtige Idee von »Fall Blau« war, die Kräfte auf jeweils ein Ziel zusammenzufassen und in kluger Zeitfolge die Vernichtung der feindlichen Truppen zum Hauptziel zu machen, dem die Eroberung von Räumen untergeordnet war. Hitler aber änderte nicht nur den Fahrplan seiner großen

Sommeroffensive, er veränderte auch den gesamten Aufbau der Südfront und ihre Zielsetzung.

Feldmarschall Lists Heeresgruppe A, der später auch noch die 4. Panzerarmee vorübergehend unterstellt werden sollte, erhielt intern den Namen »Kaukasusfront«. Die Heeresgruppe B (mit der 6., der 2. ungarischen Armee und der 2. Armee), die nach Bocks Ausscheiden Generaloberst von Weichs übernahm, behielt den ursprünglichen Auftrag: Stalingrad.

Mit dieser Gruppierung wird augenfällig, daß Hitler glaubte, die beiden großen Operationsziele der Sommeroffensive 1942, die ursprünglich hintereinander angegangen werden sollten, gleichzeitig und durch Teilung seiner Kräfte erreichen zu können. Er war eben verhängnisvoll in dem Irrtum verstrickt, »der Russe ist fertig«.

Der Russe aber war nicht »fertig«. In einer gespenstischen Parallelität gipfelt diese Phase des Ostkrieges: An demselben Tage, da Hitler die verhängnisvolle Wendung nach Süden befahl, seine Kräfte zersplitterte und von Bock absetzte, tagte im Kreml ein Kriegsrat unter Stalins Vorsitz.

Anwesend waren Außenminister Molotow, Marschall Woroschilow, Generalstabschef Schaposchnikow sowie ein amerikanischer, ein englischer und ein chinesischer Verbindungsoffizier. Die Generalität hatte Stalin klargemacht, daß die sowjetischen Streitkräfte sich kein weiteres Kiew oder Wjasma erlauben können, daß also kein weiteres »Halten um jeden Preis« mehr erträglich sei. Und Stalin hatte sich belehren lassen. Er billigte die Entscheidung des großen Generalstabes, die Schaposchnikow auf der Sitzung am 13. Juli erläuterte: Rückzug der sowjetischen Truppen bis zur Wolga und in den Kaukasus. Dort Verteidigung, so daß die deutschen Streitkräfte den kommenden Winter in unwirtlichen Gebieten verbringen müssen. Evakuierung aller wichtigen Industrien in den Ural und nach Sibirien.

Schon Mitte Juli lag dem deutschen Generalstab eine Agentenmeldung über diese Sitzung vor. Doch Hitler hielt die Meldung für eine »Ente«.

Wer indessen noch Zweifel hegte, daß Timoschenko seine Heeresgruppe wirklich mit Mann und Maus aus dem Operationsgebiet zwischen Donez und Don herauszog, der erlebte es bei Millerowo. Das XXXX. Panzerkorps als äußerer östlicher Zangenarm stieß nach seiner Südschwenkung von Rossosch aus mit allen drei Divisionen in vorderster Linie mitten in diese Rückzugsbewegungen der Russen hinein.

An der Eisenbahn und auf der Rollbahn südlich Millerowo wälzten sich die sowjetischen Massen nach Südosten. Die Divisionen des deutschen Korps waren nicht stark genug, diese Feindkolonnen aufzuhalten. Sie konnten aber auch wegen des Widerstandes um Millerowo nicht einfach hindurchstoßen, um eine südliche Absperrung am unteren Don zu errichten.

Die Schlacht rollte nun südwärts. Im Süden suchte Hitler den Feind.

Nach harten Kämpfen erreichte Geyrs XXXX. Panzerkorps am 20. Juli den unteren Don und bildete Brückenköpfe bei Konstantinowka und Nikolajewskaja und auch die 1. Panzerarmee hat sich nach Süden durchgekämpft, den Donez überwunden und stößt nun zusammen mit der aus dem Raum Stalino vorgehenden 17. Armee auf Rostow, das als großräumiger Brückenkopf von den Sowjettruppen besonders hartnäckig verteidigt wird.

Westlich von Rostow hat die 17. Armee am 19. Juli die feindlichen Stellungen durchbrochen und geht mit dem LVII. Panzerkorps links, dem V. Korps rechts gegen den Don zwischen Rostow und Bataisk vor. General Kirchner – auch hier wieder von seinem altbewährten Oberst i. G. Wenck unterstützt – setzt mit dem LVII. Panzerkorps zu einem kühnen Stoß auf Rostow an, um diese wichtige Stadt an der Donmündung überraschend zu nehmen und die große Donbrücke zwischen Rostow und Bataisk unbeschädigt zu gewinnen. Zu seinem Korps gehört auch die slowakische »Schnelle Division«.

Von Norden, an der Spitze der 1. Panzerarmee, geht General von Mackensens III. Panzerkorps gegen Rostow vor. Wieder, wie schon im November 1941, stehen von Mackensens Verbände im Kampf um diese Stadt. Den ganzen Tag und die Nacht hindurch ziehen sich die verbissenen Kämpfe im stark verschanzten und mit Hindernissen gespickten nördlichen Vorfeld der festungsartig ausgebauten Stadt hin.

Rostow selbst war seit Jahresbeginn zu einer Festung ausgebaut und besaß neben starken Vorfeldstellungen drei Ringstellungen mit breiten Minenfeldern, Panzergräben und Panzersperren. Aber es gelingt den Stoßgruppen des LVII. Panzerkorps, die Stadtrandsicherungen überraschend zu durchbrechen, bis in die nördliche Stadt durchzustoßen und über zahlreiche Widerstandsnester und Panzergräben hinweg durch den Außenring den Flugplatz von Rostow zu nehmen. Ein Kradschützenbataillon jagt aufgesessen in die Metropole am Don. Während sich die Angriffsspitzen vorwärts fechten, flammt hinter ihnen der feindliche Widerstand aus Seitenstraßen, an stark ausgebauten Häuserblocks und besonders an Plätzen von den Flanken her wieder auf.

Die Panzer bleiben im Straßenkampf zunächst stecken. Dann gelingt es, den Angriff wieder in Gang zu bringen. Aber bevor noch die Kradschützen die Donbrücke, die nach Bataisk führt, erreichen, wird ein Brückenglied gesprengt und stürzt ins Wasser. Die Pioniere machen in hartem Einsatz bis zum folgenden Tag die Brücke zunächst für Menschen und leichte Fahrzeuge wieder gangbar. Bis zum Abend wird der Stadtteil nördlich der Brücke genommen. Die Stadt brennt an vielen Stellen.

Am 24. Juli frühmorgens lebt der Kampf um die Stadt wieder auf. Während es ziemlich schnell gelingt, den Feind im Postviertel niederzuwerfen, wird das NKWD-Gebäude von einer Elitetruppe geschickt verteidigt. Erst gegen Mittag kann mit Hilfe von Panzern der Feindwiderstand gebrochen und der Block genommen werden. Inzwischen haben andere Truppenteile das Zentrum von Rostow gesäubert und den zäh fechtenden Feind nach Osten oder Westen weggedrückt.

Im Zentrum von Rostow gehen indessen die harten Straßenkämpfe mit großer Erbitterung weiter und hören erst Tage später auf. Was hier geschah, demonstriert ein Gefechtsbericht von General Alfred Reinhardt, der im Juli 1942 in der 125. Infanteriedivision als Oberst das Infanterieregiment 421 führte. Dieser Bericht skizziert den blutigen Straßen- und Häuserkampf um eine verbarrikadierte Großstadt, wie er wahrscheinlich kein zweites Mal in solcher Art und mit solcher Erbitterung geführt wurde. Es war der Kampf, der die deutschen Truppen auch in Moskau oder Leningrad erwartet hätte.

23. Juli, abends: Ein glutheißer Tag geht zu Ende. Die Bataillone des schwäbischen Infanterieregiments 421 stehen im Nordteil von Rostow. Panzerkompanien und Schützen von zwei Panzerdivisionen sind schon beiderseits der Stadt vorbei bis zum Don gestoßen. Sie kämpfen auch bereits im Zentrum selbst, kommen aber nicht überall durch den schwer befestigten Stadtkern, sind dafür wohl auch nicht stark genug an infanteristischer Kampfkraft. Hier aber muß man durch, wenn man über die große Donbrücke zum Stoß nach Süden, gegen den Kaukasus antreten will.

NKWD-Truppen und NKWD-Pioniere haben Rostow verbarrikadiert. Diese Schutztruppe des bolschewistischen Regimes, Stalins »SS«, Rückgrat der Staatspolizei und des Geheimdienstes, ist auf ihre Art eine Elite: fanatisch, glänzend ausgebildet, hart, in allen Kriegslisten bewandert und bedingungslos gehorsam. Vor allem sind die NKWD-Truppen Meister des Straßenkampfes. Denn als Schutzkorps des Regimes gegen mögliche revolutionäre Erhebungen lag ja hier ihre eigentliche Aufgabe.

Was diese Spezialisten des Straßenkampfes aus Rostow gemacht hatten, ist unvorstellbar: Die Straßen sind aufgerissen, die Pflastersteine zu meterdicken Barrikaden aufgetürmt. Die Seitenstraßen werden durch tiefe Backsteinbunker abgesperrt. Spanische Reiter und Minen machen das Heranpirschen schier unmöglich. Die Haustüren sind zugemauert, die Fenster mit Sandsäcken zu Schießständen ausgebaut, Balkone zu MG-Nestern hergerichtet. Auf den Dächern befinden sich die gut getarnten Stände der Scharfschützen. Und in den Kellern liegen Zehntausende von Molotow-Cocktails, jenem primitiven, aber wirksamen Panzerbekämpfungsmittel aus Benzinflaschen, die mit Phosphor und an der Luft entzündbaren Brennstoffen gebündelt sind.

Wo aber eine unvermauerte Haustür verlockend einlädt, da ist bestimmt eine Mine versteckt, die beim Herunterdrücken des Türgriffs explodiert. Oder ein feiner Stolperdraht, dicht über der Schwelle montiert, ist mit einer ganzen Teufelsladung Sprengstoff verbunden.

Diese Arena ist kein Kampffeld für Panzerverbände und bietet wenig Chancen für einen Sieg im Handstreich. Zwar hatten die Panzertruppen die erste, entscheidende Bresche geschlagen. Aber das Zentrum von Rostow ist das Schlachtfeld der Stoßtrupps. Hier gilt es, in mühseligem Kampf Haus um Haus, Straße um Straße, Bunker um Bunker zu knacken und die tückischen Fallen auszuräumen.

Reinhardts schwäbische Soldaten gehen dieses Bollwerk an. Der Oberst bekämpft seinen raffinierten Gegner mit derselben Methode: mit Präzision und List.

Das I. Bataillon unter Major Ortlieb und das III. unter Hauptmann Winzen werden in je drei Stoßkompanien gegliedert. Jede Kompanie erhält ein schweres Maschinengewehr, eine Pak, ein Infanteriegeschütz und für die Hauptstraßen jeweils noch eine leichte Feldhaubitze.

Angetreten wird in Nord-Süd-Richtung. Der Stadtplan ist in genaue Kampfabschnitte unterteilt. Jede Stoßkompanie darf in der ihr zugewiesenen Nord-Süd-Straße nur jeweils bis zu einer bestimmten Sperrlinie vorgehen, die für alle Kompanien über den Stadtplan von West nach Ost gezogen ist: A-, B-, C-, D-Linie.

Dann muß das ganze Viertel gesäubert und mit den Nachbarstoßgruppen Verbindung aufgenommen werden. An diesen Linien muß so lange gewartet werden, bis die Nachbarn auf gleicher Höhe sind und das Regiment die Fortsetzung des Angriffs befiehlt. Auf diese Weise kämpfen die sechs Stoßkompanien immer auf gleicher Höhe. Eine Kompanie, die schneller vorwärts kommt, kann vom Gegner nicht in der Flanke gefaßt werden. So bleiben die Kampfhandlungen in dem unübersichtlichen Häuser- und Straßengewirr immer fest in der Hand der Führung.

Nachdem die Stoßkompanien des I. und III. Bataillons ihr Viertel freigekämpft haben, läßt Reinhardt sofort noch einmal sechs Stoßkeile des II. Bataillons folgen. Sie müssen »Nachlese« halten und die Häuserblocks vom Keller bis zum Dach durchsuchen. Alle Zivilisten, auch Frauen und Kinder, werden aus dem Kampfgebiet zu bestimmten Sammelstellen abgeführt.

Keine Hand, die eine Handgranate werfen oder eine MPi bedienen kann, bleibt in den Häusern hinter den Stoßtrupps. Die vorn kämpfenden Kompanien müssen den Rücken frei haben.

Der Plan funktioniert. Rostow wurde wahrscheinlich nur durch diesen Plan so schnell erobert: in einem fünfzigstündigen harten Ringen.

General Reinhardt berichtet wörtlich: »Der Kampf um den Stadtkern von Rostow war ein Kampf ohne Gnade. Die Verteidiger ließen sich nicht gefangennehmen, kämpften bis zum letzten, schossen, wenn sie unerkannt überrollt oder verwundet waren, noch aus dem Hinterhalt, bis sie niedergemacht waren. Die eigenen Verwundeten mußten in Schützenpanzerwagen gelegt und bewacht werden; geschah das nicht, fanden wir sie erschlagen oder erstochen wieder.«

Am schwersten ist der Kampf in der Taganroger Straße, die direkt zur Brückenauffahrt über den Don führt. Hier kommt der Angriff mehrfach ins Stocken, liegt fest, weil es nicht möglich ist, die gut getarnten NKWD-Männer an ihren MG auszumachen.

»Büsing«, ruft Reinhardt. Der Oberleutnant und Chef der 13. Kompanie robbt herüber. Reinhardt zeigt auf einen Balkon im zweiten Stock des Hauses: »Dort, Büsing, der Balkon mit den Orangenkisten. Dort wirbelte eben Sand auf. Da liegt der Iwan. Los, der Balkon muß weg!«

Büsing springt zu seinem schweren Infanteriegeschütz zurück.

»Feuer!«

Mit dem zweiten Schuß holt er den Balkon herunter.

In der Altstadt und im Hafenviertel wird es dann am schlimmsten. Die bis dahin einigermaßen regelmäßig verlaufenden Straßenzüge verlieren sich in einem Gewirr von winkeligen Gassen. Dort ist kein Platz für Infanteriegeschütze, selbst mit dem MG ist nichts mehr auszurichten.

Nahkampf! Rankriechen bis an das Kellerfenster, die Tür, die Hausecke. Man spürt den Atem des Feindes. Hört, wie er das Schloß des Karabiners umlegt, vernimmt mit jagendem Herzen, wie er mit seinem Nachbarn flüstert. Die MPi fest angepackt. Hoch. Feuerstoß. Und wieder in Deckung.

Die Holzhäuser gehen in Flammen auf. Der beißende Rauch erschwert den Kampf, obwohl der Wind günstig steht und den Rauch gegen den Don drückt. Als schließlich die D-Linie erreicht ist, wird es dunkel. Nur noch wenige hundert Meter trennen die Kompanien der Infanteristen von den

Kampfgruppen der Panzerverbände auf dem Nordufer des Don beiderseits der Straßenbrücke nach Bataisk. Die Nacht bricht herein. Die Männer liegen zwischen Holzhütten, Gerätelagern, Schuppen und Schutthalden. Belfernd zerschneidet MG-Feuer die Nacht. Leuchtkugeln lassen immer wieder die gespenstische Kulisse für Sekunden taghell aufblitzen.

Am 25. Juli vor Tau und Tag greifen die Stoßkompanien der 125. Infanteriedivision wieder an. Aber mit einem Male geht es leicht. Die letzten Feindgruppen am Flußufer sind in der Nacht über den Don ausgewichen. Um 5 Uhr 30 haben sämtliche Stoßkompanien des Regiments den Don erreicht. Rostow ist damit ganz in deutscher Hand.

Aber Rostow gewinnt seine Bedeutung als Tor zum Kaukasus erst dann, wenn man auch den Torweg besitzt: die Brücke über den Don und den anschließenden sechs Kilometer langen Damm über das jenseitige Sumpfgelände, der in die große Brücke nach Bataisk übergeht. Hinter Bataisk liegt die Ebene: freie Bahn zum Stoß nach Süden, ins Vorfeld des Kaukasus.

Es sind die »Brandenburger«, jene geheimnisumwitterte, unerhört kühne Sonderformation verwegener Freiwilliger, die diesen Torweg endgültig öffnen. Auch das Wichtigste gelingt: Die Brücken vor Bataisk in die Hand zu bekommen, vor allem den etwa drei Kilometer langen Viadukt auf dem Südufer des Don, der aus vielen kleinen Brücken bestand und auf dem die einzige Straße nach Süden führte.

Um 2 Uhr 30 prescht Oberleutnant Grabert mit der Spitzengruppe auf die Brücke. Gespenstisch huscht er mit der Gruppe beiderseits der Fahrbahn vorwärts. In kurzen Abständen folgen die beiden anderen Züge. Jetzt hat der Russe etwas gemerkt. Seine MG feuern, Granatwerfer flappen. Der deutsche Feuerschutz schießt ebenfalls aus allen Rohren. Jetzt kommt es darauf an, ob Grabert durchkommt.

Er kommt durch, wirft die starke sowjetische Brückenwache und bildet einen kleinen Brückenkopf. Vierundzwanzig Stunden hält er ihn gegen alle feindliche Gegenangriffe.

Die Kompanien und ihre Chefs opfern sich im wahrsten Sinne des Wortes für die Brücke. Oberleutnant Grabert und Leutnant Hiller von den »Brandenburgern« fallen. Unteroffiziere und Männer sinken unter dem Höllenfeuer der Sowjets zusammen.

In letzter Minute kommen die Stukas. Dann folgen die ersten Verstärkungen über den Damm und über die Brücke. Unter dem letzten Pfeiler liegt Siegfried Grabert. 200 Meter vor ihm, in einem Sumpfloch, Leutnant Hiller. Neben ihm, in der Hand noch das Verbandspäckchen, der Sanitätsunteroffizier, von einem Kopfschuß getroffen. Aber über die Brücken rollen am 27. Juli die Panzer und Schützenkompanien des LVII. Panzerkorps nach Süden, dem Kaukasus zu.

5

Die Front der hohen Berge

Eine Blockhütte bei Winniza – Die Führerweisung Nr. 45 – In Sturm-booten nach Asien – Im Vorfeld des Kaukasus – Die Jagd durch den Kuban – Im Land der Tscherkessen

Im Juli 1942 befand sich das Führerhauptquartier tief in Rußland, nahe Winniza, in der Ukraine. Die Arbeitsstäbe des Oberkommandos des Heeres mit dem Chef des Generalstabs hatten am Stadtrand von Winniza Unterkunft bezogen. Für Hitler und seinen Führungsstab hatte die Organisation Todt unter den hohen Kiefern eines weiten Waldgebietes gut versteckte Block-hütten gebaut. Am 16. Juli war Hitler eingezogen. Glutheiß waren die Tage, der Schatten der duftenden Nadelwälder brachte keine Kühle. Schwül und drückend war die Temperatur auch bei Nacht. Hitler vertrug das Klima nicht und war meist schlechter Laune, aggressiv und von äußerstem Mißtrauen gegen jedermann. Generale, Offiziere und politische Verbindungsmänner, die zu Hitlers Umgebung gehörten, berichten übereinstimmend, daß die Zeit des ukrainischen Aufenthaltes voller Spannungen und Konflikte war. »Werwolf« war der Deckname für das Führerhauptquartier bei Winniza. Und wie ein Werwolf residierte Hitler in seinem Blockhaus.

Am 23. Juli war Generaloberst Halder zum Vortrag über die Lage befohlen. Hitler litt schrecklich unter der Hitze, und die Nachrichten von der Front ver-stärkten sein Mißbehagen. Man siegte und siegte, der Russe floh, aber merk-würdigerweise war der erwartete große Vernichtungsschlag zwischen Donez und Don weder bei Stary Oskol noch bei Millerowo geglückt. Er schien sich auch bei Rostow nicht einzustellen. Woran lag das? Was war los?

»Der Russe weicht planmäßig aus, mein Führer«, argumentierte Halder.

»Unsinn«, schnitt ihm Hitler das Wort ab, »er flieht, er ist fertig, er ist am Ende nach den Schlägen, die wir ihm in den letzten Monaten zugefügt haben.«

Halder blieb kühl, zeigte auf die Karte, die auf dem großen Arbeitstisch lag, und widersprach: »Wir haben Timoschenkos Massen nicht erwischt, mein Führer. Unsere Kesseloperationen waren Schläge ins Wasser. Timoschenko hat die Masse seiner Heeresgruppe zum Teil sogar mit den schweren Waffen nach Osten über den Don in den Raum Stalingrad geführt, andere Teile nach Süden, in den Kaukasus. Was dort noch an Reserven steht, wissen wir nicht.«

»Ach, Sie mit Ihren Reserven. Ich sage Ihnen, wir haben Timoschenkos fliehende Massen im Raum Stary Oskol nicht erwischt und dann in Millerowo nicht, weil sich Bock viel zu lange mit Woronesch beschäftigt hat. Wir haben die in Panik zurückflutende Südgruppe dann nicht mehr nördlich Rostow fassen können, weil wir mit den schnellen Truppen zu spät nach Süden eingedreht sind und die 17. Armee zu früh frontal nach Osten gedrückt hat. Aber das soll mir nicht noch einmal passieren. Jetzt gilt es, die Massierung unserer schnellen Truppen im Raum Rostow zu entwirren und die 17. Armee sowie die 1. Panzerarmee und auch die 4. Panzerarmee anzusetzen, um den Russen südlich Rostow, im Vorfeld des Kaukasus, schnell zu packen und einzukesseln. Gleichzeitig muß die 6. Armee den russischen Restkräften, die an die Wolga geflüchtet sind, im Raum Stalingrad den Todesstoß versetzen. An keiner dieser beiden Fronten dürfen wir jetzt den taumelnden Feind noch einmal zur Ruhe kommen lassen. Das Schwergewicht aber muß beim Angriff der Heeresgruppe A gegen den Kaukasus liegen.«

Der Chef des Generalstabs des Heeres versuchte am 23. Juli 1942 vergeblich in der Blockhütte des ukrainischen Führerhauptquartiers »Werwolf«, Hitlers These zu entkräften. Er beschwor ihn, von einer Zersplitterung der Kräfte abzusehen und erst dann in den Kaukasus vorzugehen, wenn Stalingrad genommen und damit Flanke und Rücken am Don sowie zwischen Don und Wolga ausreichend gesichert seien.

Hitler wischte die Bedenken des Generalstabschefs beiseite. Wie sicher er sich fühlte und wie sehr er von dem Gedanken beherrscht war, daß die Rote Armee bereits endgültig geschlagen sei, zeigen noch ein paar andere Tatsachen: Er verlegte die Masse von Feldmarschall von Mansteins 11. Armee mit fünf Divisionen, die auf der Krim zum Einsatz gegen den Kaukasus bereitstand, nach Leningrad, um diese leidige Festung endlich zu nehmen.

Aber damit nicht genug: Hitler zog auch noch die hervorragend ausgerüstete SS-Panzergrenadierdivision »Leibstandarte« aus der Ostfront ab und verlegte sie zur Auffrischung und Umgliederung zu einer Panzerdivision nach Frankreich. Einen weiteren Eliteverband der Südfront, die Infanteriedivision (mot.) »Großdeutschland«, nahm er wenig später gleichfalls aus der Schlacht. Er befahl, daß sie nach Erreichen des Manytsch-Dammes aus der Front gezogen und zur Verfügung des OKW nach Frankreich zu verlegen sei.

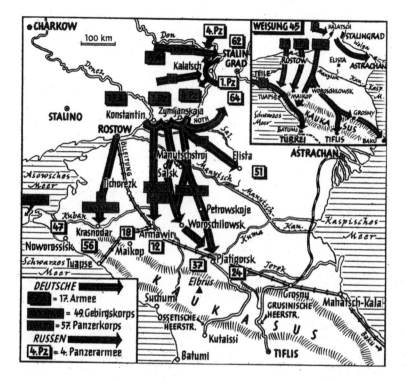

Karte 6: Lage an der Südfront vom 25. Juli bis 11. August 1942 und – Ausschnitt – die ursprüngliche Planung nach »Weisung 45«. Der Abzug der 4. Panzerarmee aus dem Kaukasus sollte die rechtzeitige Eroberung Stalingrads ermöglichen, führte aber nur zur Schwächung der Kaukasus-Front.

Hitler berief sich bei diesen Entscheidungen vor allem auf von den Engländern getürkte Informationen, daß im Westen die Invasion bevorstehe. Ein verhängnisvoller Irrtum.

Denn diese von der Südfront – unnützerweise – abgezogenen Kräfte von insgesamt sieben Divisionen hätten mit großer Wahrscheinlichkeit ausgereicht, die Katastrophe von Stalingrad zu verhindern.

Verbittert fuhr Halder auch am 23. Juli von dieser Besprechung zurück in sein Stabsquartier am Stadtrand von Winniza. Er schrieb in sein Tagebuch: »Die immer noch vorhandene Unterschätzung der feindlichen Möglichkeiten nimmt allmählich groteske Formen an und wird gefährlich.«

Hitler aber blieb weiter bei seiner irrigen Beurteilung der Feindlage und faßte seine Gedanken in der grundsätzlichen »Führerweisung Nr. 45«, Deckwort »Braunschweig« zusammen. Er diktierte sie noch am 23. Juli, am Tage seiner Auseinandersetzung mit Halder.

Am 25. Juli war die Weisung bei den Heeresgruppen. In der Einleitung unterstellte Hitler, im Widerspruch zu den Erkenntnissen aus den Kämpfen der letzten drei Wochen, daß es nur schwächeren feindlichen Kräften der Armeen Timoschenkos gelungen sei, sich der deutschen Umfassung zu entziehen und das südliche Donufer zu erreichen.

Die weiteren Operationsziele fixierte er nun – im Gegensatz zur »Weisung Nr. 41«, dem »Fall Blau«, wonach erst der Raum Stalingrad erreicht werden sollte und dann die Offensive in den Kaukasus zur Gewinnung des russischen Öls vorgesehen war – folgendermaßen:

1. Die nächste Aufgabe der Heeresgruppe A ist es, nunmehr die über den Don entkommenen feindlichen Kräfte im Raum südlich und südostwärts Rostow einzuschließen und zu vernichten.

   Hierzu sind starke schnelle Verbände aus den Brückenköpfen, die im Raum Konstantinowskaja–Zymljanskaja zu bilden sind, in allgemein südwestlicher Richtung, etwa auf Tichorezk, Infanterie-, Jäger- und Gebirgsdivisionen im Raum Rostow über den Don anzusetzen.

   Daneben bleibt der Auftrag bestehen, die Bahnlinie Tichorezk–Stalingrad mit vorgeworfenen Teilen zu unterbrechen ...

2. Nach Vernichtung der feindlichen Kräftegruppe südlich des Don ist es die wichtigste Aufgabe der H. Gr. A, die gesamte Ostküste des Schwarzen Meeres in Besitz zu nehmen und damit die Schwarzmeerhäfen und die feindliche Schwarzmeerflotte auszuschalten ...

   Mit einer weiteren Kräftegruppe, bei der alle übrigen Geb.- und Jg.-Divisionen zusammenzufassen sind, ist der Übergang über den Kuban zu erzwingen und das Höhengelände von Maikop und Armawir in Besitz zu nehmen ...

3. Zugleich ist mit einer aus schnellen Verbänden zu bildenden Kräftegruppe der Raum um Grosnyj zu gewinnen und mit Teilkräften die Ossetische und Grusinische Heerstraße möglichst auf den Paßhöhen zu sperren. Anschließend ist im Vorstoß entlang des Kaspischen Meeres der Raum um Baku in Besitz zu nehmen ...

   Mit der späteren Zuführung des italienischen Alpinikorps kann die Heeresgruppe rechnen.

   Diese Operationen der H. Gr. A erhalten den Decknamen »Edelweiß«.

4. Der Heeresgruppe B fällt – wie befohlen – die Aufgabe zu, neben dem Aufbau der Donverteidigung im Vorstoß gegen Stalingrad die dort im Aufbau

befindliche feindliche Kräftegruppe zu zerschlagen, die Stadt selbst zu besetzen und die Landbrücke zwischen Don und Wolga zu sperren.

Im Anschluß hieran sind schnelle Verbände entlang der Wolga anzusetzen mit dem Auftrag, bis nach Astrachan vorzustoßen und dort gleichfalls den Hauptarm der Wolga zu sperren.

Diese Operationen der H. Gr. B erhalten den Decknamen »Fischreiher«. Es folgten die Weisungen für die Luftwaffe und die Kriegsmarine, in denen es u.a. hieß:

»Wegen der entscheidenden Wichtigkeit der Erdölproduktion des Kaukasus für die weitere Kriegführung sind Luftangriffe gegen die dortigen Erzeugungsstätten und Großtankanlagen sowie gegen die Umschlaghäfen am Schwarzen Meer nur durchzuführen, wenn es die Operationen des Heeres unbedingt erforderlich machen.

Um aber dem Gegner die Ölzufuhr aus dem Kaukasus baldigst zu sperren, ist die frühzeitige Unterbrechung der hierfür noch benutzbaren Bahnstrecken und Ölleitungen sowie die Störung der Seeverbindungen auf dem Kaspischen Meer von besonderer Bedeutung.«

»Außerdem trifft OKM Vorbereitungen, leichte Seestreitkräfte auf dem Kaspischen Meer zur Störung der feindlichen Seeverbindungen (Öltransporte und Verbindung zu den Angelsachsen in Iran) zum Einsatz zu bringen.«

Eine gigantische Aufgabenstellung zur Eroberung von Räumen in drei verschiedenen Richtungen: die gesamte Ostküste des Schwarzen Meeres, den Raum um das Ölgebiet Baku und die Besetzung von Stalingrad. Und das alles mit den Korps und Divisionen, die wochenlange, verlustreiche Kämpfe hinter sich haben. Das kann nur gelingen, wenn der Gegner wirklich am Ende ist, es wirklich »nur schwächeren feindlichen Kräften gelungen ist, das südliche Donufer zu erreichen«, wie Hitler in der Einleitung zur Weisung Nr. 45 unterstellte.

Feldmarschall List, ein Bayer aus Oberkirch, ein Mann der alten bayerischen Generalstabsschule, der sich im Polen- und Frankreichfeldzug seine Meriten geholt hatte und nun die Heeresgruppe A führte, war ein kluger und kühler Rechner. Kein Himmelstürmer, sondern ein Mann der soliden operativen Planung und Führung, jeder Vabanquespielerei abhold.

Als er am 25. Juli die »Weisung Nr. 45« (»Braunschweig«) durch Sonderkurier nach Stalino zugestellt bekam, schüttelte er den Kopf. Er hat später, in der Gefangenschaft, einmal zu mir, dem Verfasser, gesagt: Nur die Überzeugung, daß die oberste deutsche Führung außergewöhnliche und zuverlässige

Nachrichten über die Feindlage haben müsse, hätte ihm und seinem Chef des Generalstabs, General von Greiffenberg, den neuen Operationsplan begreiflich erscheinen lassen.

Schwerpunktbildung heißt die strategische und operative Weisheit seit Clausewitz. Hier aber wurde gerade diese Weisheit verleugnet. So befanden sich zum Beispiel in Zuführung hinter der 6. Armee, die Stalingrad und der Wolgaebene zustrebte, die Verbände des verstärkten italienischen Alpini-Korps mit seinen ausgezeichneten Gebirgsdivisionen. Lists Heeresgruppe A hingegen, vor der die erste echte Hochgebirgsaufgabe des Ostkrieges lag – die Bezwingung des Kaukasus –, verfügte nur über drei Gebirgsdivisionen, zwei deutsche und eine rumänische. Die Jägerdivisionen der Armeegruppe Ruoff waren für einen Hochgebirgskampf weder ausgebildet noch besaßen sie die erforderliche Ausrüstung und Ausstattung. Vier deutsche Gebirgsdivisionen mit ausgesuchten, im Bergkampf geschulten Männern der deutschen Alpenländer waren über den ganzen Globus verzettelt eingesetzt. Man wird sich im Führerhauptquartier zu spät daran erinnern, wenn General Konrads Gebirgsjägerbataillone in einigen Wochen, ihr Ziel vor Augen, an den Kämmen des Kaukasus hängenbleiben.

Feldmarschall List machte aus dem, was ihm die »Weisung Nr. 45« grundsätzlich vorschrieb, und mit den Kräften, die er hatte, einen passablen Plan: Die Armeegruppe Ruoff, die verstärkte 17. Armee, sollte frontal aus dem Raume um Rostow südwärts auf Krasnodar stoßen. Die schnellen Truppen der 1. Panzerarmee – auf dem linken Flügel gefolgt von Hoths 4. Panzerarmee – hatten die Aufgabe, ostwärts davon, aus den Donbrückenköpfen vorbrechend, als äußerer Zangenarm auf Maikop durchzustoßen. Auf diese Weise sollten im Zusammenwirken zwischen den langsam vorrückenden Infanteriedivisionen Ruoffs und den schnellen Truppen Kleists die südlich Rostow vermuteten Feindkräfte eingekesselt und vernichtet werden. Der 4. Panzerarmee des Generalobersten Hoth am Ostflügel fiel die Flankensicherung für diese Operation zu. Ihr erstes Ziel war Woroschilowsk.

Nach diesem Plan wurde der Angriff nach Süden fortgesetzt. Und es begann eine Operation, die überaus dramatisch verlief und für den ganzen Ausgang des Ostfeldzuges von entscheidender Bedeutung war.

Die russische Führung zeigte sich auch weiterhin entschlossen, ihre Verbände nicht mehr einkesseln zu lassen. Der sowjetische Generalstab und die Truppenführung hielten sich streng an die neue – im Grunde alte – Strategie, mit der schon Napoleon besiegt worden war: den Feind in die Tiefe und Weite des Raumes zu locken und seine Kräfte zersplittern, um ihn im passenden Augenblick auf breiter Front anzufallen.

Für die deutschen Verbände ergaben sich südlich des Don völlig neue Kampfverhältnisse: 500 Kilometer Steppe waren zu überwinden und anschließend einer der mächtigsten Gebirgszüge der Welt zu bezwingen, der sich zwischen dem Schwarzen und dem Kaspischen Meer quer vor die deutschen Stoßgruppen legte.

Die Steppengebiete nördlich des Kaukasus boten dem Feind ausgezeichnete Bedingungen für hinhaltenden Widerstand. Die zahllosen großen und kleinen Flüsse, die von der Wasserscheide des Kaukasus sowohl ins Kaspische wie auch ins Schwarze Meer fließen, waren Hindernisse, die der Verteidiger mit verhältnismäßig schwachen Kräften gut halten konnte.

Wie in der Wüste, so schrieben auch hier in der Steppe die Trinkwasserstellen dem Angreifer die Marschwege vor. Es war eine fremde Welt, in die der Kampf getragen wurde. Und wer schließlich den Fuß über die Ufer des 700 Kilometer langen Manytsch setzte, verließ Europa und betrat Asien. Der Fluß ist die Grenze zwischen beiden Erdteilen.

Es waren die westfälische 16. Infanteriedivision (mot.) und die Berlinbrandenburgische 3. Panzerdivision, die als erste deutsche Kampfverbände die Grenze der Kontinente überschritten.

Als Speerspitze war die 3. Panzerdivision dem weichenden Russen vom Don über den Sal bis Proletarskaja nachgestoßen, das an einem Nebenfluß des Manytsch, dem Karytscheplak, liegt. Breiths Panzersoldaten hatten damit das Ufer des breiten Manytsch-Flusses erreicht. Eigentlich bestand dieser Fluß aus einer Kette gestauter Seen, an vielen Stellen kilometerbreit, mit mächtigen Staudämmen für die Elektrizitätswerke von Manytschstroj.

Drüben saß, gut verschanzt, die sowjetische Nachhut. Der Manytsch war für die Sowjets eine ideale Verteidigungslinie, die große Barriere im Vorfeld des Kaukasus.

»Wie kommen wir da hinüber?« fragte General Breith sorgenvoll seinen Chef des Stabes, Major Pomtow, und den Kommandeur des Schützenregiments 3, Oberstleutnant Zimmermann.

»Wo der Fluß schmal ist, sitzt der Russe am dicksten«, antwortete Pomtow und wies auf die Lagemeldungen der Luftaufklärung.

»NKWD-Truppen sitzen drüben, haben Gefangene ausgesagt«, ergänzte Zimmermann.

»Und gut verschanzt, wie die Luftbilder zeigen«, nickte Breith.

»Wie wär's, wenn wir den Iwan täuschten und uns nun die allerbreiteste

Stelle aussuchten, in der Nähe der großen Staumauer, wo der Fluß zwei bis drei Kilometer breit ist? Hier erwartet der Russe einen Angriff am allerwenigsten«, schlug Pomtow vor.

Die Idee war gut. Und so machte man es. Das Panzerpionierbataillon schleppte zum Glück noch einundzwanzig Sturmboote mit. Sie wurden herangeschafft. Die glühende Sommerhitze hatte sie zwar ausgetrocknet, so daß bei der Wasserprobe gleich zwei Boote wegsackten wie Steine. Die anderen neunzehn waren auch etwas undicht, aber wenn man tüchtig Wasser schöpfte, mußte es gehen.

Leutnant Moewis und ein Dutzend unerschrockener »Brandenburger« erkundeten zwei gut geeignete Übergänge, ziemlich genau an der breitesten Stelle des Flusses. Die beiden Übergänge befanden sich oberhalb des Städtchens Manytschstroj, das direkt am jenseitigen Zugang zur Staumauer lag und diesen wichtigen, bisher nur an einzelnen Stellen unpassierbar gemachten und verminten Damm sicherte. Es kam darauf an, den Ort im Überraschungsstoß zu nehmen und den dort sicherlich bereitstehenden sowjetischen Sprengtrupps die völlige Zerstörung des Damms unmöglich zu machen.

Für die Aktion wurde eine Kampfgruppe gebildet. Das II. Bataillon Panzergrenadierregiment 3 griff links, das I. Bataillon rechts an. Eine starke Sturmkompanie wurde zusammengestellt. Oberleutnant Tank, der bewährte Chef der 6. Kompanie, führte die Kampfgruppe. Der Auftrag lautete: »Im Schutz der Dunkelheit ist am jenseitigen Ufer des Stausees ein Brückenkopf zu bilden. Nach dem Übersetzen aller Teile der Kampfgruppe wird die feindliche Riegelstellung durchbrochen und das Dorf Manytschstroj gestürmt.«

Um eine wirkungsvolle Artillerieunterstützung vom Nordostufer her zu gewährleisten, befand sich bei der Kampfgruppe ein Artilleriebeobachter, der das Feuer leiten sollte.

Der kühne Angriff über den Manytsch gelingt. Die 3. Panzerdivision täuscht im Schwerpunkt einen Angriff von Nordwesten vor und stößt gleichzeitig mit einem Bataillon über den Fluß. Das Unternehmen wurde zwischen 24 Uhr und 1 Uhr durch einen Feuerschlag der Divisionsartillerie vorbereitet.

Tanks Männer lagen am Ufer. Die Pioniere hatten die Boote ins Wasser gebracht. Die Granaten heulten über sie hinweg, schlugen drüben ein und hüllten das Ufer in Rauch und Qualm.

»Los.« Hinein in die Boote, und ab ging's. Eifrig mußte mit Konservenbüchsen Wasser geschöpft werden, damit die Sturmboote nicht vollliefen. Das

Rattern der Motoren wurde vom Artilleriefeuer übertönt. Vom Russen kein Schuß.

Ohne Verluste wurde der Fluß überquert. Die Kiele der neunzehn Boote rutschten am jenseitigen Ufer über den Kies. Tank sprang als erster an Land. Er stand in Asien.

»Leuchtkugel weiß.« Der Kompanietruppführer knallte die Leuchtpistole ab. Schlagartig verlegte die deutsche Artillerie das Feuer weiter nach vorn. Die Pioniere machten mit den Booten sofort kehrt, um die nächste Welle zu holen.

Tanks Grenadiere sprangen über das flache Ufer. Die Sowjets im ersten Graben waren völlig verdutzt und flohen. Ehe sie den zweiten, dahinterliegenden Graben alarmiert hatten, mähten Tanks MG schon die feindlichen Posten und Wachen nieder.

Aber jetzt waren die Russen rechts und links der Landestelle wach geworden. Als die Sturmboote das zweite Mal übersetzten, wurden sie vom MG-Feuer der Sowjets erfaßt. Zwei Boote sanken. Die siebzehn anderen kamen mit 120 Mann und Munitionsnachschub an, darunter der Stab des II. Bataillons.

Damit aber war es mit der Übersetzerei zu Ende. Es gelang noch, auf dem Südufer des Manytsch den Brückenkopf auszuweiten. Oberleutnant Tank, der älteste Kompaniechef des II. Bataillons, übernahm die Führung im Brückenkopf. Die Sowjets deckten das ganze Ufer mit flankierendem Feuer ein. Russische Artillerie aller Kaliber donnerte herüber. Die beginnende Morgenhelle verbot von selbst alle weiteren Transporte.

Oberleutnant Tank lag mit seinen Männern immer noch im flachen Ufergelände, in eroberten sowjetischen Gräben und schnell gebuddelten Schützenlöchern. Der Russe beschoß sie mit Granatwerfern, beharkte sie mit MG und setzte auch zweimal zu Gegenstößen an, die bis auf ein paar Meter an Tanks Stellung herankamen.

Das Schlimmste aber: Die Munition wurde knapp. Das MG am rechten Flügel hatte nur noch zwei Gurte Patronen. Bei den anderen sah es nicht viel besser aus. Die Granatwerfermunition war bereits verschossen.

»Warum greift die Luftwaffe nicht an?« fragten Tanks Männer und blickten in den verhangenen, diesigen Himmel. Und als hätte der Kommodore des Kampfgeschwaders ihren Stoßseufzer gehört, brausten gegen 6 Uhr mit der durchbrechenden Sonne, die auch den Nebel von den Startplätzen vertrieben hatte, die deutschen Schlachtflieger heran. Sie kämpften die sowjetischen Artilleriestellungen und MG-Nester nieder. Im Schutz des Bombenhagels und der Bordwaffenangriffe gelang es endlich, die dritte Welle über den Fluß zu bringen.

Oberleutnant Tank nutzte die Stunde. Er sprang von Zugführer zu Zugführer und informierte jeden. Dann brach Zug um Zug zum Angriff los: gegen Manytschstroj.

Die Sowjets waren völlig verblüfft. Einen Angriff auf das stark verteidigte Dorf von rückwärts und von der Seite hatten sie nicht erwartet. Ihr ganzes Augenmerk war nach vorn auf den Damm gerichtet. Tanks Männer rollten die rückwärtigen Stellungen der Russen schnell auf.

Als der sowjetische Kampfkommandant schließlich seine Verteidigung umorganisiert hatte und mit dem Rücken zum Damm verteidigen ließ, da brausten bereits die ersten Panzer und Schützenpanzerwagen über die schmale Straße der Staumauer.

Manytschstroj fiel. Der Manytsch war bezwungen, der letzte große Sperriegel auf dem Weg nach Süden zum Kaukasus und zum Öl aufgebrochen.

Bereits am 2. August morgens stieß die Kampfgruppe von Liebenstein bis Iku-Tuktum durch. Das XXXX. Panzerkorps und auch das III. Panzerkorps kämpften in Asien.

Der wagemutige Übergang über den Manytsch und die Öffnung der Flurtür zum Kaukasus wurden ergänzt durch ein ebenso kühnes und erfolgreiches Unternehmen der badisch-württembergischen 23. Panzerdivision. Sie beseitigte einen listigen und starken Hinterhalt der Sowjets, der die deutsche Flanke ernsthaft bedrohte, ohne daß jemand von dieser Gefahr etwas geahnt hatte.

Timoschenko hatte am Salübergang bei Martynowka ein ganzes motorisiertes Korps mit vielen Panzern, gut getarnt, in den Hinterhalt gelegt.

Generalmajor Mack stieß mit seinem verstärkten Kradschützenbataillon 23 auf Martynowka, das von der deutschen Luftaufklärung als »nur schwach besetzt« gemeldet worden war.

Der Angriff erfolgte in dem Augenblick, als das russische Korps aufmarschierte. Mack erkannte die Gefahr sofort. Er fesselte den Feind durch frontale Angriffe, umzingelte ihn in einem kühnen Manöver und packte die Sowjets am frühen Morgen des 28. Juli im Rücken.

In turbulenten Panzerduellen, zum Teil auf kürzeste Entfernung von zwanzig, dreißig Metern, wurden die T 34 der Russen abgeschossen und ihre Pak-Front zerschlagen.

Die Panzerschlacht von Martynowka war seit langer Zeit wieder einmal eine Operation, in der es durch überlegene taktische Führung und im Kampf

Panzer gegen Panzer gelang, einen sowjetischen Großverband zu stellen und zu vernichten. Siebenundsiebzig Feindpanzer wurden abgeschossen, zahlreiche Geschütze erbeutet.

In der gleichen Stunde, als Grenadiere und Panzer bei 40 Grad Hitze zur Verfolgung der am Manytsch-Fluß weichenden Sowjets in die Kalmückensteppe antraten, an riesigen Viehherden vorbei, von Kamelen und Dromedaren beäugt, saß im dumpfheißen Holzhaus seines ukrainischen Hauptquartiers bei Winniza Hitler vor der großen Lagekarte. General Jodl hielt Vortrag.

Aber nicht die Erfolge am Manytsch, die in den OKW-Bericht kamen, standen zur Debatte, sondern die böse Situation, in der sich die 6. Armee auf dem Wege nach Stalingrad im großen Donbogen befand. General Paulus hatte zwar mit seiner nördlichen und südlichen Angriffsgruppe den Don erreicht, aber der Brückenkopf um Kalatsch, der den Zugang auf die schmale Landbrücke zwischen Don und Wolga bildete, wurde von den Sowjets nicht nur verteidigt, sondern zur Ausgangsbasis einer Gegenoffensive gemacht.

Vier sowjetische Armeen sowie zwei in Aufstellung befindliche Panzerarmeen hatte der sowjetische Oberbefehlshaber der »Stalingradfront«, Generalleutnant Gordow, bereits vor der deutschen 6. Armee aufgebaut.

Die 4. sowjetische Panzerarmee schickte sich an, Paulus' XIV. Panzerkorps in die Zange zu nehmen. Auch das LI. Armeekorps des Generals von Seydlitz-Kurzbach am Südflügel war schon in arger Bedrängnis. Munitionsmangel und fehlender Betriebsstoff lähmten die Kraft der ganzen 6. Armee.

Dadurch, daß Hitler den Angriff auf den Kaukasus und auf Stalingrad gleichzeitig forcierte, mußte auch der Nachschub geteilt werden. Und weil im Süden die größeren Entfernungen zu überwinden waren, hatte der Generalquartiermeister den Betriebsstoffschwerpunkt zur Kaukasusfront verlegt. Viele motorisierte Großraum-Nachschubkolonnen, die für die 6. Armee bestimmt gewesen waren, wurden nach Süden umgeleitet.

Am 31. Juli mußte Hitler endlich begreifen, daß sein Optimismus im Hinblick auf die angenommene russische Schwäche unberechtigt war. Er konnte sich der Erkenntnis nicht länger verschließen, daß die Kraft der 6. Armee, die durch schwere Versorgungsmängel gehemmt war, nicht ausreichte, Stalingrad gegen den starken sowjetischen Widerstand zu nehmen.

Er verfügte daher an diesem Tage eine erneute Änderung seines Planes: Die 4. Panzerarmee – allerdings ohne das XXXX. Panzerkorps – wurde aus der Kaukasusfront gelöst, der Heeresgruppe B unterstellt und südlich des Don nach Nordosten vorgeführt, um die sowjetische Kalatschfront vor Stalingrad von der Flanke her einzudrücken.

Eine gute Idee. Aber zu spät. Der Einsatz der 4. Panzerarmee änderte nichts mehr an der einmal vollzogenen Zersplitterung der Kräfte. Was Hitler jetzt der Heeresgruppe A nahm, schwächte ihre Offensivkraft gegen den Kaukasus; was er der Heeresgruppe B gab, war zuwenig und kam zu spät, um Stalingrad noch schnell zu erobern. Zwei nunmehr gleich starke Heeresgruppen strebten rechtwinklig auseinander, zwei weit voneinander entfernten Zielen zu. Das brennendste Problem, die Versorgung, wurde vollends unlösbar, weil der Gesamtoperation weiterhin der Schwerpunkt fehlte.

Die oberste deutsche Führung hatte sich in eine ausweglose Lage hineinmanövriert, sich vom Führungswillen des Gegners abhängig machen lassen. Im Raum Stalingrad bestimmte der Russe bereits Ort und Zeit der Schlacht.

Die »Führerweisung« vom 31. Juli befahl für die Kaukasusfront, daß nunmehr die zweite Phase des Unternehmens »Edelweiß« zu beginnen habe: die Inbesitznahme der Schwarzmeerküste. Die Heeresgruppe A sollte ihre schnellen Verbände, die nun alle unter dem Befehl der 1. Panzerarmee zusammengefaßt wurden, in Richtung Armawir–Maikop ansetzen. Andere Teile der Heeresgruppe sollten über Noworossisk–Tuapse an der Küste entlang auf Batumi durchstoßen. Die deutschen und rumänischen Gebirgsdivisionen sollten auf dem linken Flügel über die Hochgebirgspässe des Kaukasus umfassend auf Tuapse und Suchumi angesetzt werden.

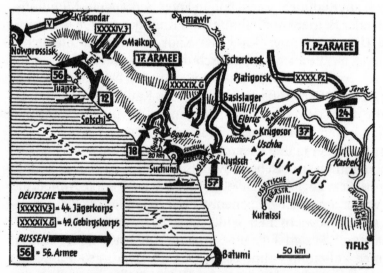

Karte 7: Ende Juli bis Ende August 1942: Angriff der deutschen 17. Armee vom Kuban aus auf die sowjetischen Stützpunkte an der östlichen Schwarzmeerküste und Vorstoß über die Pässe des Hochkaukasus.

Mit einer atemberaubenden Präzision läuft zuerst alles nach Plan. An dem Tage, an dem die neue Führerweisung erging, machten auch das III. und LVII. Panzerkorps einen großen Sprung vorwärts in Richtung Kaukasus. General von Mackensen nimmt am gleichen Abend Salsk.

Am 9. August abends stürmt die 13. Panzerdivision die Ölstadt Maikop, Sitz der Verwaltung eines riesigen Ölgebiets. Fünfzig unbeschädigte Flugzeuge wurden erbeutet. Aber leider waren alle Öllager zerstört, die Anlagen durch Demontierung der wichtigen Teile lahmgelegt.

Auch beim XXXXIX. Gebirgskorps und beim V. Armeekorps, das sich ostwärts Rostow einen Donübergang erzwungen hatte, ging es voran. Bis zum 13. August nahmen die Divisionen Krasnodar und eine Übergangsstelle über den Kuban.

Ebenso erfolgreich ist inzwischen der Vorstoß des LVII. Panzerkorps verlaufen. Nach schnellem Vorgehen durch die Kubansteppe nach Süden standen Panzerkampf- und Gefechtsgruppen in und auf dem Nordufer des Kuban. Der Strom wird überwunden und ein Brückenkopf gebildet. So wird der Armeegruppe Ruoff der Weg auf das Südufer des Kuban ermöglicht.

Dann wird auf Tuapse abgedreht. Die in der Division »Wiking« zusammengefaßten skandinavischen, baltischen und dänischen Freiwilligen dringen bis an das Maikoper Ölgebiet vor.

An der ganzen Steppenfront jagen in den ersten Augusttagen des Jahres 1942 nun die schnellen Verbände der Heeresgruppe A durch die Kuban- und Kalmückensteppe, um die hinhaltend kämpfenden, langsam ausweichenden russischen Divisionen noch vor dem Kaukasus zu stellen und zu verhindern, daß sie ins Gebirge entkommen und sich dort erneut zu nachhaltiger Verteidigung festsetzen.

Funker Otto Tenning, der damals im Kommandeurwagen des Spitzenbataillons der 3. Panzerdivision fuhr, berichtet: »Ich fahre mit Feldwebel Goldberg einen Spähtrupp. Als wir uns langsam an ein kleines Dorf heranpirschen, stellt der Spähtruppführer plötzlich etwas Verdächtiges fest und läßt durch Funk melden: ›Feindliche Panzer am Ortsrand aufgefahren.‹ Wie groß aber war unsere Überraschung, als wir wenig später feststellten, daß es sich bei den ›Panzern‹ um Kamele handelte. Großes Gelächter. Dromedare und Kamele stellten von nun an keinen ungewohnten Anblick mehr dar. Vor allem unsere Trosse bedienten sich ihrer als brave Zugtiere.«

Die vorderen Verbände der 3. Panzerdivision erreichen am 3. August die Stadt Woroschilowsk. Die russischen Kräfte werden überrascht und die Stadt nach kurzem Gefecht gegen 16 Uhr eingenommen.

Weiter geht es. »Brandenburger« fahren mit, immer bereit zu Sonderaufträgen. Auch rumänische Gebirgsjäger marschieren im Verband der 3. Panzerdivision. Die Bevölkerung, alteingesessene Kaukasier, ist freundlich und begrüßt die Deutschen als Befreier.

Und es ist nicht aus der Welt zu schaffen, daß ganze Stämme und Dörfer sich freiwillig und eigentlich gegen den Willen der obersten deutschen Führung zum Kampf gegen die Rote Armee meldeten. Diese freiheitsliebenden Menschen glaubten, die große Stunde ihrer völkischen Selbständigkeit sei angebrochen. Der Zorn Stalins, der sie später traf, war fürchterlich: Alle diese Stämme wurden aus ihrer herrlichen Heimat nach Sibirien verbannt.

Je rascher der Vormarsch in Richtung Kaukasus vorankommt, um so klarer wird es: Der Russe setzt sich weiterhin ohne große Verluste an Menschen und Material ab. Die deutschen Verbände gewinnen Raum, immer mehr Raum, aber es gelingt nicht, den Gegner schwer anzuschlagen oder gar zu vernichten. Ein paar umgestürzte Panjewagen, ein paar tote Pferde, das ist alles, was die Vormarschstraße säumt.

Um die immer länger werdende Ostflanke des tiefen Stoßes zum Kaukasus abzudecken, wird das LII. Armeekorps in breiter Front nach Osten abgedreht und zur Sicherung gegen das Kaspische Meer angesetzt. Elista, die einzige größere Stadt in der Kalmückensteppe, fällt am 12. August.

Inzwischen rollen die Panzerdivisionen immer weiter nach Süden. Die Kalmückensteppe glüht. Das Thermometer zeigt 55 Grad. Am strahlend blauen Sommerhimmel sehen die Männer in weiter Ferne eine weiße Kuppelwolke. Aber sie bewegt sich nicht. Sie steht auch am nächsten und übernächsten Tage noch an derselben Stelle. Es ist keine Wolke. Es ist der 5633 Meter hohe Elbrus mit seinen schimmernden Gletschern und dem ewigen Schnee: das mächtigste Bergmassiv des Zentralkaukasus.

»Wieviel Kilometer waren es heute?« fragt der Kommandeur des Infanterieregiments 421, Oberst Reinhardt, seinen Adjutanten. Oberleutnant Boll schaut auf die Karte, auf der die Marschwege eingetragen sind. Er greift den Maßstab ab. »Sechzig Kilometer, Herr Oberst.«

Sechzig Kilometer. Sechzigmal tausend Meter war die Infanterie an diesem Tag marschiert. Bei brütender Hitze. Durch die baumlose Kubansteppe.

Die Marschkolonnen sind in dichte, graubraune Staubwolken gehüllt. Nur die Köpfe der Reiter sind zu sehen. Je weiter es nach Süden geht, um so loser wird die Verbindung zwischen den Regimentern. Nur an den Staubfahnen ist zu erkennen, daß irgendwo weit rechts und weit links andere Marschkolonnen ebenfalls nach Süden ziehen.

Im Schatten seines Funkwagens studiert Reinhardt die Karte.

»Kann einem angst und bange werden bei den Entfernungen«, meint der Adjutant.

Reinhardt nickt. Sein Finger fährt auf der Karte hinüber zur Kalmückensteppe: »Kleists Panzer haben es dort auch nicht besser.«

Nein, sie haben es nicht besser. Das XXXX. Panzerkorps – seit dem 2. August der 1. Panzerarmee unterstellt – hat am 10. August durch die 3. Panzerdivision Pjatigorsk, mit der 23. Panzerdivision Mineralnyje Wody genommen und steht damit am Fuß des Kaukasus. Das letzte große Hindernis, das noch vor ihnen liegt, ist der Terek. Werden sie ihn schaffen, um dann die Pässe im Zuge der Ossetischen und Grusinischen Heerstraße zu gewinnen?

Oberst Reinhardt tippt mit dem Finger auf Krasnodar: »Das ist unser Ziel.« Dann zeigt er auf Maikop: »Und dorthin muß Kleist. Dann werden wir sehen, was in dem Kessel drin ist, den unsere 17. Armee und Kleists 1. Panzerarmee mit diesen beiden Eckpunkten bilden werden.«

Der Adjutant nickt: »Gut geplant, Herr Oberst, aber ich habe das Gefühl, der Iwan tut uns nicht mehr den Gefallen, zu warten, bis der Sack zu ist.«

Reinhardt reicht Boll die Karte zurück. »Wir werden sehen«, murrt er. »Haben Sie noch einen Schluck Wasser?«

»Keinen Tropfen mehr, Herr Oberst. Mir klebt die Zunge seit einer Stunde wie ein Fliegenfänger am Gaumen.«

Sie klettern in den Wagen: »Weiter, zehn Kilometer müssen wir heute noch machen.«

Wie hier, so war es in den ersten Augusttagen des Jahres 1942 überall bei den Infanterie-, Jäger- und Gebirgseinheiten der Armeegruppe Ruoff. Der Krieg nahm für eine Weile an der Südfront den Charakter des Wüstenkampfes an. Die Verfolgung der Sowjets durch die Kubansteppe wurde zum Wettrennen von Wasserstelle zu Wasserstelle. Verpflegungsrasten gab es nur selten. Wohl wurde in großen Wasserwagen für den Notfall Trinkwasser für die Soldaten mitgeführt, aber so viel, wie die Pferde brauchten, konnte man nicht mitschleppen. Das zwang die untere Führung, täglich neue Wasserstellen in Besitz zu nehmen.

Der Russe wich am rechten Flügel der Heeresgruppe A hinhaltend kämpfend aus, wie er es schon mit Erfolg am mittleren Don vorexerziert hatte. In den wenigen Ortschaften und an den zahlreichen Flußabschnitten setzten sich die Sowjets fest, verteidigten zunächst zäh, räumten dann aber so rechtzeitig, daß sie keine großen Verluste an Gefangenen erlitten. Sie befolgten damit die neue Weisung des Marschalls Timoschenko: Das Vorgehen des

Feindes verzögern, im entscheidenden Augenblick aber ausweichen, um Einschließungen auf alle Fälle zu vermeiden.

Das war die neue elastische Strategie der Russen. Der Rote Generalstab hatte sich von Stalins alter Kampfweise gelöst, jeden Fußbreit Boden zu verteidigen, wodurch man immer wieder durch Einkesselungen Riesenverluste erlitten hatte.

Die untere russische Führung lernte sehr schnell die Taktik der »hinhaltenden Gefechte«, eine Kampfart, die seit 1936 aus dem deutschen Ausbildungsplan gestrichen war. Unter geschickter Ausnützung der vielen quer zur deutschen Angriffsrichtung verlaufenden Flußabschnitte verzögerte der Russe immer wieder den deutschen Vormarsch und zog unterdessen seine Infanterie zurück.

Unter diesen Umständen gelang es den deutschen Divisionen nicht, den Kernpunkt der »Weisung Nr. 45« zu erfüllen: »Die über den Don entkommenen feindlichen Kräfte im Raum südlich und südostwärts von Rostow einzuschließen und zu vernichten.« Wieder war Hitlers Plan mißglückt.

Man verfolgte, fuhr, marschierte. Immer weiter, immer weiter. Von Fluß zu Fluß: Der Kagalnik wurde überwunden, die Jeja überschritten. Aber noch immer querten bis zum Kuban acht Flußläufe den Marschweg.

Bei Tichorezk kreuzte die Ölleitung von Baku nach Rostow die Eisenbahn und die Rollbahn. Der Russe verteidigte diesen Knotenpunkt hartnäckig mit starker Artillerie, Pak und drei Panzerzügen.

Die 8,8-Flakkampftrupps hatten harte Arbeit. Aber schließlich reichten sich die Vorausabteilungen doch die Hand. Tichorezk fiel. Der Russe wich. Aber er floh nicht mehr in Panik.

Aus riesigen Feldern mit mannshohen Sonnenblumen überraschte der Russe die deutschen Truppen häufig mit Feuerüberfällen. Wollte man ihn fassen, war er verschwunden. Nachts wurden Einzelfahrzeuge überfallen, Meldefahrer konnten nicht mehr weggeschickt werden.

So erreichte das V. Korps bis zum 10. August 1942 den Raum um Krasnodar. In knapp sechzehn Tagen hatten die Infanteristen den rund 300 Kilometer langen Weg von Rostow bis zur Hauptstadt der Kubankosaken kämpfend und marschierend hinter sich gebracht: Mitten durch die verbrannte Erde der glühenden Kubansteppe, aber auch die paradiesisch fruchtbaren Niederungen der Flußtäler.

Da dehnten sich endlose Sonnenblumenfelder, mächtige Areale mit Weizen, Hirse, Hanf und Tabak. Riesige Viehherden zogen über die unendliche Steppe. Die Gärten der Kosakendörfer waren wahre Oasen. Aprikosen,

Mirabellen, Äpfel, Birnen, Melonen, Wein und Tomaten wuchsen in üppiger Fülle. Eier gab es wie Sand am Meer, Schweine in riesigen Herden. Feldköche und Zahlmeister hatten gute Tage.

Krasnodar, die Hauptstadt des Kuban-Distrikts am Nordufer des Kuban-Flusses, hatte damals rund 200 000 Einwohner. Sie war ein Zentrum der großen Ölraffinerien.

General Wetzel setzte sein V. Korps zum konzentrierten Angriff auf die Stadt an: Franken, Hessen und Württemberger.

Der Russe wollte den Stadtkern mit der Brücke über den Kuban so lange wie möglich offenhalten, um viele Menschen und vor allem auch Material zum jenseitigen Ufer bringen zu können. Was nicht wegzuschaffen war, wurde angesteckt, auch die riesigen Öltanklager.

Am 11. August, gegen Mittag, haben die Württemberger sich bis auf Sturmentfernung an die Brücke herangearbeitet. Fünfzig Meter sind es noch. Dicht gedrängt ziehen die Russenkolonnen über den Fluß.

Die 2. Kompanie erhält Befehl zum Durchstoßen. Hauptmann Sätzler springt auf, die Pistole in der hochgereckten Faust. Er macht nur drei Schritte, dann fällt er. Kopfschuß.

Die Kompanie stürmt weiter. Noch zwanzig Meter trennen die Spitze vom Brückenaufgang. In diesem Augenblick zündet der aufmerksame sowjetische Brückenoffizier die Sprengladungen.

An einem halben Dutzend Sprengstellen fliegt die Brücke mitsamt den russischen Kolonnen donnernd in die Luft. In Rauch und Qualm sieht man Menschen und Pferde, Wagenräder und Waffen durcheinanderwirbeln. Durchgehende Gespanne jagen über das wegbrechende Brückengeländer in den Fluß, wo sie versinken.

Durch die Brückensprengung verlieren die Deutschen zwei Tage Zeit. Erst in der Nacht vom 13. auf den 14. August kann die 125. Infanteriedivision mit Sturmbooten und Flößen den Fluß überwinden.

Major Ortlieb hat die Übergangsstellen tagsüber in aller Ruhe unter den wachsamen Augen der Sowjets, die am anderen Ufer liegen, erkundet: Als Bauersfrau verkleidet, mit einer Hacke über der Schulter und einem Korb am Arm zog er durchs Gelände. Im zusammengefaßten Feuer der deutschen Artillerie und der 3,7-Fla-Batterie gelingt der Sprung ans jenseitige Ufer des Kuban und der Bau einer Pontonbrücke. Das V. Korps marschiert ins »Land der Tscherkessen«. Die mohammedanische Bevölkerung hat auf ihren Häusern Flaggen mit dem türkischen Halbmond gesetzt und begrüßt die Deutschen als Befreier vom atheistisch-kommunistischen Joch.

6

Zwischen Noworossisk und Kluchorpaß

*»Thalatta, Thalatta« – (das Meer, das Meer) – In den Hochpässen des
Kaukasus – Kampf um die alten Heerstraßen – Expedition auf den
Elbrusgipfel – Noch zwanzig Kilometer bis zur Schwarzmeerküste –
Dann fehlt das letzte Bataillon*

Mit der Überwindung des Kuban war der letzte große Flußriegel vor der
Armeegruppe Ruoff aufgebrochen. Die Divisionen konnten jetzt ihr eigent-
liches Operationsziel angehen: die Häfen Noworossisk, Tuapse, Sotschi,
Suchumi und Batumi.

Dieses Operationsziel war außerordentlich bedeutsam. Nicht nur, weil
damit der roten Schwarzmeerflotte ihre letzten Stützpunkte genommen wurden und die Möglichkeit geschaffen werden konnte, die deutsche Kaukasusfront über See zu versorgen, sondern es steckte noch ein größerer Gedanke
dahinter: Nach der Eroberung des letzten russischen Küstenstreifens am
Schwarzen Meer wäre die Türkei mit großer Wahrscheinlichkeit ins deutsche
Kriegslager übergewechselt. Das hätte unübersehbare Folgen für die alliierte
Kriegführung gehabt. Die englisch-russischen Positionen in Nordpersien
wären zusammengebrochen und somit die südlichen Zulieferungswege der
amerikanischen Waffenhilfe für Stalin vom Persischen Golf zum Kaspischen
Meer und dann die Wolga aufwärts durchschnitten worden.

Auch der Plan, Rommel mit dem Afrikakorps über Ägypten ins Zwei-
stromland zu dirigieren, wäre in den Bereich der Möglichkeiten gerückt. Die
Soldaten der deutsch-italienischen Panzerarmee Afrika standen in jenen
Tagen nach ihrer glänzenden Verfolgungsschlacht vom Spätsommer 1942 vor
El Alamein, vor den Toren Kairos. Die Pioniere rechneten bereits, wieviel
Brückenkolonnen über den Nil benötigt würden, und die Landser antworte-
ten auf die Frage »Wo geht's hin?« übermütig: »Zu Ibn Saud.«

Bei der Armeegruppe Ruoff war diese phantastische Zielsetzung nicht
weniger populär. Als die Verbände des XXXXIX. Gebirgskorps erfuhren, daß
es in den Kaukasus ging, machten auch sie ihre Parolen. Alex Buchner berichtet in seinem Buch »Gebirgsjäger an allen Fronten« von der Antwort eines
Jägers auf die Frage seines Kameraden nach Sinn und Ziel des Marsches
durch die Steppe: »In Kaukasus runter und hinten rum, und nachat pack' ma
die Engländer vo hint'n und sag'n zum Rommel ›Grüaß di God, da san ma‹«

Ende August 1942 begannen die Divisionen des V. Korps den Angriff auf

Noworossisk, die erste große Seefestung an der östlichen Schwarzmeerküste. Noworossisk, das damals schon 95 000 Einwohner zählte, war eine bedeutende Hafen- und Industriestadt mit großen Kühlanlagen und Werften, mit Fischverarbeitungsindustrie und Zementwerken.

Die Infanterie kämpfte sich durch die Ausläufer des Kaukasus ins hügelige Vorfeld der Stadt vor. Plötzlich lag es vor ihnen: das Meer, das Schwarze Meer! Als Oberst Friebe, Kommandeur des Infanterieregiments 419, von einer Anhöhe die Küste erblickte, ließ er an seinen Nachbarn, Oberst Reinhardt, spontan ein altes griechisches Wort funken: »Thalatta, Thalatta – das Meer, das Meer!« 2400 Jahre zuvor hatten, wie der Geschichtsschreiber Xenophon berichtet, griechische Vorhuten mit ihrem Ruf das rettende Meer begrüßt, als sie nach mühseligem Rückzug durch die wasserlosen Wüsten und Gebirge Kleinasiens die Küste bei Trapezunt, genau gegenüber von Noworossisk, erreichten.

Doch es bedurfte noch harter und verlustreicher Kämpfe, ehe die Regimenter Noworossisk in ihren Griff bekamen.

Am 6. September 1942 trat das I. Bataillon Infanterieregiment 186 unter Oberleutnant Ziegler zum Sturm auf die Hafenstadt an.

Am 10. September waren Stadt und Umgebung in deutscher Hand. Das erste Operationsziel der Armeegruppe Ruoff war erreicht. Das nächste hieß Tuapse. Es war der Schlüsselpunkt an der schmalen Küstenebene. Doch dieser Ort wurde zum Schicksalspunkt der Heeresgruppe List.

Zur 17. Armee gehörten neben einem Infanteriekorps, einem Jägerkorps und einem Panzerkorps noch ein Gebirgskorps mit der 1. und 4. Gebirgsdivision sowie eine rumänische Gebirgsdivision. Diese Kombination von Infanterie, Jägern und Gebirgsjägern hatte einen besonderen Sinn. Während die Infanteriedivisionen über die bewaldeten Ausläufer des Nordwestkaukasus frontal Noworossisk nahmen, kämpften sich die Mittelgebirgsspezialisten der 97. und 101. Jägerdivision bereits über den Waldkaukasus auf die Hafenstadt Tuapse vor. Die Gebirgsjäger aber sollten über die 3000 bis 4000 Meter hohen Pässe des Zentralkaukasus zur Schwarzmeerküste stoßen, gewissermaßen durch die Hinterpforte. Ihr Ziel hieß Suchumi, die Palmenstadt an der subtropischen Küste und Hauptstadt der Abchasischen Sowjetrepublik. Von dort waren es dann nur noch rund 160 Kilometer bis zur türkischen Grenze und Batumi.

Hinter vorgepreschten motorisierten Kampfgruppen treten am 13. August General Konrads Gebirgsjäger aus der Steppe heraus zum Sturm auf die Hochpässe des Kaukasus an: die 4. Gebirgsdivision rechts zur Gewinnung der

Pässe im Quellgebiet der großen Laba, die 1. Gebirgsdivision links zum Sturm über die Hochpässe an den Elbrusgletschern, aus denen der Kuban entspringt. Der wichtigste Übergang ist der 2815 Meter hohe Kluchorpaß, zugleich Ausgangspunkt der alten Suchumschen Heerstraße.

In raschem Zugriff stößt bei der 1. Gebirgsdivision Major von Hirschfeld zum verbarrikadierten Paßeingang, der von starken russischen Kräften verteidigt wird. Frontal ist diese Stellung nicht zu nehmen. Doch von Hirschfeld zeigt, was deutsche Gebirgskampftaktik ist. Unter listiger Täuschung und Fesselung in der Front umgeht er den Paß über die steil aufragenden Höhengrate und hebt die sowjetische Stellung von rückwärts aus den Angeln. Damit ist der höchste Punkt der Suchumschen Heerstraße am Abend des 17. August bereits in deutschem Besitz.

Blitzschnell geht von Hirschfeld weiter ins Klydschtal vor, nimmt den Ort Klydsch am Fuße des Gebirges und steht so bereits mitten in den üppigen Wäldern der Schwarzmeerküste. Jetzt noch ein Sprung, und die Küstenebene wäre erreicht.

Doch der Überraschungsstoß in die Ebene gelingt mit den schwachen Kräften nicht mehr. Der Russe verteidigt wütend und verbissen den Gebirgsausgang. Nur vierzig Kilometer entfernt liegt das große Ziel, Suchumi, vor Hirschfelds Augen. Weit vorgestoßen, allein auf sich gestellt, liegt der Major mit seiner Handvoll Leute in einer gefährlichen Position. Links von ihm ist nichts mehr; denn Kleists Panzerarmee steht noch in der Steppe, nördlich des Elbrus.

In dieser Situation entschließt sich General Konrad zu einer gewagten Operation, um die linke Flanke des Korps abzudecken. Hauptmann Groth bekommt mit einer Hochgebirgskompanie aus Bergführern und Alpinisten den Auftrag, in die über 4000 Meter hohen Elbruspässe einzusteigen und das Tal des Baksan, aus dem heraus die Russen die deutsche Flanke bedrohen, abzuriegeln.

Vor uns entrollt sich das abenteuerlichste Schlachtfeld des Krieges: Über tausend Meter tief fallen die zerklüfteten, rostroten Porphyrflanken des Elbrusmassivs ab. Weit leuchten die Eisfelder des großen Asaugletschers in der Sonne: Eiswände, zerklüfteter Fels, wilde Geröllhalden.

Auf die blutigen Bergkämpfe um das alte zaristische Jagdschloß Krugosor, das in 3000 Meter Höhe liegt – also so hoch wie die Zugspitze –, schaut gravitätisch über der tiefen Furche des Baksantales der 4697 Meter hohe Uschba, einer der schönsten Berge der Welt. Er wird nur noch überragt vom Kasbek, weit im Osten an der Grusinischen Heerstraße, und von dem Doppelgipfel des Elbrus.

Es war begreiflich, daß die Männer der 1. Gebirgsdivision, in deren Angriffstreifen der Elbrus lag, den Ehrgeiz hatten, diesen Riesen zu bezwingen. Einen militärischen Wert hatte dieses Unternehmen nicht. Aber die Welt würde natürlich aufhorchen, wenn es hieß, daß deutsche Truppen auf dem höchsten Berg des Kaukasus die Reichskriegsflagge gehißt hätten.

So stimmte General Konrad dem Vorschlag einer Elbrusbesteigung zu. Er machte jedoch zur Bedingung, daß der Gipfelsturm von Männern der 1. und der 4. Gebirgsdivision gemeinsam durchgeführt werden müsse. Die 4. Division sollte sich nicht zurückgesetzt fühlen.

Hauptmann Groth führte die Expedition. Die Teilnehmer der 4. Gebirgsdivision standen unter dem Kommando von Hauptmann Gämmerler. Die Expedition begann mit einer kuriosen Überraschung. Oberleutnant Schneider war mit den Männern seines Nachrichtentrupps vom Basislager aus dem Gros vorausgegangen, weil sie mit den Nachrichtengeräten die größeren Lasten zu schleppen hatten.

Weit vor sich, jenseits des großen Gletschers, sahen sie das phantastische Intouristhaus, das die Sowjets in 4200 Meter Höhe errichtet hatten: ein mächtiger ovaler Betonklotz, ohne irgendeinen Sims oder Vorsprung, vollkommen mit Aluminiumblech verkleidet. Es sah aus wie eine gigantische Zeppelingondel. Vierzig Räume mit hundert Lagerstätten hatte das phantastische Gletscherhotel. Eine meteorologische Station lag oberhalb, ein Küchenbau unterhalb des Hauptbaues.

Schneider kam mit seinem Trupp schnell über den noch nicht von der Tagessonne getauten Firn des Gletschers voran. Plötzlich entdeckte er mit dem Fernglas, daß vor dem Haus ein russischer Soldat stand. »Vorsicht«, rief Schneider seinen Männern zu, ließ sie abschwenken und das Hotel umgehen. In den Felsen oberhalb des Hauses setzte er sich gefechtsmäßig fest.

In diesem Augenblick kam mutterseelenallein Hauptmann Groth angestiefelt. Ehe man ihn warnen konnte, hatten ihn die Russen schon am Wickel. Die sowjetische Besatzung bestand nur aus drei Offizieren und acht Mann. Sie waren am gleichen Morgen heraufgekommen.

Groth überblickte sofort die Situation und behielt die Nerven. Einem russischen Offizier, der Deutsch sprach, machte Groth die Aussichtslosigkeit der Lage klar. Der Hauptmann zeigte auf die anrückenden deutschen Seilschaften und auf den Nachrichtenzug in der Bergstellung. So erreichte er schließlich, daß die Sowjets freiwillig abrückten. Vier Rotarmisten zogen es jedoch vor, mit Groth auf das deutsche Gros zu warten und sich als Träger anheuern zu lassen.

Der nächste Tag, der 18. August, wird zum Ruhetag erklärt. Die Gebirgsjäger sollen sich allmählich an die Höhe gewöhnen. Am 19. August soll der Gipfelsturm beginnen. Aber der Aufstieg scheitert an einem plötzlich aufkommenden Schneesturm. Auch am 20. August halten schwere Gewitter mit Hagelböen die Männer noch im Elbrushaus fest.

Erst am 21. August verspricht die strahlende Frühsonne einen schönen Tag. Um 3 Uhr geht es los: Hauptmann Groth mit sechzehn, Hauptmann Gämmerler mit fünf Mann.

Um 6 Uhr ist es mit dem schönen Wetter bereits wieder vorbei. Vom Schwarzen Meer zieht der Föhn herauf. Nebel und bald auch Schneesturm verteidigen den Gipfel des Elbrusriesen. In einer winzigen Schutzhütte verschnaufen Groth und Gämmerler mit ihren Männern. Soll man wieder umkehren? Nein! Die Gebirgsjäger wollen es wissen!

Auf geht's! Der Marsch in der dünnen Luft und bei klirrender Kälte wird zu einem gespenstischen Wettlauf. Die Augen sind vom Schnee verklebt. Der Orkan heult über die Eisflanke des Berggrates. Die Sicht reicht keine zehn Meter weit.

Um 11 Uhr ist die Eiswand bezwungen. Hauptmann Gämmerler steht auf der höchsten Erhebung des erreichten Blockwalles. Vor ihm fällt der Grat wieder leicht ab. Also muß er auf dem Gipfel sein.

Oberfeldwebel Kümmerle rammt den Schaft der Reichskriegsflagge tief in den Firn. Dann werden die Ständer der 1. und 4. Gebirgsdivision mit dem Edelweiß und dem Enzian in den Boden gestoßen. Ein Händedruck, und schnell klettert der Trupp wieder in die Ostwand, wo der Weststurm ein wenig gebrochen wird. Und die Welt vernimmt staunend, daß auf dem höchsten Kaukasusberg die deutsche Fahne weht.

Die Erstürmung des Elbrusgipfels durch die deutschen Gebirgsjäger, die bei diesem Höllenwetter einen ihnen völlig fremden Berg auf Anhieb bezwangen, war eine außergewöhnliche alpinistische Leistung. Sie wird auch nicht durch die Tatsache geschmälert, daß der Sonderberichter des Korps, Dr. Rümmler, einige Tage später bei gutem Wetter feststellte: Die Feldzeichen waren offenbar nicht am trigonometrischen Punkt der höchsten Spitze, sondern an einem achtunddreißig Meter tieferen Punkt des Blockwalls gesetzt worden, dessen höchste Erhebung die Gebirgsjäger im Nebel und im Eissturm des 21. August für die Gipfelspitze gehalten hatten.

Kehren wir zurück zu den Kämpfen in den Hochpässen. Während sich angesichts des 5633 Meter hohen Elbrusgipfels die Gebirgsjäger durch den Kluchorpaß und über die alte, verfallene Suchumsche Heerstraße quälten, ging Generalmajor Eglseer an der rechten Flanke mit der österreichisch-bayerischen 4. Gebirgsdivision über die Hochpässe des Hauptkammes.

Mit zwei Bataillonen des Gebirgsjägerregiments 91 gewann Oberst von Stettner den Ssantscharo- und den Alustrachupaß in Höhen zwischen 2600 und 3000 Metern. Damit hatte er den Kamm des Gebirges überwunden. Es ging abwärts zu den Pässen des Vorgebirges, hinein in die subtropischen Wälder der Suchumer Höhen.

Major Schulze stürmte mit seinem Bataillon Gebirgsjägern über den Bgalarpaß und stand damit direkt über den steil in die Küstenebene abfallenden Waldhängen. Noch zwanzig Kilometer waren es zur Küste. Zwanzig Kilometer bis zum Ziel.

Über 200 Kilometer Gebirgsland und Hochgebirge hatten die Jäger hinter sich gebracht. Sie hatten mit geringsten Kräften in Höhen von über 3000 Metern gekämpft, den Feind in allen Lagen geworfen, über schwindelerregende Felsgrate, sturmumtoste Eishänge und gefährliche Gletscher feindliche Felsstellungen genommen, die für uneinnehmbar gehalten worden waren. Nun standen sie dicht vor ihrem Ziel.

Zwei Geschütze mit je fünfundzwanzig Schuß hatte die Kampfgruppe von Stettner in ihrer entscheidenden Stellung an der Schwelle zur Küste. »Schickt Munition«, funkte er. »Gibt es keine Flugzeuge? Kommen die Alpinis nicht mit ihren Tragtieren?«

Nein: Es gab keine Flugzeuge. Und die Alpinis marschierten in Richtung Don, nach Stalingrad.

Oberst von Stettner, der Kommandeur des tapferen Gebirgsjägerregiments 91, stand im Bysbtal, zwanzig Kilometer vor Suchumi.

Major von Hirschfeld lag im Klydschtal, vierzig Kilometer vor der Küste.

Generalmajor Rupps 97. Jägerdivision hatte sich bis auf fünfzig Kilometer an Tuapse herangeschlagen. In ihrem Verband fochten die Wallonen der Freiwilligenbrigade »Wallonie« unter Oberstleutnant Lucien Lippert.

Das Grenadierregiment 421 hatte sich als Angriffsspitze bis auf dreißig Kilometer Luftlinie an Tuapse herangeboxt.

Ja, so war es Ende August 1942. Die deutschen Streitkräfte haben unglaubliche Erfolge errungen und standen kurz vor dem von Hitler mit »Fall Blau« weitgesteckten Ziel. Sie fochten in den subtropischen Tälern jenseits der Kaukasuspässe, standen im Angesicht der Schwarzmeerküste und des Kaspischen Meeres, eroberten die ersten Ölfelder des sowjetischen Petroleumparadieses, sie fochten am 44. und 43. Breitengrad – die südlichste Stelle, die das deutsche Heer erreichte – hatten die Hand am Türgriff von Astrachan, dem südlichsten, im Barbarossa-Plan gesetzten Endziel der Linie Astrachan–Archangelsk und stehen bereits bei Stalingrad am Steilufer der Wolga. Mit ihnen ziehen über die Schlachtfelder zwischen Schwarzmeerküste und Ostsee nicht nur die europäischen Verbündeten und Freiwilligenverbände, sondern auch Kosaken, Turkmenen und Kalmücken gegen Stalins Rote Armee und die Sowjetunion.

Würde der letzte Sprung über die paar Kilometer bis Tuapse gelingen? Und bis Maikop und Batumi an die türkische Grenze? Und 120 Kilometer bis Astrachan, im Wolgadelta am Kaspischen Meer, Kriegsziel und Endpunkt von »Unternehmen Barbarossa«. Würde es gelingen, wie bisher in den letzten Wochen alles, aber auch alles gelungen war!

Die Truppe war optimistisch. Doch in den Stäben ging die Sorge um. Die Angriffsverbände der Heeresgruppe A waren durch die wochenlangen schweren Kämpfe geschwächt, die Nachschublinien weit über das vernünftige Maß der Improvisation hinaus überdehnt. Die Kräfte der Luftwaffe aber wurden durch den Einsatz zwischen Don und Kaukasus zersplittert. Die rote Luftwaffe beherrschte plötzlich den Luftraum. Die sowjetische Artillerie war in der Übermacht. Es fehlten auf deutscher Seite ein paar Dutzend Jagdflieger, ein halbes Dutzend Bataillone und ein paar hundert Tragtiere. Sie waren jetzt, wo die Entscheidung zum Greifen nahe schien, nicht da.

Es war wie an allen Fronten: Überall fehlte es. Überall, wo der Krieg nun im Zenit stand und die entscheidenden Ziele fast erreicht waren: Vor El Alamein, hundert Kilometer vom Nil entfernt, schrie Rommel nach ein paar Dutzend Flugzeugen gegen die britische Luftmacht und nach hundert Panzern mit ein paar tausend Tonnen Sprit.

In den Balkas westlich von Stalingrad bettelten die Stoßkompanien der 6. Armee um ein paar Sturmgeschütze, um zwei, drei frische Regimenter mit ein paar Pak, Sturmpionieren und Panzern.

Vor den ersten Häusern Leningrads und im Vorfeld von Murmansk, überall flehte die Truppe um das berühmte »letzte Bataillon«, welches zu allen Zeiten die auf dem Höhepunkt stehende Schlacht entscheidet.

Aber keinem konnte Hitler dieses letzte Bataillon geben. Der Krieg war zu groß geworden, die Decke der Wehrmacht zu kurz. Überall war die Truppe überfordert.

7

Fernspähtrupp vor Astrachan

Im Panzerspähwagen 150 Kilometer durch Feindgebiet – Die unbekannte Ölbahn – Leutnant Schliep telefoniert mit dem Bahnhofsvorsteher von Astrachan – Rittmeister Zagorodnys Kosaken

Bei der Ostgruppe der Heeresgruppe A, der 1. Panzerarmee, deckte die 16. Infanteriedivision (mot.) die tiefe offene linke Flanke mit einer Kette starker Stützpunkte.

Es ist der 13. September 1942, ostwärts Elista in der Kalmückensteppe.

»He, Georg, mach dich fertig, wir fahren in einer Stunde!«

»Sluschaju, Gospodin Oberleutnant – zu Befehl«, brüllt Georg, der Kosak, zurück und saust davon.

Georg stammte aus Krasnodar. Dort hatte er auf dem Pädagogischen Seminar Deutsch gelernt. Im vergangenen Herbst war er als Melder den Kradschützen der Divison direkt in die Arme gelaufen. Seitdem diente er der 2. Kompanie zuerst als Gehilfe des Feldkochs, dann nach freiwilliger Meldung als Dolmetscher. Georg hatte aus vielen Gründen einen rechten Zorn auf Stalins Bolschewismus, und es gab niemanden in der Kompanie, der ihm mißtraut hätte. In besonders kritischen Situationen war Georg sogar schon als Schütze am Maschinengewehr eingesprungen.

Oberleutnant Gottlieb kam gerade von der Besprechung beim Kommandeur des Kradschützenbataillons. Man hatte dort die letzten Einzelheiten für ein Spähtruppunternehmen durch die Kalmückensteppe zum Kaspischen Meer besprochen. Der Kommandeur der Sechzehnten, der bei Elista das LII. Korps abgelöst hatte, wollte wissen, was in der weiten Einöde, an der Flanke der Kaukasusfront los war. Eine fast 300 Kilometer breite Lücke klaffte zwischen dem Raum südlich von Stalingrad und dem Terek-Fluß, den das Panzergrenadierregiment der 3. Panzerdivision bei Mosdok am 30. August erreicht hatte. Wie ein riesiger Trichter mutete dieses unbekannte Land zwischen Wolga und Terek an. Seine Basis war die Küste des Kaspischen Meeres. Von dort konnten alle möglichen Überraschungen kommen. Deshalb mußte dieser Raum überwacht werden.

Der Schutz dieses riesigen Niemandslandes war Ende August praktisch einer einzigen Division anvertraut. Ihre Basis war Elista in der Kalmückensteppe. Die Aufgabe der Überwachung und der Aufklärung bis hinüber ans

Kaspische Meer und bis ans Wolgadelta mußten vorerst Fernspähtrupps besorgen, die kühne Expeditionsunternehmen darstellten; denn erst ab Ende September war mit Verstärkungen zu rechnen.

Die 16. Infanteriedivision (mot.) erwarb sich damals den Namen »Windhund-Division«.

Außer wenigen unentbehrlichen Spezialisten wurden für die Unternehmungen nur Freiwillige herangezogen. Mitte September begann das erste große Expeditionsunternehmen beiderseits der Straße Elista–Astrachan. Vier Spähtrupps wurden angesetzt. Ihre Aufgabe:

1. Aufklären, ob und wo der Feind Kräfte in die Lücke zwischen Terek und Wolga führt, ob er Übersetzversuche über die Wolga unternimmt, wo sich feindliche Stützpunkte befinden, und ob Truppenbewegungen auf der Uferstraße Stalingrad–Astrachan festzustellen sind.

2. Die Wegeverhältnisse, die Beschaffenheit der Küste des Kaspischen Meeres und des westlichen Wolgaufers sowie die noch unbekannte neue Eisenbahnlinie Kisljar–Astrachan genau erkunden.

Am 13. September, einem Sonntag, geht es los. Um 4 Uhr 30 treten die Männer an. Ein scharfer Wind weht aus der Steppe. Ehe die Sonne durchbricht, ist es noch empfindlich kalt.

Die Spähtrupps sind für ihren abenteuerlichen Marsch, der 150 Kilometer tief in unbekanntes, unwirtliches Feindesland führt, entsprechend ausgerüstet. Jeder Trupp hat zwei Acht-Rad-Panzerspähwagen mit 2-cm-Fla-Kanonen, einen Kradschützenzug von vierundzwanzig Mann, zwei beziehungsweise drei 5-cm-Pak – motorisiert oder auf Schützenpanzerwagen montiert – und eine Pioniergruppe mit Gerät. Fünf Lkw – je zwei mit Sprit und Wasser und einer mit Verpflegung – sowie ein Instandsetzungstrupp auf Kübelwagen vervollständigen die Ausstattung. Dazu kommen ein Sanitätskraftwagen mit Arzt, Funker, Kradmelder und Dolmetscher.

Der Spähtrupp Schroeder wird gleich vom Unheil getroffen. Schon kurz nach dem Aufbruch, hinter Utta, hat er Berührung mit einer feindlichen Patrouille. Leutnant Schroeder fällt, Dolmetscher Maresch und Feldwebel Weissmeier werden verwundet. Der Trupp kehrt um und bricht am nächsten Tag unter Führung von Leutnant Euler erneut auf.

Inzwischen sind Oberleutnant Gottlieb, Leutnant Schliep und Leutnant Hilger mit ihren Fernspähtrupps bereits nördlich, südlich und unmittelbar entlang der großen Straße Elista–Astrachan vorgestoßen. Oberleutnant Gottlieb, der erst an der Straße vorgeht und dann nach Nordosten in die Steppe auf Sadowska zu abbiegt, steht am 14. September vierzig Kilometer vor Astrachan. Am 15. September ist er nur noch fünfundzwanzig Kilometer von der Wolga entfernt. Von hohen Sanddünen hat man einen weiten Blick bis hinüber zum Fluß. Sand und Salzsümpfe machen das Gelände fast unzugänglich. Aber Panzerspähtrupps finden immer einen Weg.

Die Karten, die Gottlieb mitbekommen hat, sind nicht sehr gut. Georg, der Kosak, muß an jedem Brunnen bei nomadisierenden Kalmücken, die sich sehr deutschfreundlich geben, immer wieder in langen Palavern Weg und Steg erkunden und Auskünfte sammeln.

»Die große Eisenbahn? Ja, die fährt jeden Tag ein paarmal zwischen Kisljar und Astrachan.«

»Und Sowjetskis?«

»Ja, die reiten hier herum. Erst gestern hat ein großer Trupp am Brunnen drüben, eine Wegstunde ostwärts, übernachtet. Sie kamen von Sadowska, dort müssen viele von ihnen sein.«

»Aha«, nickt Georg und schenkt den freundlichen Nomaden ein paar Zigaretten.

Das Lachen wird jäh durch einen Zuruf unterbrochen. Einer zeigt nach Norden. Da preschen zwei Reiter heran: Sowjets.

Die Kalmücken verschwinden. Die beiden Panzerspähwagen stehen hinter einer Düne und können von den Russen nicht gesehen werden. Oberleutnant Gottlieb ruft Georg zu: »Komm herüber.« Aber der Kosak antwortet nicht. Er steckt seine Feldmütze unter den weiten Kradmantel, setzt sich auf den Brunnen und raucht eine Zigarette.

Vorsichtig traben die beiden Russen heran: ein Offizier und sein Pferdepfleger. Georg ruft ihnen etwas zu. Der Offizier steigt ab und kommt auf ihn zu.

Oberleutnant Gottlieb und seine Kameraden beobachten, wie die beiden sich lachend unterhalten. Sie stehen nebeneinander. »Der Hund«, sagt der Funker. Aber dann sehen sie, wie Georg blitzschnell die Pistole zieht. Und offenbar sagt er grinsend: »Ruki werch!«

Der sowjetische Offizier hebt die Hände und ist so überrascht, daß er auch seinem Pferdepfleger zuruft, er soll sich ergeben. So kehrt der Spähtrupp Gottlieb mit zwei wertvollen Gefangenen nach Chalchuta zurück.

Leutnant Euler hatte unterdessen den speziellen Auftrag gehabt, genau zu erkunden, wie die Verteidigungsanlagen in Sadowska beschaffen sind und ob in diesem Raum nördlich Astrachan Truppen über die Wolga gesetzt werden.

Von Utta bis Sadowska sind in Luftlinie etwa 150 Kilometer zurückzulegen. Euler biegt von der großen Straße gleich nach Norden ab. Nach zehn Kilometern Fahrt stockt dem Leutnant das Herz: Eine riesige Staubwolke kommt schnell auf sie zu. »Fahrzeuge auseinander!« befiehlt er. Glas an die Augen. Die Wolke braust schnell heran. Und da lacht der Leutnant schallend auf: Was da heranrollt, sind keine Sowjets, sondern Antilopen, eine riesige Herde Saiga-Antilopen, die in der Steppe Südrußlands leben. Als sie schließlich die Witterung von den Menschen bekommen, drehen sie ab und galoppieren nach Osten. Ihre Hufe fegen über das dürre Steppengras und wirbeln eine Staubwolke auf, die so mächtig ist, als führe ein ganzes Panzerregiment über die endlose Plaine.

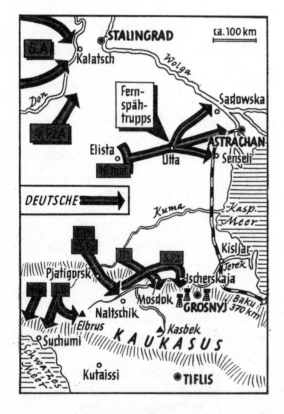

Karte 8: Die große Lücke zwischen Kaukasusfront und Stalingrad war 300 Kilometer breit. Spähtrupps der 16. I. D. (mot.) stießen bis vor die Tore Astrachans.

Leutnant Euler klärt nun nach Nordost auf, findet die Orte Justa und Chasyk stark feindbesetzt, umgeht sie und dreht Richtung auf Sadowska, das Hauptziel, ein.

Am 16. September steht Euler mit seinen beiden Panzerspähwagen fünf Kilometer vor Sadowska und damit sieben Kilometer vor der unteren Wolga.

Bis Astrachan sind es noch fünfunddreißig Kilometer. Der Spähtrupp Euler ist wahrscheinlich jene deutsche Heereseinheit, die im Zuge des »Unternehmens Barbarossa« am weitesten nach Osten gelangte und somit dem Kriegsziel Astrachan am nächsten war.

Was der Spähtrupp feststellte, war von größter Bedeutung: Die Russen hatten um Sadowska einen Panzergraben gezogen und eine tiefgestaffelte Bunkerlinie errichtet. Das deutete auf eine vorbereitete Brückenkopfstellung, die einen offenbar geplanten Übergang der Sowjets über die untere Wolga sichern sollte.

Als die russischen Wachtposten die deutschen Spähwagen erkannten, entstand in den Stellungen panikartige Aufregung: Die bis dahin offenbar sorglosen Besatzungen rasten in ihre Bunker und Schützenlöcher und eröffneten mit Panzerbüchsen und schweren Maschinengewehren ein wütendes Abwehrfeuer. Zwei Russen, die in der allgemeinen Aufregung durchs Gelände flitzten, schnitt Euler mit seinem Spähwagen den Weg ab.

Zu Tode erschrocken, ergaben sich die beiden Rotarmisten: ein Stabsoffizier vom MG-Bataillon 36 und sein Melder. Das war ein toller Fang. Nun aber ab!

Leutnant Jürgen Schliep, der Chef der Panzerspähkompanie, war mit seinen Männern gleichfalls am 13. September aufgebrochen. Seine Route verlief südlich der großen Straße. Hauptaufgabe war die Erkundung, ob – wie Gefangene aussagten – tatsächlich eine befahrbare Eisenbahnlinie von Kisljar nach Astrachan bestand, die auf keiner Karte eingezeichnet war. Es war sehr wichtig, etwas über diese Ölbahn zu erfahren, die ja auch für Truppentransporte hätte benutzt werden können.

Schliep fand die Bahn. Er erzählt: »In den frühen Morgenstunden des zweiten Tages sahen wir schon von weitem die Salzseen in der Sonne glitzern. Nur mühsam kamen die Kräder in dem tiefen Sand noch vorwärts, und unser mit zwei Mann besetzter Instandsetzungstrupp-Pkw hatte laufend mit kleineren Reparaturen zu tun.«

Als Schliep schließlich im Glas die Eisenbahnschienen sah, ließ auch er das Gros seiner Kampfgruppe zurück und fuhr mit seinen beiden Spähwagen und der Pioniergruppe auf ein Bahnwärterhäuschen zu. Es war der Bahnhof Senseli.

Schliep berichtet weiter: »Wir sahen von weitem fünfzig bis sechzig Zivilisten, die am Bahndamm arbeiteten. Die Strecke war eingleisig und auf beiden Seiten von einem Sandwall eingerahmt. Die Aufseher gingen bei unserem Erscheinen stiften, wogegen wir von den übrigen Zivilarbeitern jubelnd begrüßt wurden. Es handelte sich um ukrainische Familien, alte Männer, Frauen und Kinder, die zwangsweise evakuiert und seit Monaten hier eingesetzt waren. Viele der Ukrainer sprachen deutsch, und wir wurden als Befreier gefeiert.«

Während sich die Landser noch mit den Ukrainern unterhielten, tauchte im Süden plötzlich eine Rauchfahne auf. »Ein Zug«, riefen die Arbeiter.

Schliep brachte seine Spähwagen hinter einem Sandhügel in Stellung. Und da schnaufte auch schon ein endlos langer Güterzug mit Öl- und Benzinwagen heran. Zwei Lokomotiven waren vorgespannt. Sechs Schuß aus den 2-cm-Kanonen – und die Lokomotiven flogen auseinander. Der Dampf spritzte aus den Kesseln, die Feuerglut der Öfen wirbelte durch die Luft. Der Zug stand. Wagen um Wagen brannte aus.

»Verdammt, das schöne Benzin«, brummten die Kanoniere.

Als die Pioniere gerade die Bahnhofshütte sprengen wollten, klingelte das Telefon. Erschreckt fuhren sie hoch. »Mensch, habe ich mich verjagt«, seufzte Unteroffizier Engh vom I-Trupp. Schaltete dann aber schnell und rief zu Schliep hinüber: »Herr Leutnant, Telefon!«

Schliep erfaßte sofort die Situation und sauste mit dem Dolmetscher in die Hütte. »Stanzia Senseli, Natschalnik«, meldete sich der Dolmetscher und grinste. »Da, da« – ja, ja – »Towarisch«, beteuerte er.

Auf der anderen Seite war der Güterbahnhof Astrachan an der Leitung. Astrachan! Das südliche Endstück der A-A-Linie (Astrachan–Archangelsk). Das Ziel des Krieges. Die Spitzen der deutschen Wehrmacht telefonierten schon mit ihm.

Der Aufsichtsbeamte in Astrachan wollte wissen, ob der Ölzug von Baku schon durch sei. Der Gegenzug stünde schon auf der Ausweichstelle bei Bassy.

Ein Gegenzug! Der Dolmetscher versuchte, dem Genossen in Astrachan einzureden, er möge ihn nur schon losschicken. Aber dieser Ratschlag machte den Genossen in Astrachan mißtrauisch. Er stellte ein paar Fangfragen. Und die sachunverständigen Antworten schienen sein Mißtrauen zu rechtfertigen.

Er schimpfte und fluchte fürchterlich. Da gab auch der Dolmetscher das Spiel auf und sagte: »Na warte, Väterchen, bald sind wir in Astrachan.«

Daraufhin warf der Towarisch in Astrachan mit dem schlimmsten russischen Fluch den Hörer auf. So konnte er nicht mehr hören, wie zwei Minuten später der Bretterbahnhof Senseli mit Hilfe von ein paar geballten Ladungen auseinanderflog.

Der Fernspähtrupp Schliep kehrte am 17. September wohlbehalten und ohne Verluste nach Utta zurück. Noch am selben Tag mußte er der Division und dem zufällig auf dem Gefechtsstand anwesenden Oberbefehlshaber der Heeresgruppe B, Generaloberst von Weichs, Bericht erstatten.

Man atmete auf: Noch drohte aus der Steppe und von der unteren Wolga, also aus der Kaukasusflanke, keine Gefahr. Das war die entscheidende Erkenntnis. Denn die Heeresgruppe A versuchte seit Ende August die festgefahrene Offensive des Kaukasusraumes auf ihrem linken Flügel noch einmal in Gang zu bringen. Die Panzerarmee von Kleist sollte mit aller Gewalt das Tor nach Baku aufsprengen, um das sowjetische Ölparadies zu erobern und damit eines der entscheidenden Ziele der Sommeroffensive zu erreichen.

Das letzte Hindernis vor diesem Ziel war der Terek-Fluß, vor dem die Panzerspitzen der Armee Kleist festlagen. Kleist versuchte sein Glück, und das Kriegsglück schien tatsächlich noch einmal der deutschen Wehrmacht die Chance des Sieges zu bieten.

Kleist zog die 3. Panzerdivision in einem geschickten Quermanöver aus dem hart verteidigten Baksantal heraus, führte sie den Terek entlang nach Osten. Am 25. August nahm die Division Mosdok. Daraufhin ließ sie bei Ischerskaja eine weitere Kampfgruppe zum überraschenden Flußübergang antreten. Das Hamburger Panzergrenadierregiment 394 machte den entscheidenden Sprung über den Fluß.

30. August 1942: Der Minutenzeiger rückt auf 3 Uhr. Die Sturmboote, die Pioniere, die Panzergrenadiere sind bereit. Sie warten auf den Feuerschlag der Artillerie, der ihren Sprung über den Fluß decken soll.

Der Terek, an der Übergangsstelle etwa 250 Meter breit, mit reißender Strömung und gurgelnden Wirbeln, ist ein tückisches Gebirgswasser. Weiße Gischtsäulen springen turmhoch neben den Booten auf: Einschläge feindlicher Granatwerfer.

Dazwischen tanzen die kleinen Sturmboote. Die Bugspitze ragt hoch über dem Wasser. Hinten im Heck, tief geduckt, hocken die Grenadiere. So flitzen die Boote durch das Inferno.

Gleich zu Beginn des Angriffs, noch am diesseitigen Ufer, fallen der Kommandeur des I. Bataillons, Hauptmann Freiherr von der Heyden-Rynsch, und sein Adjutant, Leutnant Ziegler. Auch Leutnant Wurm bricht, tödlich getroffen, zusammen. Oberleutnant Dr. Dürrholz, Chef der 2. Kompanie, wird beim Übersetzen verwundet und fällt aus dem Sturmboot in den Fluß. Seitdem wird er vermißt.

Unter der schützenden Glocke des eigenen Artilleriefeuers kämpfen sich die Schützen Schritt für Schritt vorwärts. Der Ansatz zur Bildung des Brückenkopfes ist geschafft. Ein Ansatz, mehr nicht. Denn bald zeigt sich, daß der Gegner stärker ist, als zunächst angenommen wurde. In guter Deckung verteidigt er sich zäh am Dorfrand von Mundar-Jurt. Die Sowjets sitzen in ausgebauten Feldstellungen sowie in einem Panzergraben. Von dort aus decken sie die auf freiem Felde liegenden deutschen Grenadiere mit ihrem Feuer ein.

Am Nachmittag geht der junge Regimentskommandeur, Major Günther Pape, mit seinem Gefechtsstab über den Terek, um sich an Ort und Stelle zu orientieren. Die Hauptkampflinie wird so festgelegt, die Truppe so gegliedert, daß der erfolgreich erkämpfte Brückenkopf mit den wenigen vorhandenen Kräften verteidigt werden kann.

Fünf Tage hielten die Männer vom Panzergrenadierregiment 394 am jenseitigen Terekufer stand. Sie kämpften südlich des 44. Breitengrades. Nur die Spitzen der 1. Gebirgsdivision im Klydschtal fochten noch südlicher. Sie standen dicht am 43. Breitengrad, genau auf 43° 20′, dem südlichsten Punkt, den das deutsche Heer im Verlauf des »Unternehmens Barbarossa« auf sowjetischem Boden erreichte.

In ungünstigem Gelände, ohne schwere Waffen, schlugen sich Papes Männer mit einem stärkeren und erbittert kämpfenden Gegner. Drei sowjetische Divisionen band das Regiment. Auf diese Weise mußten die Sowjets an anderer Stelle Kräfte abziehen. Dieser Brückenkopf bildete so die Voraussetzungen für den Angriff des neu herangeführten LII. Armeekorps. Ihm gelang es, am 1. und 2. September bei Mosdok gleichfalls den Terek zu überschreiten und einen Brückenkopf zu bilden. Die 111. Infanteriedivision forcierte den reißenden, fünf Meter tiefen Gebirgsstrom. Die Spitze führte Hauptmann Lyme. Er schuf den ersten kleinen Brückenkopf. Und hielt, bis die Pioniere schwere Infanteriewaffen über den Fluß gebracht hatten.

Doch auch bei Mosdok reichten die Kräfte nicht mehr aus für die Fortsetzung der Offensive. Der Russe war zu stark und die eigenen Kräfte zu schwach und zu abgekämpft. Die letzte Chance zur Eroberung des Bakuer Ölgebietes konnte nicht genutzt werden.

Wie drüben an den westlichen Ausläufern des Kaukasus zum Schwarzen Meer, so kam auch hier am Terek die Schlacht zum Stehen. Die Front erstarrte. Kurz vor dem Kriegsziel war die Offensivkraft des »Unternehmens Barbarossa« verpufft. Der Terek wurde zum Limes.

In der Verteidigungslinie am Terek kämpfte ein merkwürdiger Verband an der Seite der deutschen Grenadiere: Kosaken. Es war eine für den Krieg typische Geschichte, die Rittmeister Zagorodnys Kosakenschwadron auf die deutsche Seite geführt hatte.

Als General Freiherr von Geyrs XXXX. Panzerkorps im Sommer in Millerowo 18 000 Gefangene gemacht hatte, war das Problem Nummer eins: Wer bringt die Sowjets nach hinten? Die zusammengeschrumpften Einheiten der deutschen Divisionen konnten keine Soldaten dafür abstellen. Da kam Hauptmann Kandutsch, der Ic des Korps, auf die Idee, die recht deutschfreundlichen Kuban- und Donkosaken von den Gefangenen abzusondern, auf die zahllos umherirrenden Pferde zu setzen und sie so als Begleitkommando für die gefangenen Rotarmisten zu verwenden. Die Kosaken, alles andere als Freunde des Bolschewismus, waren Feuer und Flamme. Im Nu hatte Rittmeister Zagorodny eine Schwadron zusammen und zog mit den 18 000 gefangenen Sowjets los. Kein Mensch im Korpsstab dachte daran, Zagorodny und seine Kosaken je wiederzusehen.

Aber in der ersten Septemberwoche ging im Stabsquartier des Panzerkorps in Ruski am Terek plötzlich die Tür zur Ic-Unterkunft auf. Herein trat ein farbenprächtig gekleideter Kosakenoffizier und meldete in gebrochenem Deutsch: »Rittmeister Zagorodny mit Schwadron zur Stelle.« Kandutsch fiel aus allen Wolken. Noch Jahre nach dem Krieg erzählte er schmunzelnd: »Wir hatten sie also wieder.«

Was sollte man mit den Kosaken machen? Kandutsch rief den Chef des Stabes an. Langes Hin und Her. Schließlich wurde beschlossen: Zagorodnys Truppe wird als Kosakenschwadron 1/82 neu formiert, vier Wochen ausgebildet und dann an der Front eingesetzt.

Und so geschah es. In der Ischerskajastellung hielt Rittmeister Zagorodny eisern auf Zucht und Ordnung. Es gab keinen einzigen Deserteur.

Des Rittmeisters zuverlässigste Stütze war der erste Zugführer, Oberleutnant Koban, ein breitschultriger Kosak, der seiner Schwadron – ebenso wie Zagorodny – bis zum letzten Tage die Treue hielt. Wenn Koban mal krank war, versammelte seine Frau den Zug. Diese attraktive, schneidige Kosakin marschierte von Beginn an im Reiterzug ihres Mannes mit. Sie ritt wie jeder andere Kosak auf Patrouille. Und sie starb auch mit der Schwadron. Tausende Kilometer von der Heimat entfernt, bei deren Befreiung sie im Jahre 1942 glaubten mithelfen zu können.

Hauptmann Kandutsch berichtet: »Ende Mai 1944, als das XXXX. Panzerkorps die Grenzen Rumäniens nach Westen überschritt, wurde die Verlegung der Schwadron nach Frankreich befohlen. Der Korpsadjutant Major Dr. Patow verabschiedete die Kosaken. Rittmeister Zagorodny bekam endlich das von ihm so heiß ersehnte Eiserne Kreuz I. Klasse. Er hatte es verdient. Dann formierten sich die Kosaken noch einmal – und wohl auch zum letzten Male – zum Vorbeimarsch im Galopp. Ein unvergeßlicher Anblick.«

Sechs Wochen später geriet die Schwadron bei Saint-Lô in Frankreich während der Invasionsschlacht in einen schweren Jabo-Angriff und wurde vollkommen zerschlagen.

Nur ein paar Mann konnten sich retten. Sie brachten die Nachricht über das Schicksal der Kosaken nach Deutschland. Unter den Gefallenen waren alle Offiziere und auch die Frau von Oberleutnant Koban. Die Männer des XXXX. Panzerkorps aber konnten ihre Waffengefährten aus vielen harten Gefechten nicht vergessen.

8
Der Terek

Hitlers Zusammenstoß mit General Jodl – Der Chef des Generalstabs und Feldmarschall List müssen gehen – Die Magie des Öls – Panzergrenadiere auf der Ossetischen Heerstraße – Die Kaukasusfront erstarrt

Am 7. September 1942 brütete spätsommerliche Hitze über den ukrainischen Wäldern. In den dumpfen Blockhütten des Führerhauptquartiers »Werwolf« stieg das Thermometer an die 30-Grad-Marke. Hitler litt in diesen Tagen ganz besonders unter dem Klima. Das machte seinen nagenden Ärger über die Lage zwischen Kuban und Terek noch schlimmer. Alle Berichte von der »Ölfront« drückten aus, daß die Truppe am Ende ihrer Kraft war.

Die Heeresgruppe A lag am Kaukasus und am Terek fest. Die Täler zur Schwarzmeerküste, vor allem nach Tuapse, waren von den Sowjets blockiert, und der Terek erwies sich als ein schwer befestigtes Hindernis, das letzte vor den alten Heerstraßen nach Tiflis, Kutaissi und Baku.

Es geht nicht mehr, meldeten die Divisionen. »Es geht nicht mehr, es geht nicht mehr, wenn ich das schon höre«, wetterte Hitler. Er wollte nicht wahrhaben, daß es am Terek und an der Gebirgsfront aus Mangel an Kräften nicht mehr vorwärts ging. Er suchte die Schuld dafür bei den Befehlshabern und in angeblich falschen Ansätzen ihrer Operationen.

Am Vormittag des 7. September hatte Hitler deshalb den Chef seines Wehrmachtführungsstabes, General d. Art. Jodl, nach Stalino zu Feldmarschall List geschickt, um nach dem Rechten zu sehen, warum es vor allem an der Straße nach Tuapse nicht vorwärts ging. Jodl sollte Hitlers Befehlen Nachdruck verleihen.

Spätabends kam Jodl zurück. Und mit seiner Meldung brach im Blockhüttenquartier »Werwolf« die schärfste Krise in der deutschen Wehrmachtführung seit Beginn des Krieges aus. Jodl verteidigte Feldmarschall List und vertrat dessen Ansicht, daß die Kräfte für die gesteckten Ziele zu schwach seien. Er forderte, wie List, entscheidende Umgruppierungen an der Front.

Hitler verweigerte das und verdächtigte Jodl, er habe sich von List einwickeln lassen. Der Generaloberst, gleichfalls vom Klima und der Anstrengung des Tages überreizt, begehrte auf und zitierte wütend und mit lauter Stimme des Führers eigene Befehle und Weisungen der letzten Wochen, die Feldmarschall List genau befolgt hatte, und die zu den Schwierigkeiten führten, in denen sich die Heeresgruppe A befand.

Hitler war über Jodls Vorwürfe fassungslos. Sein vertrautester General rebellierte nicht nur, sondern zweifelte auch klipp und klar seine Feldherrnkunst an, gab ihm die Schuld für die Krise im Kaukasus, für die aufdämmernde Niederlage an der Südfront.

»Sie lügen«, schrie Hitler, »nie habe ich solche Befehle gegeben, nie!« Dann ließ er Jodl stehen und stürmte aus der Blockhütte in die Dunkelheit des ukrainischen Waldes. Nach Stunden erst kam er zurück: bleich, zusammengefallen.

Wie getroffen sich Hitler fühlte, zeigte die Tatsache, daß er von Stund an die Mahlzeiten nicht mehr mit seinen Generalen einnahm. Verbittert aß er seit diesem Tag bis zu seinem Tod einsam in den spartanischen Klausen seiner Feldquartiere, nur die Schäferhündin »Blondi« neben seinem Stuhl.

Aber das war nicht die einzige Reaktion auf Jodls Vorwürfe. Es kam zu einer noch einschneidenderen: Der Chef des Generalstabs, Generaloberst Halder, und Feldmarschall List wurden abgesetzt. Hitler beschloß sogar die Ablösung seiner ihm ergebenen Generale Keitel und Jodl und faßte ihre Ersetzung durch die Feldmarschälle Kesselring und Paulus ins Auge, ein Plan, der leider nicht realisiert wurde; denn vielleicht wäre durch eine so weitgehende Veränderung, bei der fronterfahrene Generale, wie Kesselring und Paulus, die an die OKW-Spitze gekommen wären, wenigstens die Katastrophe von Stalingrad vermieden worden.

Aber Hitler trennte sich dann doch nicht von seinen langjährigen militärischen Gehilfen Keitel und Jodl. Er ordnete nur an, daß in Zukunft jedes seiner Worte und jede Äußerung der Generale bei den militärischen Besprechungen mitstenografiert werden sollten. Im übrigen blieb er bei seinem Befehl, den Angriff an der Kaukasusfront weiterzuführen. Er wollte unter keinen Umständen auf das Hauptziel seiner Sommeroffensive verzichten. Das Öl des Kaukasus, Grosnyj, Tiflis und Baku sowie die Verschiffungshäfen des Schwarzen Meeres sollten unbedingt in deutsche Hand gebracht werden. Der Herbst 1942 sollte wenigstens im Süden die Erreichung der Ziele des Ostfeldzuges bringen.

Hier zeigt sich einmal mehr, wie Hitler in zunehmendem Maße auf dem militärischen Sektor starrsinnig wurde. Dieser Zug seines Wesens wurde für die Front zum Verhängnis.

Auf wirtschaftlichem Sektor war für Hitler das Öl die überragende Kraft des technischen Jahrhunderts. Er war von der Bedeutung des Öls beherrscht. Er hatte alles gelesen, was es über Öl geschrieben gab. Er kannte die Geschichte der arabischen und der amerikanischen Ölgebiete, wußte über die Ölgewinnung und über die Öltechnik Bescheid. Wer von Öl zu sprechen anfing, konnte sich seines Interesses sicher sein.

Typisch ist die verbürgte Geschichte, daß Hitler von einem tüchtigen Beamten der Handelspolitischen Abteilung des Auswärtigen Amtes sagte: »Ich kann den Kerl nicht ausstehen, aber er versteht etwas von Öl.« Hitlers Balkanpolitik wurde vorwiegend aus der Sicht auf das rumänische Öl gemacht. Er baute einen eigenen Feldzug gegen die Krim in die »Barbarossa«-Weisung ein, weil er um die Ölfelder von Ploesti bangte, die er mit Recht durch sowjetische Luftangriffe von der Krim her für gefährdet hielt.

Über das Öl vernachlässigte er die revolutionärste wissenschaftliche Entwicklung des 20. Jahrhunderts, die Atomwissenschaft. In seinem Kopf blieb kein Raum zum Verständnis für die militärische Bedeutung der in Deutschland entdeckten und von deutschen Physikern zuerst entwickelten Kernspaltung.

Die Magie des Öls bestimmte von Anfang an den Ostfeldzug, und im Sommer 1942 war es wohl diese Magie des Öls, die Hitler zu den Entscheidungen verführte, der Südfront Opfer abzuverlangen, welche letzten Endes den Feldzug 1942 und damit den Kriegsverlauf entschieden. Ein letzter Blick an die Ölfront des Jahres 1942 liefert dieser These Argumente genug:

Die Heeresgruppe A lag am Nord- und Westrand des Kaukasus fest. Aber Hitler wollte die Grenzen der militärischen Kraft nicht wahrhaben. Er wollte über die alten kaukasischen Heerstraßen nach Tiflis und nach Baku. Und er befahl, die Offensive erneut über den Terek zu tragen.

Befehl war Befehl. In wochenlangen zähen Kämpfen versuchte die 1. Panzerarmee die schrittweise Erweiterung des Terekbrückenkopfes nach Süden und Westen. Alle Kräfte wurden zusammengefaßt und es gelang tatsächlich am 20. September, den Terek südwestlich Mosdok zu bezwingen. General von Mackensen trat mit dem ganzen III. Panzerkorps zum Angriff auf Ordschonikidse an, das auf dem Wege nach Tiflis liegt. Die SS-Panzergrenadierdivision »Wiking« stieß gegen die Grusinische Heerstraße durch. Die uralte Heerstraße nach Tiflis war erreicht.

Die Kampfgruppe des SS-Panzergrenadierregiments »Nordland«, mit einem Bataillon finnischer Freiwilliger, traf aus dem Waldkaukasus auf dem Gefechtsfeld ein, und die Division »Wiking« konnte mit ihr den Eintritt in den Nordteil des Ölgebietes von Grosnyj erzwingen und an zwei Stellen die Grusinische Heerstraße sperren. Die entscheidende Höhe Punkt 711 wurde von dem Bataillon finnischer Freiwilliger unter schweren Verlusten gestürmt und konnte gegen alle feindlichen Gegenstöße gehalten werden. Würde man noch Kraft zum letzten Vorstoß haben, für die letzten hundert Kilometer?

Es dauerte vier Wochen, ehe das III. Panzerkorps die nötigen Reserven an Menschen, Sprit und Ersatz zusammen hatte, um zum neuen, zum letzten Angriff – wie man hoffte – anzutreten.

Am 25. und 26. Oktober rollte das Korps aus seinem Brückenkopf zum Durchbruch nach Südosten. Die Bataillone fochten verbissen. Eine feindliche Kräftegruppe von vier Divisionen wurde zerschlagen und etwa 7000 Gefangene eingebracht. Rumänische Gebirgsjäger riegelten hier die nach Süden führenden Gebirgstäler ab. Die zwei Panzerdivisionen stießen nach Südosten, nahmen am 1. November Alagir und die Ossetische Heerstraße beiderseits dieser Stadt. Generalmajor Herrs 13. Panzerdivision gelangte am 5. November sogar bis fünf Kilometer westlich von Ordschonikidse.

Aber nun war die letzte Kraft verbraucht. Sowjetische Gegenangriffe von Norden schnitten die deutschen Divisionen von ihren rückwärtigen Verbindungen ab. Die 1. Panzerarmee konnte nicht helfen und befahl, gegen den Widerstand des Führerhauptquartiers, den Ausbruch. Er gelang.

Ein Wettersturz machte dann Mitte November allen Versuchen, die Operation noch einmal in Gang zu bringen, ein Ende.

Am rechten Flügel, bei der 17. Armee, haben die Gebirgsjäger die verschneiten Pässe im Hochkaukasus bereits geräumt, weil kein Nachschub mehr heraufkam. Die Infanterie- und Jägerregimenter haben sich eingegraben. Der Angriff auf die Schwarzmeerhäfen, auf die Ölfelder und Baku, auf Tiflis und Batumi ist in greifbarer Nähe der Ziele gescheitert. Die ganze Front stand.

Warum?

Weil die neue sowjetische Taktik des Ausweichens die kühn geplanten Kesseloperationen zwischen Don und Donez vereitelt hatte. Weil es den sowjetischen Befehlshabern im letzten Augenblick gelang, ihre vom unteren Don in den Kaukasus ausgewichenen Verbände wieder in die Hand zu bekommen. Und vor allem: weil amerikanischer Nachschub aus dem Iran über das Kaspische Meer zu den angeschlagenen Sowjetarmeen kam. Die abgekämpften deutschen Verbände waren zu schwach, diesen letzten Widerstand zu brechen.

Es fehlte das letzte Bataillon.

Zweiter Teil
Stalingrad

1

Zwischen Don und Wolga

*Kalatsch, die Schicksalsbrücke über den Don – Panzerschlacht auf
dem Sandmeer der Steppe – General Hubes Panzerstoß zur Wolga –
»Rechts die Türme von Stalingrad« – Frauen an der schweren Flak –
Das erste Gefecht vor Stalins Stadt*

Wer sich mit der erbitterten Schlacht um Stalingrad befaßt, stößt zuerst auf
die Wahrheit, daß die Einnahme der Stadt in den Plänen zur großen Sommeroffensive gar kein Ziel war. Im »Fall Blau« sollte versucht werden, Stalingrad
zu erreichen und es so unter die Wirkung schwerer Waffen zu bringen, daß es
als Rüstungs- und Verkehrszentrum ausfiel. Das war eine Aufgabe für Flugzeuge und Fernkampfartillerie, kein Auftrag, eine ganze Armee mit Panzerdivisionen in eine Abnutzungsschlacht in Häuserschluchten, Fabrikgeländen
und Bunkern zu schicken.

Das Ziel wäre absolut mit Bomben und Granaten zu erreichen gewesen;
denn eine strategische Bedeutung hatte Stalingrad nicht. Die Operationen der
6. Armee hatten denn auch, dem Sinn der Pläne nach, die Aufgabe, für die
Kaukasusfront mit ihren kriegswirtschaftlichen Zielen die Flankensicherung
zu bilden. Eine Aufgabe, für die es zwar nützlich, aber keineswegs notwendig
war, Stalingrad zu besitzen. Daß aus dieser Sicherungsaufgabe der 6. Armee
schließlich ein Kulminationspunkt des Krieges und eine Schlacht wurde, die
feldzugsentscheidende Bedeutung erhielt, gehört mit zu den düsteren
Umständen der Stalingrader Tragödie. Man begreift, wie sehr der Ausgang
eines Krieges von Zufällen und Irrtümern bestimmt wird, wenn man sich das
vor Augen führt.

Als im September 1942 die Hauptoperation der Sommeroffensive, die
Schlacht im Kaukasus und am Terek, ins Stocken kam, trafen im Führerhauptquartier von der Stalingrader Front ermutigende Nachrichten ein. Dort,
wo Flanke und Rücken der Schlacht ums Öl durch Inbesitznahme des Don-
bogens und des Wolgaknies um Stalingrad gedeckt werden sollten, ging es
nach krisenreichen Wochen plötzlich voran: Von der 6. Armee kam am
13. September die Meldung, daß die 71. Infanteriedivision das tiefgestaffelte
Festungskampffeld von Stalingrad durchstoßen und die Höhen vor dem
Stadtkern gestürmt hatte.

Am nächsten Tage, dem 14. September 1942, brachen Teile der niedersächsischen 71. Infanteriedivision nach verlustreichen Häuserkämpfen über den

nördlichen der beiden Bahnhöfe hinweg bis zur Wolga durch. General Hartmanns Sturmgruppen bildeten zwar nur einen schmalen Stoßkeil, aber man war durch die Stadt hindurch. Über dem Zentrum von Stalingrad wehte die Reichskriegsflagge. Das war ein ermutigender Erfolg; er ließ hoffen, daß nun doch noch vor Beginn des Winters wenigstens die Don-Wolga-Operation siegreich beendet und mit dieser gut gedeckten Flanke dann im Kaukasus die Offensive fortgesetzt werden konnte.

Wie war es zu diesem ermutigenden Erfolg vom 14. September 1942 gekommen? Für die Antwort ist es notwendig, bis in den Sommer zurückzublenden, in die Tage der Operation zwischen Donez und Don, als die 6. Armee in der zweiten Hälfte Juli einsam am Don entlang nach Osten gen Stalingrad zog, während die Hauptkräfte der Heeresgruppe Süd von Hitler nach Süden zur Kesselschlacht von Rostow abgedreht worden waren.

An der Spitze der 6. Armee rollte das XIV. Panzerkorps des Generals von Wietersheim. Es war das einzige der Armee unterstellte Panzerkorps und bestand aus der 16. Panzerdivision sowie der 3. und der 60. motorisierten Infanteriedivision. Vor dieser »gepanzerten Faust« wichen die Russen über den Don nach Norden und vor allem nach Osten in Richtung Stalingrad zurück.

Dieser Rückzug, der zweifellos von der sowjetischen Führung befohlen und als operativer Rückzug gedacht war, ging bei vielen sowjetischen Divisionen trotzdem in wilde Flucht über, weil die Rückzugsbefehle unerwartet und unklar formuliert kamen. Das Absetzen war schlecht organisiert. Führung und Truppe der Sowjets hatten in dieser neuen Taktik noch keine Erfahrung. Die Folge war, daß die mittlere und untere Führung die Gewalt über ihre Verbände verlor. Panik setzte an vielen Stellen ein. Dieser Umstand ist wichtig, um zu verstehen, warum auf deutscher Seite dieser Rückzug als Zusammenbruch gedeutet wurde.

Zweifellos gab es an vielen Stellen die Zeichen eines Zusammenbruchs, aber die obere sowjetische Führung war davon unberührt. Sie hatte ein klares Programm: Stalingrad, die Stadt mit Stalins Namen am Wolgaknie, das alte Zarizyn, sollte nach dem Willen des Roten Generalstabes das endgültig letzte Verteidigungszentrum werden. Stalin hatte sich von seinen Generälen den Rückzug vom Donez und vom Don abtrotzen lassen. Aber an der Wolga sollte Schluß sein.

»Ich befehle die Bildung der Heeresgruppe Stalingrad, und die Stadt selbst wird von der 62. Armee bis zum letzten Mann verteidigt«, hatte Stalin am 12. Juli 1942 zu Marschall Timoschenko gesagt.

In einem strategisch günstigen Raum wollte er die Wendung erzwingen, wie sie schon einmal – im Revolutionskrieg von 1920 gegen den Weißen Kosakengeneral Denikin – gelungen war. Nur Zeit brauchte man: Zeit zum Heranschaffen der Reserven, Zeit für den Bau von Verteidigungsstellungen an den nördlichen Zugängen der Stadt auf der Landbrücke zwischen Don und Wolga sowie auf den günstigen Höhenzügen, die sich südlich Stalingrads bis in die Kalmückensteppe erstrecken.

Aber würden die Deutschen der Roten Armee Zeit lassen, alle Kräfte zu mobilisieren und sich im Raum Stalingrad neu zu formieren?

Generalmajor Kolpaktschi hatte damals noch den Oberbefehl über die 62. Armee. Seine Stabsoffiziere standen mit Maschinenpistolen an den Donübergängen im Raum Kalatsch, um einigermaßen Ordnung in die zurückflutenden sowjetischen Regimenter zu bringen.

Aber die Deutschen kamen nicht. »Keine Feindberührung mehr«, meldeten die russischen Nachhuten. Kolpaktschi schüttelte den Kopf. Er berichtete an die Heeresgruppe: »Die Deutschen drücken nicht nach.«

»Was bedeutet das?« fragte Marschall Timoschenko seinen Chef des Stabes. »Haben die Germanskis ihre Pläne geändert?«

Von den ausgezeichneten sowjetischen Spionageorganisationen lagen keine Nachrichten über solche Änderungen vor. Weder Richard Sorge aus der deutschen Botschaft in Tokio noch der Oberleutnant Schulze-Boysen aus dem Luftfahrtministerium in Berlin hatten über Änderungen der deutschen Offensivabsichten berichtet. Auch die Chefagenten Alexander Rado aus der Schweiz und Gilbert aus Paris hatten nichts dergleichen verlauten lassen. Und einer hätte doch bestimmt diese Informationen gehabt. Und gerade die Meldungen des Schweizer Agenten Rössler, die er mit der Quellenangabe »Werther« versah, zeigten in jenen Tagen, daß die Informationsquellen gut liefen. Über einen neuen deutschen Plan im Hinblick auf die Stalingradoperation gab es aber keinen Anhaltspunkt.

Daß Rösslers »Werther« nichts erklärte, lag daran, daß seine Quelle gar nicht das deutsche Oberkommando war – wie bis lange nach dem Krieg geglaubt wurde –, sondern er bekam von den Engländern die Informationen aus den entschlüsselten Weisungen des Führerhauptquartiers an die Heeresgruppen. Um die Quelle auch vor den Russen zu tarnen, hatten die Engländer die Legende von »dem Mann im OKW« erfunden.

Irgendwelche Weisungen aus dem Führerhauptquartier aber gab es zum Verhalten der 6. Armee nicht. Daß die gefürchteten Panzerspitzen von Paulus' XIV. Panzerkorps im Raum Millerowo stehenblieben, entsprach keinem operativen Plan, sondern lag ganz einfach daran, daß der Sprit-Nachschub fehlte.

Die Russen nutzten sofort den Zeitgewinn. »Wenn die Deutschen nicht nachdrücken, kann die Verteidigung noch westlich des Don formiert werden«, entschloß sich Timoschenko. Generalmajor Kolpaktschi sammelte die 62. Armee im großen Donbogen und bildete um Kalatsch einen Brückenkopf. Auf diese Weise war der entscheidende Donübergang, siebzig Kilometer westlich Stalingrad, verbarrikadiert. Die befestigte Donschleife ragte wie ein Balkon nach Westen, den Don nach Norden und Süden flankierend.

Als die 6. Armee endlich wieder marschbereit war, sah sich General Paulus vor die Aufgabe gestellt, erst diesen Riegel um Kalatsch aufzusprengen, um den Stoß über den Don auf Stalingrad fortsetzen zu können.

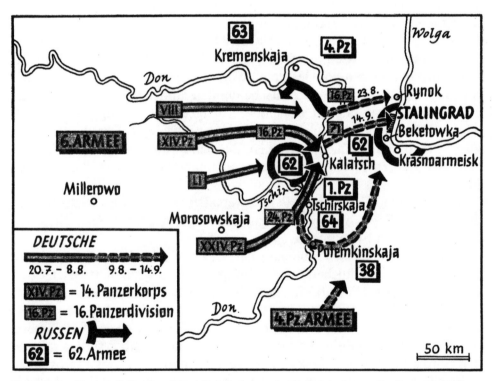

Karte 9: Im Don-Brückenkopf. Bei Kalatsch wurde die Schlacht um Stalingrad eröffnet. General Paulus vernichtete die sowjetischen Kräfte im Kessel westlich des Don, und am 23. August stieß die 16. Panzerdivision vom Don zur Wolga durch. Dann begann der umfassende Angriff auf Stalingrad.

Damit begann die Schlacht um Kalatsch, eine interessante und kriegsge-schichtlich bedeutsame Operation, der erste Akt der Schlacht um Stalingrad.

General Paulus legte den Angriff auf den Kalatschbrückenkopf als klas-sische Umfassungsschlacht an. Er ließ ein Panzerkorps links und ein Hoth unterstelltes Panzerkorps am rechten Flügel weit ausholend nach Osten ein-drehen mit dem Ziel, sich bei Kalatsch zu vereinigen. Das VIII. Infanterie-korps deckte die tiefe Armeeflanke im Norden, während das Korps Seydlitz zwischen den Panzerkorps frontal auf Kalatsch vorstieß (s. Karte S. 119).

Die Hauptlast der schweren Kämpfe dieser Schlacht im großen Donbogen lag auf den beiden Panzerdivisionen. Die motorisierten Divisionen schirm-ten die Flanken ab.

Die ostpreußische 24. Panzerdivision hatte den Auftrag, den Tschir zu bezwingen und am Don entlang nach Norden auf Kalatsch einzudrehen. Ihr gegenüber standen starke Kräfte der 64. sowjetischen Armee, die damals noch Generalleutnant Tschuikow führte.

Der erste Angriff kommt zunächst nicht über die Minenfelder hinweg, hin-ter denen sich die Russen verschanzt haben. Aber am 25. Juli, gegen 3 Uhr 30, treten die 24er erneut an. Der Feind wird aus seinen sehr gut ausgebauten Stellungen geworfen, und die entscheidenden Höhen werden genommen.

Am Nachmittag prasselt wolkenbruchartiger Regen nieder. Der Angriff wird bei dem aufgeweichten Boden immer schwieriger. Das Wetter sowie zwei sowjetische Schützendivisionen, die sich in ihren Stellungen zäh und verbissen wehren, machen einen überraschenden Vorstoß zum Don unmög-lich.

Aber am 26. Juli gibt es Luft. Panzergrenadiere schlagen das ersehnte Loch am Ssolenaja-Bach. Auf Schützenpanzern aufgesessen, geht es nach Osten. Der Durchbruch ist gelungen.

Panzer jagen dem Tschirübergang bei Nischne-Tschirskaja zu, nehmen die Brücke und im nächtlichen Straßenkampf wird der große Ort besetzt und noch vor Mitternacht Furt und Tschirbrücke ostwärts davon genommen.

Während die Panzergrenadiere einen Brückenkopf bilden, stoßen Panzer und Schützenpanzerwagen aus der Brückenstellung durch den feindbesetz-ten Wald bis zur Donbrücke durch. Im Morgengrauen haben sie den mächti-gen Fluß erreicht – den Schicksalsfluß des »Unternehmens Barbarossa«.

Feindliche Sprengversuche an der Brücke scheitern zum Glück. Nur ein kleines Stück wird herausgesprengt. Es ist schnell repariert.

Aber der Stoß über den Fluß auf die schmale Landbrücke zwischen Don und Wolga in Richtung Stalingrad kann noch nicht gewagt werden. Erst müssen die starken russischen Kräfte westlich des Flusses ausgeschaltet werden, und auch östlich des Don hat der Russe in der Zwischenzeit zwei Armeen zusammengezogen, gegen die mit den schwachen Panzerspitzen der 6. Armee allein nichts Entscheidendes auszurichten ist.

Am 6. August beginnt die letzte Runde im Kampf um Kalatsch. Eine gepanzerte Stoßgruppe unter Oberst Riebel tritt aus dem Tschirbrückenkopf heraus und stößt nach Norden in Richtung Kalatsch. Fünfunddreißig Kilometer sind es noch bis zum Ziel.

Der Russe wehrt sich. Er weiß, um was es geht: Kommen die Deutschen durch, dann ist alles, was sich westlich des Flusses befindet, abgeschnitten, und dann ist auch der Riegel vor der Tür nach Stalingrad gesprengt.

Aber die »gepanzerte Faust« der 24er hämmert sich durch die sowjetischen Verteidigungsstellungen und Minenfelder, wehrt zahlreiche Gegenstöße ab und holt die ungepanzerten Teile der Divisionen im Geleit durch die Verteidigung der Sowjets.

Dann braust die Division, in zahlreichen Kolonnen nebeneinander, wie die wilde Jagd durch die Steppe und steht bei Einbruch der Dunkelheit auf der beherrschenden Höhe 184, dicht vor Kalatsch, im Rücken des Feindes.

Bei dem linken Zangenarm ist die Operation inzwischen gleichfalls programmgemäß verlaufen.

Die westfälische 16. Panzerdivision Generalleutnant Hubes trat am 23. Juli vom oberen Tschir in vier Kampfgruppen an. Eine Division der 62. sowjetischen Armee leistet auf den Höhen von Roschka den ersten erbitterten Widerstand. Mit seinen Schützenpanzern, Panzergrenadiere aufgesessen, fuhr das Bataillon Mues dicht an die Bunker und Feldstellungen des Feindes heran. Die Grenadiere sprangen von den Fahrzeugen und holten mit Handgranaten und Pistolen die Russen aus ihren Schlupfwinkeln heraus.

Am Nachmittag war bereits ein breites Loch geschlagen. Die Kampfgruppe von Witzleben erreichte am nächsten Tag, dem 24. Juli, den Liska-Bach-Abschnitt, nordwestlich Kalatsch.

Noch zwanzig Kilometer.

Die Panzerabteilung von Graf Strachwitz, verstärkt durch Artillerie, Kradschützen und aufgesessene Grenadiere, jagte im Verband der Kampfgruppe Oberst Lattmann nach Osten und stand im Morgengrauen vor dem letzten Sperriegel nördlich Kalatsch.

Die Sowjets werden geworfen, Graf Strachwitz dreht nach Süden ein und rollt die ganze sowjetische Verteidigung auf.

Noch zehn Kilometer.

Beide deutsche Angriffsgruppen fochten nun bereits im Rücken der sowjetischen Brückenkopfbesatzung. Der Kessel hinter General Kolpaktschis Divisionen zeichnete sich ab.

Die Sowjets erkannten die Gefahr und warfen sich mit allen verfügbaren Kräften gegen die Nordzange. Es begann ein Kampf, den die Sowjets nicht nur in großer Entschlossenheit, sondern auch mit einer überraschend starken Panzerkraft führten.

Auf beiden Seiten der Front standen sich bewegliche Panzerkräfte gegenüber. Sie umkreisten einander und suchten sich gegenseitig einzukesseln. Hier gab es keine Front. Wie die Zerstörer- und Kreuzerverbände auf See kämpften die Panzerpulks auf dem Sandmeer der Steppe, rangen um günstige Schußpositionen, trieben den Gegner in die Enge, klammerten sich für einige Stunden oder Tage an Ortschaften fest, brachen aus, machten kehrt und jagten wieder dem Feind nach. Und während sich die Panzer in der wuchernden Krautsteppe ineinander verkrallten, lieferten sich die Luftflotten zähe Kämpfe am wolkenlosen Himmel über dem Don, bekämpften den Gegner in den Schlupfwinkeln der Balkas (Schluchten), jagten seinen Munitionsnachschub in die Luft und setzten die Spritkolonnen in Brand.

Am 8. August reichten sich die Spitzen der 16. und 24. Panzerdivision bei Kalatsch die Hand. Der Kessel war nun fest geschlossen. Der eiserne Ring wurde von zwei Panzerkorps und von Infanteriekorps gebildet. Im Sack befanden sich neun Schützendivisionen, zwei motorisierte und sieben Panzerbrigaden der sowjetischen 1. Panzerarmee und der 62. sowjetischen Armee. 1000 Panzer und gepanzerte Fahrzeuge sowie 750 Geschütze wurden erbeutet oder zerstört.

Damit war seit dem Frühsommer – seit der Schlacht um Charkow – wieder eine erfolgreiche Kesselschlacht geschlagen. Es sollte die letzte des »Unternehmens Barbarossa« sein. Sie wurde sechzig Kilometer vor der Wolga ausgefochten, und es verdient Beachtung, daß hier, vor den Toren Stalingrads, Führung und Truppe der 6. Armee noch einmal ihre hohe Überlegenheit in den Bewegungskämpfen gegen einen zahlenmäßig weit stärkeren Feind unter Beweis stellten. Es erwies sich erneut in aller Deutlichkeit: Wenn die materielle Kraft nur einigermaßen den Kampfbedingungen entsprach und die Initiative der beweglichen Kampfführung den Sowjets das Gesetz des Handelns aufnötigte, war den deutschen Verbänden kein sowjetischer Widerstand gewachsen.

Die Säuberungskämpfe im Raum Kalatsch und die Gewinnung von Brükken und Brückenköpfen über den Don zum Vorstoß auf Stalingrad dauerten noch fast vierzehn Tage.

Aber aller Mut der Verzweiflung nutzte den Russen nichts: Am 16. August wurde die große Kalatschbrücke von Leutnant Kleinjohann mit Teilen des Pionierbataillons 16 in schnellem Zugriff genommen. Und nun ging es Schlag auf Schlag.

Am 21. August gingen Infanterieeinheiten des Korps von Seydlitz nördlich Kalatsch an zwei Stellen über den steil eingeschnittenen, etwa hundert Meter breiten Don. Paulus' Plan stand fest: Er wollte den Korridor vom Don zur Wolga vortreiben, Stalingrad im Norden abriegeln und dann vom Süden her nehmen.

Generalleutnant Hube, ursprünglich Infanterist, mittlerweile ein glänzender Panzerführer, hockt mit Oberstleutnant Sieckenius, dem Kommandeur des Panzerregiments 2, an der Pontonbrücke von Wertjatschi im Garten einer Bauernkate. Die Karte liegt auf einem kleinen Heustadel.

Hube fährt mit der rechten Hand über die Karte. Der linke Ärmel des Uniformrockes ist leer und steckt mit dem Ende in der Jackentasche. Den Arm hat Hube im Ersten Weltkrieg verloren. Der Kommandeur der 16. Panzerdivision ist der einzige einarmige Panzergeneral der Wehrmacht.

»Wir haben hier die schmalste Stelle der Landbrücke zwischen Don und Wolga, sechzig Kilometer sind es«, sagt er. »Der Höhenrücken 137, den uns der Armeebefehl als Angriffsweg zugewiesen hat, ist eine ideale Panzerstraße. Bäche und Schluchten queren den Weg nicht. Das ist die Chance, uns in einem Zuge den Korridor durch den Feind hinüber zur Wolga zu schlagen.«

Sieckenius nickt: »Der Russe wird mit allen Mitteln die Landbrücke verteidigen, Herr General. Er ist darauf seit alters her eingestellt. Der Tatarengraben, der sich quer vom Don zur Wolga zieht, ist alter Verteidigungswall gegen Einfälle vom Norden gegen die Mündung der Wolga.«

Hube fährt mit dem Finger dem eingezeichneten Tatarengraben auf der Karte nach und antwortet: »Der Russe wird ihn als Panzergraben ausgebaut haben. Aber wir haben schon andere Panzergräben genommen. Schnell muß alles gehen, blitzschnell, in alter Weise.«

Ein Kradmelder kommt herangeprescht. Bringt die letzten Befehle vom Korps für den Stoß an die Wolga.

Hube liest. Steht dann auf und sagt: »Morgen um 4 Uhr 30 geht es los, Sieckenius.«

Morgen – das war der 23. August 1942.

Die 16. Panzerdivision soll in einem Zug direkt nach Osten bis zur Wolga stoßen, hart an den Nordrand von Stalingrad. Die Flanken dieses verwegenen Panzerstoßes sollen rechts die Danziger 60., links die brandenburgische 3. motorisierte Infanteriedivision absichern: ein Abenteuer ganz im Stil der Panzerstürme des ersten Kriegsjahres.

Also morgen: Stalingrad. Die Wolga. Hube weiß: Stalingrad, die Wolga – das sind die letzten Ziele, die östlichsten Punkte, die es zu erreichen gilt. Dort drüben endet der offensive Krieg, ist der Schlußpunkt des »Unternehmens Barbarossa«, ist der Sieg.

»Bis morgen, Sieckenius.«

»Bis morgen, Herr General.«

Während der Nacht rollte die 16. Panzerdivision in einer riesigen Kolonne in den Donbrückenkopf bei Lutschinskoi. Pausenlos griff der Russe mit Bombenflugzeugen die wichtige Brücke an. Brennende Fahrzeuge wiesen den feindlichen Fliegern wie Fackeln das Angriffsziel. Aber die Russen hatten kein Glück, die Brücke blieb unversehrt. Um Mitternacht lagen die Verbände dicht hinter der HKL auf deckungslosem Gelände. Die Grenadiere gruben ihre Deckungslöcher, »Hubelöcher« genannt, und fuhren zum Schutz noch die gepanzerten Fahrzeuge darüber. Die ganze Nacht lagen Artilleriefeuer und »Flächenteppiche« der Stalinorgeln auf dem nur fünf Kilometer langen und zwei Kilometer breiten Brückenkopf.

Am Morgen des 23. August 1942 fahren die Spitzenpanzer über die Pontonbrücke von Wertjatschi. Drüben entfalten sich die Verbände zum Breitkeil. Voraus Kampfgruppe Sieckenius, dahinter die Kampfgruppen Krumpen und von Arenstorff.

Unbekümmert durch die Feindkräfte rechts und links von der Höhenrippe, in den Bachläufen und Balkas, rollen die Panzer, Schützenpanzerwagen, die Zugmaschinen und die gepanzerten Teile von drei Divisionen gen Osten. Über ihnen brummen die Schlachtflieger und Stuka-Geschwader des VIII. Fliegerkorps gegen Stalingrad. Beim Rückflug tauchen die Maschinen tief hinunter bis dicht über die Panzer und lassen übermütig ihre Sirenen heulen.

Am Tatarengraben versuchen die Sowjets den deutschen Panzersturm aufzuhalten. Vergeblich. Die russische Verteidigung wird zersprengt, der alte, berühmte Graben mit seinen Wällen überfahren. Die Sowjets sind von dem mächtigen Angriff offenbar überrascht worden und – wie fast immer in solchen Lagen – kopflos und unfähig, schnell eine wirksame Abwehr zu improvisieren.

Die Durchbruchstellen sind oft nur 150 bis 200 Meter breit. General Hube führt von dem Befehlswagen der Funkkompanie in vorderster Linie und ist über jede Situation jeden Augenblick unterrichtet. Das ist die Kunst, Panzerstöße zu führen.

Am frühen Nachmittag ruft der Kommandant im Spitzenpanzer seinen Männern über das Kehlkopfmikrofon zu: »Rechts die Silhouette von Stalingrad.« Alle Panzerkommandanten stehen in den Türmen und sehen die langgestreckte Silhouette des alten Zarizyn, der nunmehr modernen Industriestadt, die sich vierzig Kilometer an der Wolga entlangzieht. Fördertürme, Fabrikschlote, Hochhäuser und südlich, aus der Altstadt, auch die Zwiebeltürme der Kathedralen ragen in den Himmel.

Die Ketten der Panzer mahlen im dürren Steppengras. Staubfahnen ziehen hinter den Kampfwagen her. Die Spitzenpanzer der Abteilung Strachwitz fahren an die nördlichen Vorstädte Spartakowka, Rynok und Lataschinka heran. Plötzlich, wie auf ein geheimes Kommando, ein Feuerschlag von den Ortsrändern her: russische schwere Flak eröffnet die Abwehrschlacht um Stalingrad.

Geschütz um Geschütz, siebenunddreißig Feuerstellungen, kämpft die Abteilung Strachwitz nieder. Volltreffer um Volltreffer schlägt in die Flakstellungen und zerfetzt sie.

Merkwürdigerweise erleidet die Abteilung dabei kaum eigene Verluste. Das Rätsel löst sich bald. Als die Panzermänner in die zusammengeschossenen Stellungen kommen, sehen sie es staunend und entsetzt: Die Bedienungen der schweren Flak bestanden aus Frauen, Arbeiterinnen der Geschützfabrik »Rote Barrikade«. Sie waren wohl notdürftig für die Flugabwehr ausgebildet, hatten aber keine Ahnung vom Erdeinsatz ihrer Kanonen.

Als der 23. August zur Neige geht, fährt der erste deutsche Panzer, dicht bei der Vorstadt Rynok, auf das hochgelegene Westufer der Wolga. Fast hundert Meter hoch ragt das Ufer über den zwei Kilometer breiten Strom. Das Wasser ist dunkel. Eine Kette von Schleppern und Dampfern zieht stromauf- und stromabwärts. Von der anderen Seite schimmert die asiatische Steppe herüber: ein düsterer Gruß aus der Unendlichkeit.

Zur Nacht igelt sich die Division nahe am Strom ein, unmittelbar am Nordrand der Stadt. Mitten in der Igelstellung der Divisionsgefechtsstand: Die Funkgeräte summen. Ordonnanzen kommen und gehen. Die ganze Nacht über wird gearbeitet: Stellungen gebaut, Minen gelegt, Panzer und Geräte instand gesetzt, getankt und munitioniert für den Kampf um die Industrievororte der Nordstadt.

Noch ahnt niemand bei der siegessicheren und über den Erfolg stolzen

16. Panzerdivision, daß man diese Vorstädte und ihre Werke nie ganz bezwingen wird. Und daß hier, wo der erste Schuß um Stalingrad fiel, auch der letzte fallen wird.

Hubes Panzersturm zur Wolga war in einem Tag über sechzig Kilometer gefegt. Das Ziel, die Wolga, war erreicht, der Strom und alle Verbindungswege über die sechzig Kilometer breite Landbrücke zwischen Don und Wolga nach Norden waren durchschnitten. Die Sowjets wurden von dieser Entwicklung überrascht. Auf den Stellungen der igelnden Division lag während der Nacht nur ungezieltes Artilleriefeuer. Vielleicht fiel Stalingrad am nächsten Tag unter dem deutschen Stoß wie eine reife Frucht in Hubes Schoß.

Und die andere Seite: Stalin, sein Oberkommando STAWKA, die Marschälle, was hatten sie vor mit Stalingrad?

Betroffen über die deutschen Erfolge suchte Stalin einen Retter für die Stadt seines Namens und für die Verteidigung der letzten großen Verkehrsader vom Zentrum in die Ölgebiete, die Wolga. Er ernannte am 27. August 1942 Generaloberst Schukow, seinen besten und härtesten Mann, zum stellvertretenden Oberbefehlshaber der Streitkräfte und zum Verantwortlichen zur Verteidigung Stalingrads. Er war nun der Mann auf der Gegenseite, der auch Stalin Paroli bot und seine eigenen operativen Maßnahmen durchsetzte: Keine Massierung aller verfügbaren Kräfte zur Verteidigung der Stadt Stalingrad, wie Stalin es forderte, sondern die härteste Verteidigung von Teilen der Stadt zur deutschen Kräftebindung und zum Kräfteverschleiß allein durch die 62. sowjetische Armee, und Planung einer Gegenoffensive mit allen Reserven im Großraum Stalingrad mit dem Ziel, die 6. Armee einzukesseln. Schukows Plan beruhte auf der Erkenntnis, daß die Versorgungsschwierigkeiten der deutschen Kräfte, die Vernachlässigung ihres Flankenschutzes und die durch schwere Verluste nachlassende Kampfkraft eine erfolgreiche Abnutzungsschlacht in der Stadt und eine großangelegte Zangenoperation gegen die 6. Armee nahelegte.

Würde die Rechnung Schukows aufgehen?

2

Die Schlacht im Vorfeld

T 34 aus der Fabrik aufs Schlachtfeld – Gegenstoß der 35. sowjetischen Division – Korps Seydlitz rückt auf – Hoths kühnes Manöver – Stalingrads Schutzstellung wird aufgerissen

Am 24. August, morgens 4 Uhr 40, trat die Kampfgruppe Krumpen mit Panzern, Grenadieren, Artillerie, Pionieren und Werfern nach einem Stuka-Einsatz gegen die nördlichste Industriesiedlung Stalingrads, Spartakowka, an.

Aber man traf auf keinen verwirrten oder unentschlossenen Feind. Im Gegenteil: Ein toller Feuerzauber schlug den Panzern und Grenadieren entgegen. Der Vorort war schwer befestigt, jedes Haus verbarrikadiert. Ein überragender Hügel, von den Landsern »der große Pilz« genannt, war mit Bunkern, MG-Nestern und Granatwerferstellungen gespickt. Jägerbataillone und Arbeitermilizen aus den Stalingrader Fabriken sowie Teile der 62. sowjetischen Armee bildeten die Besatzung. Die sowjetischen Verteidiger kämpften um jeden Meter Boden. Der eiserne Befehl, der sie an ihre Stellungen nagelte, lautete: »Keinen Schritt mehr zurück!«

Die beiden Kommandeure, die diesem Befehl unerbittlich Geltung verschafften, waren Generaloberst Andrej Iwanowitsch Jeremenko und sein politischer Kommissar, das Mitglied des Kriegsrates Nikita Sergejewitsch Chruschtschow. Die Offiziere der 16. Panzerdivision hörten seinen Namen in jenen Tagen von gefangenen Sowjetsoldaten zum ersten Mal.

Spartakowka konnte mit den verfügbaren Kräften vorerst nicht bezwungen werden. Die sowjetischen Stellungen waren unüberwindlich. Wie entschlossen die Sowjets ihre Position verteidigten, zeigte sich auch daran, daß sie an der Nordflanke von Hubes »Igel« zum Angriff antraten, um Spartakowka zu entlasten. Die Kampfgruppen Dörnemann und von Arenstorff hatten Mühe, sich dort der laufend verstärkten Angriffe zu erwehren.

Funkelnagelneue T 34, zum Teil ohne Anstrich und ohne Optik, griffen immer wieder an. Sie fuhren aus der Fertigung im Traktorenwerk »Dserschinski« durch die Fabriktore sofort aufs Schlachtfeld, oft nur mit Fabrikarbeitern besetzt. Bis zum Gefechtsstand des Panzergrenadierregiments 64 brachen einzelne T 34 durch und mußten im Nahkampf außer Gefecht gesetzt werden.

Nur an der Wolga, nördlich von Stalingrad, gelang es den Pionieren, Artilleristen und Panzerjägern der Kampfgruppe Strehlke, die Anlegestelle der großen Eisenbahnfähre im Handstreich zu nehmen und damit die Verbindung aus Kasachstan über die Wolga nach Stalingrad und Moskau zu unterbrechen.

Strehlkes Männer gruben sich in den Weinbergen am Wolga-Ufer ein. Riesige Walnußbäume und Edelkastanien verdeckten ihre Geschütze, die gegen den Flußverkehr und gegen Landungsversuche vom anderen Ufer in Stellung gebracht wurden.

Die Lage der 16. Panzerdivision war trotz aller Erfolge sehr kritisch. Die Sowjets hielten die Zugänge zur Nordstadt und drückten gleichzeitig mit frisch aus dem Raum Woronesch herangeführten Kräften auf den »Igel« der Division. Alles kam darauf an, den deutschen Korridor über die Landbrücke zu sichern, und die 16er warteten sehnsüchtig auf das Herankommen der 3. Infanteriedivision (mot.).

Rad an Rad waren deren Vorausabteilungen mit der 16. Panzerdivision am 23. August aus den Donbrückenköpfen gezogen und nach Osten gefahren. Am Mittag hatten sich ihre Wege getrennt. Während die 16. weiter auf Stalingrad Nord zuhielt, waren Generalmajor Schlömers Regimenter fächerförmig nach Norden ausgeschert, um Sicherungspositionen am Tatarenwall im Raum Kusmitschi einzunehmen.

Mit der Vorausabteilung fährt der General. Im Glas erkennt er drüben am Eisenbahnhaltepunkt bei Kilometer 564, westlich Kusmitschi, haltende Güterzüge und fieberhafte Entladearbeiten.

»Angriff!«

Und schon brausen die Kradschützen und die Kampfwagen der Panzerabteilung 103 los. Kanoniere der Heeresflakabteilung 312 schießen ein paar Granaten hinüber. Die russischen Kolonnen spritzen davon.

In den Güterwagen lagen nützliche Dinge aus Amerika. Sie wurden über den Atlantischen und den Indischen Ozean gebracht, durch den Persischen Golf geleitet, dann quer übers Kaspische Meer, wolgaaufwärts bis Stalingrad transportiert und von dort mit der Eisenbahn an die Front zum Haltepunkt bei Kilometer 564. Jetzt nimmt sie Schlömers 3. Infanteriedivision (mot.) in Empfang: schöne, funkelnagelneue Ford-Lastwagen, Raupenschlepper, Jeeps, Werkstatteinrichtungen, Minen und Pioniergerät.

Während Schlömers Verbände noch stürmisch der 16. Panzerdivision nachdrängten, bahnte sich ein neues Unheil an: Eine mit Panzern verstärkte sowjetische Schützendivision stieß in Eilmärschen von Norden auf die Landbrücke. Sie sollte, wie die Papiere eines gefangenen Kuriers ergaben, die deutschen Donbrückenköpfe abriegeln und die Landbrücke für weitere nachfolgende Kräfte offenhalten.

Die sowjetische Division rollte hinter der 3. Infanteriedivision (mot.) südwärts und überwalzte die rückwärtigen Staffeln der beiden vordersten Divisionen des Panzerkorps von Wietersheim, schob sich gleichzeitig zwischen den Donbrückenkopf des links anschließenden VIII. deutschen Infanteriekorps und die deutschen Kräfte am Tatarenwall und verhinderte mit nachgeschobenen Verbänden somit zunächst das Aufschließen der deutschen Infanterie, die gerade über den Don in den Korridor marschierte.

Damit waren die rückwärtigen Verbindungen der weit vorn auf sich allein gestellten beiden deutschen Spitzendivisionen abgeschnitten. Beide Divisionen mußten einen neunundzwanzig Kilometer breiten »Igel« bilden, der von der Wolga bis zum Tatarenwall reichte, um sich der sowjetischen Angriffe zu erwehren, die von allen Seiten anbrandeten. Die Versorgung mußte vorerst durch die Luftwaffe erfolgen oder in starken Panzergeleitzügen durch die sowjetischen Linien herangeschleust werden.

Bis zum 30. August dauerte diese unerfreuliche Krisenlage. Dann endlich waren die Infanterieverbände des LI. Korps unter General Seydlitz mit zwei Divisionen in der rechten Flanke nachgerückt.

Damit war Ende August die Landbrücke zwischen Don und Wolga endlich nach Norden abgeriegelt. Die Voraussetzungen für einen frontalen Angriff auf Stalingrad waren geschaffen, der südlich umfassende Stoß der Panzerarmee Hoth gegen Überraschungen aus der Nordflanke gesichert.

General von Seydlitz-Kurzbach trug schon im Frühjahr 1942 das Eichenlaub. Damals boxte und bohrte sich der bewährte Kommandeur der mecklenburgischen 12. Infanteriedivision mit seiner Korpsgruppe »Seydlitz« den Korridor zum Kessel von Demjansk und befreite Graf Brockdorff-Ahlefeldts sechs Divisionen aus der tödlichen sowjetischen Umklammerung.

Auch in der Schlacht um Stalingrad setzte Hitler große Hoffnungen auf die persönliche Tapferkeit und das taktische Geschick des in Hamburg-Eppendorf geborenen Mannes mit dem Namen einer berühmten preußischen Offiziersfamilie.

Seydlitz trat Ende August mit zwei Divisionen im Zentrum der 6. Armee zum frontalen Angriff über die Landbrücke auf Stalingrad Mitte an. Sein erstes Ziel war der Stalingrader Flughafen Gumrak.

Die Infanteristen hatten es schwer. An dem tief eingeschnittenen Flußtal der Rossoschka hatte die 62. sowjetische Armee eine starke und tiefe Verteidigungszone errichtet. Sie war ein Teil des inneren Befestigungsgürtels von

Stalingrad, der in dreißig bis fünfzig Kilometer Entfernung um die Stadt gelegt war, um den Angriff der 6. Armee im Vorfeld abzuwehren.

Bis zum 2. September lag Seydlitz vor dieser Barriere fest. Aber dann gab es am 3. September plötzlich Luft.

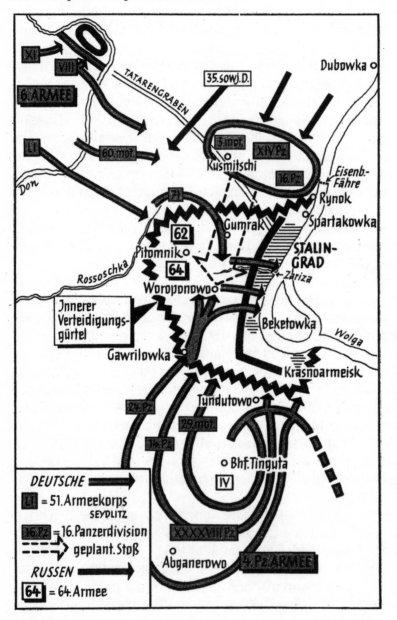

Karte 10: Die 4. Panzerarmee reißt am 30. August den inneren Verteidigungsgürtel Stalingrads auf. Von Norden sollen Kräfte von Paulus entgegenstoßen. Aber das XIV. Pz. Korps ist durch Feindangriffe gebunden. Zwei Tage zu spät reichen Hoths Divisionen der 71. I. D. die Hand: In letzter Minute sind die Russen auf den Stadtrand ausgewichen.

Die Sowjets wichen. Seydlitz stieß nach, durchbrach die letzten russischen Stellungen vor der Stadt und stand am 7. September bereits östlich Gumrak, acht Kilometer vor dem Stadtrand von Stalingrad.

Was war passiert? Was veranlaßte die Russen, plötzlich aus ihrem inneren und letzten Befestigungsgürtel vor Stalingrad zu weichen und den Zugang zur Stadt freizugeben? War die Kraft der Truppe zusammengebrochen? Hatte die Führung die Verbände nicht mehr in der Hand? Erregende Fragen.

Marschall Tschuikow, damals noch als Generalleutnant stellvertretender Befehlshaber der 64. Armee, lüftete in seinen Memoiren das Rätsel des plötzlichen Zusammenbruchs der russischen Verteidigung in dem starken inneren Befestigungsgürtel am Rossoschka-Bach.

Die Lösung liegt in den Aktionen und Entscheidungen der beiden hervorstechendsten Gegenspieler während der Bewegungsschlacht um Stalingrad: Hoth auf deutscher und Jeremenko auf russischer Seite.

Jeremenko, der draufgängerische und unerschrockene, dabei strategisch begabte Oberbefehlshaber der »Stalingradfront«, hat in seinen Veröffentlichungen interessante Details der großen Schlacht dargestellt. Tschuikow hat vieles in seinen Memoiren ergänzt und dabei manches erst richtig beleuchtet.

Generaloberst Hoth, der Oberbefehlshaber der 4. Panzerarmee, ein Preuße besten Schlages, der, wie Guderian und Rommel, vor dem Kriege bei den Goslarer Jägern gestanden hatte, stellte mir, dem Verfasser, seine persönlichen Unterlagen über Planung und Durchführung seiner Offensive, welche die sowjetische Front zum Einsturz brachte, zur Verfügung.

Hoths 4. Panzerarmee war Ende Juli aus der Angriffsrichtung Kaukasus abgedreht und von Süden her durch die Kalmückensteppe gegen das Wolgaknie südlich Stalingrad in Marsch gesetzt worden. Ihr Stoß sollte Paulus' 6. Armee entlasten, die sich schon damals, noch im Donbogen, in großer Bedrängnis befand.

Das deutsche Oberkommando hatte sich aber auch diesmal wieder nur zu einer halben Maßnahme entschließen können, denn Hoth kam nur mit halber Kraft: Eines seiner beiden Panzerkorps, das XXXX., mußte bei der Kaukasusfront bleiben. Seine Streitmacht bestand daher nur aus dem Panzerkorps Kempf mit einer Panzer- und einer mot.-Division, sowie dem Korps von Schwedler mit drei Infanteriedivisionen. Später erhielt Hoth noch die 24. Panzerdivision. Das VI. rumänische Korps unter Generalleutnant Dragalina mit vier Infanteriedivisionen wurde Hoth zur Flankensicherung unterstellt.

Die Sowjets erkannten in Hoths Angriff sofort die Hauptgefahr für Stalingrad. Seine Panzer standen ja bereits jenseits des Don, während Paulus' 6. Armee noch westlich des Flusses von sowjetischen Abwehrkräften festgehalten wurde.

Wenn es Hoth gelang, aus der Kalmückensteppe heraus das Wolgaknie mit dem beherrschenden Höhengelände von Krasnoarmeisk und Beketowka zu gewinnen, dann war das Schicksal von Stalingrad besiegelt und die Wolga als wichtigste Verkehrsader für die amerikanischen Lieferungen aus dem Persischen Golf gesperrt.

Am 19. August kommt Hoth vor der südlichsten Verteidigungslinie der 64. sowjetischen Armee an und bricht auf Anhieb bei Abganerowo durch. Das Panzerkorps Kempf stößt mit der 24. und 14. Panzerdivision sowie der 29. Infanteriedivision (mot.) stürmisch weiter, links gefolgt von den Infanteristen Schwedlers.

Vierundzwanzig Stunden später gehen die Panzer und Grenadiere Hoths bereits die Höhe von Tundutowo an, den südlichen Eckpfeiler des inneren Befestigungsringes von Stalingrad.

Generaloberst Jeremenko hat alle verfügbaren Kräfte an diese günstige und entscheidende Verteidigungsstellung geworfen. Panzereinheiten der 1. sowjetischen Panzerarmee, die Regimenter der 64. sowjetischen Armee, Miliztruppen und Arbeiterwehren verteidigen die tiefgestaffelte, verdrahtete und mit Holz- und Erdbefestigungen ausgebaute Hügelkette. Fünfzehn Kilometer sind es noch bis Krasnoarmeisk am Wolgaknie.

Die Kompanien der 24. Panzerdivision greifen immer wieder an. Aber diesmal glückt es nicht. Oberst Riebel, der Kommandeur des Panzerregiments 24, langjähriger Adjutant Guderians, fällt. Auch der Kommandeur des Panzergrenadierregiments 21, Oberst von Lengerke, wird bei einem Vorstoß an die Bahn nach Krasnoarmeisk tödlich getroffen. Bataillonskommandeure, Kompaniechefs, die alten erfahrenen Wachtmeister fallen im höllischen Abwehrfeuer der Sowjets.

Da gebietet Hoth Halt. Der kühle Stratege ist kein Vabanquespieler. Er begreift: Hier reichen meine Angriffskräfte nicht aus.

Auf seinem Gefechtsstand Plotowitoje sitzt Hoth über die Karte gebeugt. Sein Chef des Stabes, Oberst i. G. Fangohr, zeichnet die letzten Lagemeldungen ein. Hoth hatte noch vor zwei Stunden General Kempf in dessen Korpsgefechtsstand besucht, war mit ihm zu General Ritter von Hauenschild gefahren und hatte sich über die Situation vor der 24. Panzerdivision berichten lassen. Er war auch drüben am Bahnhof Tinguta bei Generalmajor Heim gewesen. In einer Balka, einer jener typischen, tief eingeschnittenen Schluchten Südrußlands, hatte Heim die schwere Lage vor der 14. Panzerdivision erläutert. Auch bei ihm ging es nicht mehr vorwärts.

»Wir müssen die Sache anders anpacken, Fangohr«, sinniert Hoth. »Vor den verfluchten Höhen verbluten wir uns, das ist kein Kampffeld für Panzerverbände. Wir müssen umgruppieren, den Angriff an einer ganz anderen, weit entfernten Stelle ansetzen. Passen Sie auf . . .«

Und der Generaloberst entwickelt seinen Plan. Fangohr zeichnet eifrig auf der Karte, vergleicht die Aufklärungsmeldungen, mißt Entfernungen. »Das geht«, sagt er immer wieder leise. Aber so ganz behagt ihm Hoths Plan nicht, weil man wieder Zeit verlieren würde für die Umgruppierung. Und weil man viel Sprit brauchen würde für die Fahrerei. Und Sprit ist nicht da. Und schließlich, weil diese »verfluchten Höhen« vor Krasnoarmeisk und Beketowka so oder so doch bezwungen werden müssen, denn sie beherrschen die ganze Südstadt und ihre Zugänge – dieselben Argumente, die auch General Kempf gegen eine Umgruppierung vorbrachte. Aber dann ließen sich Fangohr und Kempf doch von ihrem OB überzeugen.

Hoth rief die Heeresgruppe an. Eine halbe Stunde lang sprach er mit Weichs. Der war einverstanden und sagte auch gleich seinen Besuch an, um die operativen Probleme, insbesondere auch die Spritversorgung zu besprechen.

Und dann ging es los: Ordonnanzen jagten mit Befehlen davon. Der Telefondraht wurde nicht kalt. Jeder Mann im Stab war in Trab: Umgruppierung.

Unbemerkt vom Feind zog Hoth in Nachtmärschen seine Panzer- und mot.-Verbände aus der Front und ersetzte sie durch Infanteristen der sächsischen 94. Division. In einer kühnen Rochade, wie auf See, zog er in zwei Nächten die schnellen Verbände hinter dem IV. Korps vorbei, versammelte sie fünfzig Kilometer hinter der Front im Raum um Abganerowo und formierte sie zu einem breiten Angriffskeil.

Diese Armada ließ er nun am 29. August zur vollständigen Überraschung des Feindes nach Norden in die Flanke der 64. sowjetischen Armee stoßen: Statt sich über die schwer befestigten, mit Panzern und Artillerie gespickten Höhen von Beketowka und Krasnoarmeisk frontal ans Wolgaknie zu kämpfen, wollte er diese Stellungen und Feindmassierungen hart westlich Stalingrad umgehen, dann eindrehen, das ganze Höhengelände im Süden der Stadt umfassend angreifen und dabei gleichzeitig den linken Flügel der 64. Armee mit einkassieren.

Die Sache geht verblüffend gut an. Zusammen mit der stürmenden Infanterie des IV. Korps durchbrechen die schnellen Verbände am 30. August den inneren Befestigungsgürtel von Stalingrad bei Gawrilowka, überrollen die rückwärtigen sowjetischen Artilleriestellungen, und am Abend des 31. August steht Hauenschild mit seiner 24. Panzerdivision bereits an der Bahnlinie Stalingrad–Karpowka: ein zwanzig Kilometer tiefer, unerwarteter Einbruch.

Das verändert das ganze Bild. Eine große Chance bietet sich an. Nicht mehr im Hinblick auf die Überwindung der Höhen von Beketowka und Krasnoarmeisk, nein, die Einkesselung der beiden westlich Stalingrad stehenden Sowjetarmeen, der 62. und der 64., ist plötzlich greifbar nahe, wenn die 6. Armee jetzt ihrerseits auch mit schnellen Kräften südwärts stößt, Hoth entgegen, um die Falle zu schließen. Hoths kühne Operation hat die Möglichkeit zur Vernichtung der Stalingrad deckenden beiden Feindarmeen geschaffen.

Die Führung der Heeresgruppe erkannte diese Chance sofort. In einem Funkbefehl an General Paulus vom 30. August mittags heißt es: »Nachdem 4. Panzerarmee heute zehn Uhr Brückenkopf bei Gawrilowka gewonnen, kommt alles darauf an, daß 6. Armee trotz der äußerst gespannten Abwehrlage unter Zusammenfassung möglichst starker Kräfte . . . in allgemein südlicher Richtung angreift, . . . um westlich Stalingrad stehende Feindkräfte im Zusammenwirken mit 4. Panzerarmee zu vernichten. Entscheidung erfordert rücksichtslose Entblößung Nebenfronten.«

Als am 31. August in der Heeresgruppe auch noch der tiefe Durchbruch der 24. Panzerdivision westlich Woroponowo bekannt wurde, gab Weichs am 1. September noch mal an Paulus einen detaillierten und wohl auch mahnend gemeinten Befehl. Ziffer 1 lautete: »Durch entscheidenden Erfolg 4. Panzerarmee am 31. 8. ergibt sich die Möglichkeit, im Angriff den südlich und westlich der Bahn Stalingrad–Woroponowo–Gumrak stehenden Feind vernichtend zu schlagen. Es kommt darauf an, bald Verbindung zwischen beiden Armeen herzustellen und sodann in den Stadtkern einzubrechen.«

Die 4. Panzerarmee reagierte blitzschnell: General Kempf führte noch am 1. September die 14. Panzerdivision und die 29. Infanteriedivision (mot.) unter wirklich rücksichtsloser Entblößung ihrer bisherigen Abschnitte der 24. Panzerdivision nach, Richtung Pitomnik.

Aber die 6. Armee kam nicht. General Paulus sah sich zunächst außerstande, angesichts der starken sowjetischen Angriffe gegen seine Nordfront schnelle Kräfte für den Stoß nach Süden frei zu machen. Er hielt es für unmöglich, mit Panzerjägern, wenigen Panzern und Sturmgeschützen, selbst bei Unterstützung durch die Schlachtflieger des VIII. Fliegerkorps, den Nordriegel erfolgreich halten zu können und eine aus den fünf Panzerabteilungen des XIV. Panzerkorps zu bildende Panzergruppe für einen Stoß nach Süden abzuzweigen. Er befürchtete, daß dann die Nordfront zusammenbrechen würde.

Vielleicht hatte er recht. Vielleicht wäre ein anderer Entschluß Vabanque gewesen. Aber auf alle Fälle wurde die große Chance verpaßt. Vierundzwanzig Stunden später, am 2. September morgens, stellt die Gefechtsaufklärung der 24. Panzerdivision fest, daß kein Feind mehr vor der Front war. Der Russe war aus der südlichen Verteidigungsstellung ausgewichen, so wie er am selben Tage auch vor dem Korps Seydlitz im westlichen Abschnitt seine Verteidigungsstellung geräumt hatte. Was hatte die Russen zu dieser überraschenden Aktion veranlaßt?

General Tschuikow, der stellvertretende Oberbefehlshaber der 64. Armee, hatte an der Front die bedrohliche Lage erkannt, die durch Hoths Vorstoß entstanden war. Er alarmierte Generaloberst Jeremenko. Der begriff nicht nur die Gefahr, sondern handelte blitzschnell, ganz im Gegensatz zu der Schwerfälligkeit russischer Kommandobehörden früherer Zeiten in solchen Situationen. Jeremenko faßte den schweren, gefährlichen, aber einzig richtigen Entschluß, den gut ausgebauten inneren Befestigungsgürtel aufzugeben. Er opferte Bunker, Drahtverhaue, Panzersperren und Schützengräben, um seine Divisionen vor der drohenden Einkesselung zu retten, und setzte sich mit beiden Armeen auf eine neue improvisierte Verteidigungslinie dicht vor dem Stadtrand ab.

Dieses Beispiel zeigt, wie konsequent sich die sowjetische Führung zu der seit dem Frühsommer beschlossenen neuen Taktik des STAWKA bekannte: Unter keinen Umständen größere Verbände mehr einkesseln zu lassen. Um dieses neue Prinzips willen nahm man die Gefahr eines Verlustes der Stadt Stalingrad in Kauf.

Als sich General Paulus am 2. September nachmittags nun doch endlich entschloß, mit schnellen Kräften des XIV. Panzerkorps nach Süden anzutreten, und als schließlich die Infanteristen des Korps Seydlitz am 3. September den Panzerspitzen Hoths die Hand reichen konnten, war zwar der am 30. August von der Heeresgruppe ersehnte und erzielte Kessel geschlossen, aber der Feind heraus. Achtundvierzig Stunden Verspätung!

Die Heeresgruppe gab nun den Befehl an Paulus und Hoth, die Lage jetzt auszunutzen und schnellstens in die Stadt einzudringen.

3

Der Stoß in die Stadt

General Lopatin will Stalingrad aufgeben – General Tschuikow wird von Chruschtschow eingeschworen – Die Regimenter der 71. Infanteriedivision stürmen Stalingrad Mitte – Grenadiere der 24. Panzerdivision am Hauptbahnhof – Tschuikows letzte Brigade – Es geht um zehn Stunden – Rodimzews Garde

Mitten durch Stalingrad fließt die Zariza. Ihre tiefe Schlucht teilt die Stadt in eine Nord- und Südhälfte. Die Zariza behielt ihren Namen, als aus Zarizyn Stalingrad wurde, und sie hat ihn auch heute noch, da aus Stalingrad wieder Wolgograd geworden ist. 1942 war die berühmt-berüchtigte Schlucht die Nahtstelle, die Grenze zwischen den Armeen Hoth und Paulus. An ihr entlang sollten die inneren Flügel der beiden Armeen schnell durch die Stadt bis zur Wolga vordringen. Vieles schien dafür zu sprechen, daß der Feind nur noch mit Nachhuten kämpfen und die Stadt selbst preisgeben würde.

In Marschall Tschuikows Memoiren kann man nachlesen, wie katastrophal die Lage bei den beiden sowjetischen Stalingrad-Armeen nach der Preisgabe des Vorfeldes der Festung war. Selbst erfahrene Armeeführer gaben nicht mehr viel für Stalingrad. General Lopatin, der Oberbefehlshaber der 62. Armee, war der Meinung, die Stadt sei nicht mehr zu halten. Er beschloß, Stalingrad preiszugeben. Als er diesen Entschluß in die Tat umsetzen wollte, verweigerte der Chef des Stabes, General Krylenko, seine Zustimmung, alarmierte Chruschtschow und Jeremenko, worauf Lopatin abgesetzt wurde.

Warum er zu seinem Entschluß kam, wird verständlich, wenn man bei Tschuikow liest, wie es vor Stalingrad aussah. Er schreibt: »Es war bitter, diese letzten Kilometer und Meter Boden vor Stalingrad aufzugeben und die Überlegenheit des Gegners an Kräften und militärischem Können und seine Initiative ansehen zu müssen.«

Der Marschall erlebte und schildert, wie die Mechaniker der Sowchosen, in denen die Stäbe der 64. Armee lagen, sich heimlich davonmachten – hinüber zu den Deutschen. »Die Straßen nach Stalingrad und zur Wolga waren verstopft. Familien von Kolchosbauern und Sowchosearbeitern waren mit ihrer gesamten Viehwirtschaft unterwegs. Alle strebten den Wolga-Übergängen zu, trieben das Vieh vor sich her, schleppten Inventar auf dem Rücken. Stalingrad brannte. Gerüchte, daß die Deutschen schon in der Stadt seien, verbreiteten Panik.«

So sah es aus. Aber Stalin war nicht gewillt, seine Stadt, 445 000 Einwohner, ohne erbitterten Kampf aufzugeben. Und er hatte einen seiner bewährtesten Gefolgsleute und glühendsten Bolschewiki als politischen Kriegsrat an die Front geschickt, um die Armeen und die Zivilbevölkerung zum Endkampf zu mobilisieren: Nikita S. Chruschtschow. Er machte den Opfertod für Stalins Stadt zur Ehrensache jedes Kommunisten.

Die dreibändige dokumentarische Veröffentlichung von Generalleutnant Platanow über die Geschichte des Zweiten Weltkriegs gibt einige Zahlen für diese Tatsache:

50 000 freiwillige Zivilisten wurden in die »Volkswehr« eingereiht.

75 000 Einwohner wurden der 62. Armee zugeteilt.

3000 junge Mädchen wurden als Krankenschwestern und Nachrichtenhelferinnen eingezogen.

7000 dreizehn- bis sechzehnjährige Angehörige der kommunistischen Jugendorganisation »Komsomol« wurden bewaffnet und in die kämpfende Truppe gesteckt.

Jedermann wurde Soldat. Die Arbeiter wurden mit ihren produzierten Waffen aus der Fabrik aufs Schlachtfeld beordert. Die Kanonen der Geschützfabrik »Rote Brigade« gingen nach Fertigstellung aus der Werkhalle sofort auf dem Fabrikgelände in Stellung und feuerten. Ihre Kanoniere waren die Arbeiter.

Am 12. September holten sich Jeremenko und Chruschtschow den General Tschuikow als Befehlshaber der 62. Armee, die nach Lopatins Absetzung der Chef des Stabes, Krylenko, geführt hatte, und übertrugen ihm die Verteidigung der Wolgafestung. Die Wahl war glänzend. Es war der beste verfügbare Mann: hart, ehrgeizig, strategisch begabt, persönlich tapfer und ungeheuer zäh. Er hatte die Katastrophen der Roten Armee im Jahre 1941 nicht mitgemacht, weil er damals noch im Fernen Osten gewesen war. Er war unverbraucht, die schrecklichen Mißerfolge steckten ihm nicht in den Knochen wie so vielen seiner Kameraden.

Am 12. September Punkt 10 Uhr meldete sich Tschuikow bei Chruschtschow und Jeremenko im Heeresgruppen-Hauptquartier Jamy, einem kleinen Nest am jenseitigen linken Wolga-Ufer. Interessanterweise führte Chruschtschow das Gespräch, nicht der militärische Oberbefehlshaber Jeremenko.

Nach Tschuikows Aufzeichnungen sagte Chruschtschow: »Der bisherige Oberbefehlshaber der 62. Armee, General Lopatin, ist der Meinung, seine Armee könne Stalingrad nicht halten. Aber es gibt kein Zurück mehr. Er wurde deshalb seines Postens enthoben. Im Einverständnis mit dem Obersten Befehlshaber fordert der Kriegsrat der Front Sie, Genosse Tschuikow, auf, den Oberbefehl über die 62. Armee zu übernehmen. Wie fassen Sie Ihre Aufgabe auf?

»Die Frage kam mir unerwartet«, schreibt Tschuikow, »doch mir blieb keine Zeit, lange zu überlegen. So sagte ich: ›Die Preisgabe Stalingrads würde die Moral unseres Volkes zerstören. Ich schwöre, die Stadt nicht zu verlassen. Wir werden Stalingrad halten oder dort sterben.‹ N. S. Chruschtschow und A. I. Jeremenko sahen mich an und sagten, ich hätte meine Aufgabe richtig verstanden.«

Zehn Stunden später rollte der Angriff des Korps Seydlitz gegen Stalingrad Mitte. Tschuikows Armeegefechtsstand auf Höhe Punkt 102 wurde zerbombt, und der General mußte mit Stab, Koch und Serviererin in einen Unterstand in der Zarizaschlucht, dicht an der Wolga, ausweichen.

Am nächsten Tag, am 14. September, waren General von Hartmanns Männer der 71. Infanteriedivision bereits in der Stadt. In einem überraschenden Stoß schlugen sie sich bis zur Stadtmitte durch und erkämpften sich sogar einen schmalen Korridor bis ans Wolga-Ufer.

Um die gleiche Stunde stürmten die Panzergrenadiere der 24. Panzerdivision südlich der Zarizaschlucht durch die Straßen der Altstadt, das alte Zarizyn, nahmen den Hauptbahnhof und erreichten am 16. September mit der Abteilung von Heyden gleichfalls die Wolga. Zwischen Beketowka und Stalingrad aber, im Vorort Kuporosnoje, standen bereits seit dem 10. September Teile der 14. Panzerdivision und der 29. Infanteriedivision (mot.) und sperrten Stadt und Fluß nach Süden. Nur im Nordteil der Stadt krallte sich Tschuikow noch fest. »Es gilt Zeit zu gewinnen«, sagte er seinen Kommandeuren. »Zeit, um Reserven heranzuholen, Zeit, um die Deutschen abzunutzen.«

»Zeit ist Blut«, so wandelte er eiskalt den amerikanischen Wahlspruch »Zeit ist Geld« ab. Zeit ist Blut. Das stand von nun ab über Stalingrad.

Tschuikows Koch Glinka atmete auf, als er seinen Küchenraum im neuen Gefechtsstand erreicht hatte. Zehn Meter gewachsene Erde hatte er nun über sich. Selig seufzte er zur Serviererin des Generals: »Tasja, mein Täubchen, hier werden uns keine Granatsplitter in die Kohlsuppe prasseln. Durch diese Decke geht keine Granate.« »Doch«, antwortete Tasja, »eine 1000-Kilo-Bombe, hat der General gesagt, die geht durch.« »1000 Kilo, gibt es die oft?« fragte der Koch sorgenvoll.

Tasja tröstete ihn: »Es müßte ein ungeheurer Zufall sein, denn sie müßte genau auf unseren Bunker fallen – hat der General gesagt.«

Das Grummeln der Front tönte wie aus ganz weiter Ferne in das stille Verlies des großen Gewölbes. Decke und Wände waren säuberlich mit Brettern verschalt. Dutzende von Verschlägen gab es für die Sachbearbeiter des Armeestabes. Mittendrin der große Raum für den General und seinen Chef des Stabes. Der eine Ausgang dieses sogenannten Zarizyner Unterstandes, der schon im Sommer als Stabsquartier für die Heeresgruppe gebaut worden war, führte in die Zarizaschlucht, dicht am Steilufer der Wolga, der andere mündete in die Puschkinstraße.

An der Bretterverschalung von Tschuikows Arbeitsraum hing ein gezeichneter, drei Meter hoher und zwei Meter breiter Stadtplan von Stalingrad: die Generalstabskarte der Schlacht. Es ging nicht mehr um Fronten im Hinterland. Der Maßstab war nicht mehr der Kilometer, sondern der Meter: Es ging um Straßenecken, Häuserblocks, einzelne Gebäude.

Der Chef des Stabes, General Krylow, zeichnet die neuesten Meldungen ein: die deutschen Angriffe blau, die russischen Abwehrstellungen rot. Immer dichter rücken die blauen Pfeile auf den Gefechtsstand zu.

»Die deutschen Bataillone greifen gegen den Mamai Kurgan und den Hauptbahnhof an. Sie werden von Panzern unterstützt. Eine Panzerdivision kämpft vor dem Südbahnhof«, referiert Krylow.

Es waren Bataillone der 71. und 295. Infanteriedivision und Panzerregimenter der 22. und 24. Panzerdivision, die an den genannten Positionen kämpften.

Tschuikow starrt auf den Stadtplan. »Was ist aus unseren Gegenstößen geworden?«

»Sie sind liegengeblieben. Seit Tagesanbruch sind die deutschen Flieger wieder über der Stadt. Sie nageln alles an den Boden.«

Ein Melder bringt eine Lageskizze vom Kommandeur der 42. Schützenbrigade, Oberst Batrakow. Krylow greift zum Stift, zieht einen Halbkreis um den Gefechtsstand. »Die Front ist noch 800 Meter von uns entfernt, Genosse Oberbefehlshaber«, meldet er betont dienstlich.

800 Meter. Es war mittags um 12 Uhr, am 14. September. Tschuikow wußte, worauf Krylow hinaus wollte. Sie hatten als letzte Reserve noch eine Panzerbrigade mit neunzehn T 34. Sollte man sie einsetzen?

»Wie steht es am linken Flügel der Südstadt?« fragte Tschuikow.

Krylow zieht den blauen Angriffspfeil der deutschen 29. Infanteriedivision (mot.) über Kuporosnoje hinaus. Die Vorstadt ist gefallen. General Fremereys Thüringer stoßen weiter vor, Richtung Getreidesilo. Die Sägewerke und die Konservenfabrik liegen bereits innerhalb der deutschen

Linien. Nur noch von der südlichen Anlegestelle der Fähre bis zum hohen Getreidesilo zieht sich eine sowjetische Abwehrlinie.

Tschuikow greift zum Telefon und ruft die Heeresgruppe an. Er schildert Jeremenko die Lage. Der beschwört ihn: »Halten Sie mit allen Mitteln den Zentralhafen mit der Anlegestelle. Das Oberkommando schickt Ihnen die 13. Gardeschützendivision. Sie ist 10 000 Mann stark, ein Eliteverband. Halten Sie noch vierundzwanzig Stunden den Brückenkopf offen und versuchen Sie auch, in der Südstadt die Anlegestelle der Fähre zu verteidigen.«

Tschuikow steht der Schweiß auf der Stirn. Die Luft im Stollen ist stickig. »Los, Krylow, kratzen Sie alles zusammen, machen Sie die Stabsoffiziere zu Kampfgruppenkommandeuren. Wir müssen für Rodimzews Garde den Übergang offenhalten.«

Die letzte Brigade mit ihren insgesamt noch neunzehn Panzern wird in den Kampf geworfen: ein Bataillon vor den Gefechtsstand, von dem aus auch der Hauptbahnhof und der Zentralhafen gedeckt werden, ein zweites in die Linie Getreidesilo–südliche Anlegestelle.

Um 14 Uhr erscheint Generalmajor Rodimzew, »Held der Sowjetunion«, legendärer Truppenführer, verdreckt, blutend: Deutsche Jabos haben ihn gejagt. Er meldet, daß seine Division am anderen Ufer steht und bei Nacht über die Wolga gehen soll. Stirnrunzelnd schaut er auf die blauen und roten Linien auf dem Stadtplan.

Um 16 Uhr telefoniert Tschuikow erneut mit Jeremenko. Es sind noch fünf Stunden bis zum Einbruch der Dunkelheit. In seinen Memoiren schreibt er, was ihn in diesen fünf Stunden bewegte:

»Werden sich unsere zersplitterten und zerschlagenen Truppenteile und Einheiten im Mittelabschnitt noch zehn oder zwölf Stunden halten können? Das ist jetzt meine größte Sorge. Wenn die Soldaten und Kommandeure dieser fast übermenschlichen Aufgabe nicht gewachsen sind, kann die 13. Gardeschützendivision nicht übersetzen und nur noch Zeuge einer bitteren Tragödie werden.«

Kurz vor Einbruch der Dämmerung erscheint Major Chopka, der Kommandeur der im Hafengebiet eingesetzten letzten Reserven. Er meldet:

»Ein einziger T 34 ist noch feuerbereit, aber fahren kann er nicht mehr. Die Brigade zählt noch hundert Mann.«

Tschuikow schaut ihn an: »Sammeln Sie Ihre Leute um den Panzer, und halten Sie den Zugang zum Hafen. Wenn Sie ihn nicht halten, lasse ich Sie erschießen.«

Chopka fiel. Die Hälfte seiner Leute fiel. Aber der Rest hielt.

Endlich kam die Nacht. Alle Offiziere des Stabes waren im Hafen. So, wie die Kompanien von Rodimzews Gardedivision über die Wolga kam, wurden sie an die wichtigsten Verteidigungspunkte geworfen, um den Sturm der deutschen 71. Infanteriedivision zu stoppen und die 295. Infanteriedivision am Mamai Kurgan, der beherrschenden Höhe 102, festzuhalten. Es waren entscheidende Stunden: Rodimzews Garde verhinderte, daß Stalingrad Mitte von den Deutschen am 15. September im Angriff aus der Bewegung genommen wurde. Ihr Opfer rettete Stalingrad.

Vierundzwanzig Stunden später war die 13. Gardeschützendivision zusammengeschlagen, von Stukas zerbombt, von Granaten und sMG hingerafft.

Auch in der Südstadt kämpfte eine Gardedivision, die 35. unter Oberst Dubjanski. Ihre Reservebataillone wurden vom linken Ufer mit der Fähre über die Süd-Anlegestelle gegen die Spitzen der 29. Infanteriedivision (mot.) geworfen, um die Linie zwischen Getreidesilo und Fährstelle zu halten.

Doch die Stukas hämmerten auf die Bataillone ein und in der Zange aus 94. und 29. Infanteriedivision wurden sie aufgerieben.

In dem mit Weizen gefüllten Getreidesilo allerdings wurde noch heftig gekämpft; in dem riesigen Betonklotz, stark wie ein Fort, wurde um jedes Stockwerk gerungen. Hier fochten die Stoßtrupps und Pioniere des Infanterieregiments 71 gegen die Reste der 35. Gardeschützen im Qualm und Gestank des glimmenden Weizens.

Am Morgen des 16. September sah es auf Tschuikows Seite wieder böse aus. Die 24. Panzerdivision hatte den Südbahnhof erobert, drehte nach Westen und zerschlug die Verteidigung am Stadtrand und auf der Kasernenhöhe. Am Mamai Kurgan und am Hauptbahnhof wurde blutig gekämpft.

Tschuikow rief das Mitglied des Kriegsrates der Heeresgruppe, Nikita Sergejewitsch Chruschtschow, an: »Noch ein paar Tage solcher Kämpfe, und die Armee ist aufgerieben. Wir haben wiederum keine Reserven mehr. Ich brauche unbedingt zwei bis drei frische Divisionen.«

Chruschtschow mobilisierte Stalin. Der gab zwei vollausgerüstete Eliteverbände aus seiner persönlichen Reserve her: eine Marineinfanteriebrigade mit harten Eismeermatrosen und eine Panzerbrigade. Die Panzerbrigade wurde im Stadtkern rund um den Haupthafen eingesetzt, um das Nachschubzentrum der Front zu halten. Die Marineinfanteristen wurden in die Südstadt geworfen. Beide Verbände bewahrten die Front am 17. September vor dem Einsturz.

Am selben Tage übertrug das deutsche Oberkommando der 6. Armee die Befehlsgewalt über alle an der Stalingrader Front kämpfenden deutschen

Verbände. So kam noch das XXXXVIII. Panzerkorps von der 4. Panzerarmee Hoths unter den Befehl von General Paulus. Hitler drängte: »Es muß Schluß gemacht werden, die Stadt muß endgültig fallen.«

Warum es nicht geschah, obwohl die deutschen Panzerschützen, Grenadiere, Pioniere, Panzerjäger und Flaksoldaten verbissen Haus um Haus angingen, erklärt ein einziger Tatbestand: Tschuikow erhielt dank des verbissenen Kampfes Chruschtschows um die letzten Reserven der Roten Armee vom 15. September bis zum 3. Oktober eine Division nach der anderen, im ganzen sechs – sechs frische und verhältnismäßig gut ausgerüstete Infanteriedivisionen, darunter zwei Gardedivisionen. Alle diese Kräfte wurden in die Häuserruinen von Stalingrad Mitte und die zu Festungen ausgebauten Fabrikanlagen und Werkhallen von Stalingrad Nord geworfen.

Der deutsche Angriff auf die Stadt wurde in der ersten Phase mit sieben Divisionen geführt, Verbände, die durch die wochenlangen Schlachten zwischen Don und Wolga geschwächt waren. Mehr als zehn deutsche Divisionen waren im Kampf um die Stadt nie gleichzeitig eingesetzt.

Freilich, auch die einst so kraftvolle sibirische 62. Armee war in der ersten Phase des Kampfes nicht mehr sehr stark. Verlustreiche Kämpfe und Rückzüge hatten an ihrer physischen und moralischen Kraft gezehrt. Sie hatte Anfang September auf dem Papier zwar noch fünf Divisionen, fünf Panzer- und vier Schützenbrigaden, also rund neun Divisionen. Das klingt viel, aber die 38. mechanisierte Brigade zum Beispiel hatte nur noch ganze 600 Mann und die 244. Schützendivision noch 1500, das heißt die Kampfkraft eines Regiments.

Kein Wunder, daß General Lopatin der Meinung war, mit dieser Armee Stalingrad nicht verteidigen zu können, und vorschlug, es aufzugeben und hinter die Wolga zu gehen. Aber die Entschlossenheit vermag viel, und die Fortune, die sich dem tüchtigen Feldherrn gern verbündet, hat schon manche Schlacht entschieden.

Am 1. Oktober hatte Tschuikow elf Divisionen und neun Brigaden, also rund gerechnet fünfzehneinhalb Divisionen. Die Arbeiterwehren und Milizverbände sind darin nicht enthalten.

Überlegen waren die Deutschen allerdings in der Luft: General Fiebigs VIII. Fliegerkorps flog im Schnitt tausend Einsätze am Tag. Tschuikow betont immer wieder die verheerende Wirkung der deutschen Stukas und Jagdbomber auf die Verteidiger. Bereitstellungen zu Gegenstößen wurden zerschlagen, Barrikaden zerschossen, Nachrichtenverbindungen zerstört, Führungsstäbe in den Boden gestampft.

Dabei zeigte sich später allerdings eine überraschende Erkenntnis: Die von Stukabomben und Artillerie zu undurchdringlichen Trümmern zerschlagenen Fabrikhallen boten den Verteidigern mehr Vorteile, als sie den deutschen Angreifern nutzten. Die Infanterie war zu schwach, die letzten Widerstände zu brechen. Und es fehlten nicht nur Infanteristen, sondern es wurden auch Handgranaten und Granatwerfer-Munitionen knapp.

Zwar konnte die 6. Armee nach Beruhigung der Lage am Don dort zum Beispiel die 305. Infanteriedivision herausziehen und durch sie eine der abgekämpften Divisionen des LI. Armeekorps ablösen lassen. Aber General Paulus bekam keine einzige frische Division. Außer fünf Pionierbataillonen, die herbeigeflogen wurden, erhielt er für seine ausgebluteten Regimenter Ersatz nur aus dem Armeebereich. Das deutsche Oberkommando hatte im Herbst 1942 an der gesamten Ostfront keine Reserven mehr. Bei allen Heeresgruppen von Leningrad bis in den Kaukasus waren ernste Krisenlagen entstanden.

Im Norden mußte Feldmarschall von Manstein mit der Masse seiner ehemaligen Krim-Divisionen zum Gegenangriff gegen tief in die deutsche Front eingebrochene sowjetische Kräfte antreten und sich nach harten Abwehrkämpfen der Heeresgruppe Nord am Wolchow bis zum 2. Oktober in der ersten Ladogaschlacht Luft machen.

Im Raum Sytschewka–Rschew konnte Generaloberst Model nur mit Mühe und unter Aufbietung aller Kräfte russische Durchbruchsversuche abwehren und mußte sich mit drei Sowjetarmeen herumschlagen.

Auch im Zentrum und am Südflügel der Mittelfront brauchte Feldmarschall von Kluge jede Hand, um den Durchbruch auf Smolensk zu verhindern.

Auf den Pässen des Kaukasus und am Terek schließlich standen die Armeen der Heeresgruppe A im verzweifelten Wettlauf mit dem drohenden Winter.

In Frankreich, Belgien und Holland hingegen lagen genug Divisionen. Sie lagen im Skat. Hier machte Hitler, der die Russen unterschätzte, den Fehler, die westlichen Alliierten zu überschätzen. Er fürchtete bereits damals, im Herbst 1942, die alliierte Invasion. Die Geheimdienste der Amerikaner, Briten und Sowjets förderten diese Furcht durch geschickte Zweckmeldungen über die zweite Front. Neunundzwanzig Divisionen, wie zum Beispiel die glänzend ausgerüstete »Leibstandarte« und die 6. und 7. Panzerdivision, band dieses geschickt in die Welt gesetzte Gespenst einer Invasion, die erst zwanzig Monate später Wirklichkeit wurde. Neunundzwanzig Divisionen. Ein Viertel davon hätte an der Stalingrad-Kaukasus-Front eine Wende bringen können.

4

Die letzte Front am Steilufer

Tschuikows Flucht aus dem Zarizyner Stollen – Die Südstadt in deutscher Hand – Das Steilufer – Der Getreidesilo – Die Brotfabrik – Der »Tennisschläger« – Neun Zehntel der Stadt in deutscher Hand

In der Nacht vom 17. zum 18. September mußte Tschuikow auch seinen bombensicheren Zarizyner Unterstand räumen. Es war schon eher eine Flucht; denn Grenadiere der niedersächsischen 71. Infanteriedivision, die das Kleeblatt als taktisches Zeichen führte, standen gegen Mittag plötzlich vor dem Eingang Puschkinstraße. Tschuikows Stabsoffiziere mußten zur MPi greifen. Schnell füllten sich die Stollen mit Verwundeten und Versprengten. Kraftfahrer, Melder, Offiziere schmuggelten sich unter irgendeinem Vorwand durch die Wachen in den sicheren Bunker, »um dringende Angelegenheiten zu besprechen«. Da die Stollenanlage keine Ventilation hatte, waren die Unterstände bald von Gestank und Qualm und Hitze erfüllt. Es gab nur noch eins: »Raus!«

Die Stabswache deckte den Rückzug durch den zweiten Ausgang zur Zarizaschlucht. Aber auch dort streiften bereits überall deutsche Stoßtrupps von Major Fredebolds Infanterieregiment 191 herum. Bei Nacht und Nebel pirschte sich Tschuikow mit den wichtigsten Papieren und der Lagekarte zum Wolga-Ufer und setzte zusammen mit Krylow in einem Boot aufs andere Ufer über.

Von dort wechselte er mit einem der gepanzerten Kutter wieder zur oberen Anlegestelle der Nordstadt und bezog hier, hinter der Geschützfabrik »Rote Barrikade«, einen Gefechtsstand im Steilufer der Wolga: ein paar Erdhöhlen, die in die 200 Meter hohe Uferwand gesprengt waren und im Feuerschatten der deutschen Artillerie lagen. Gut getarnte Laufgräben in der Steilwand verbanden die Unterstände.

Die Küche Glinkas wurde im Prüfschacht der Abflußleitung des Werkes »Rote Barrikade« untergebracht. Serviererin Tasja mußte mit wahrer Akrobatik die Kochgeschirre und Töpfe über die Eisenleiter des Schachtes ans Tageslicht schleppen und dann über eine Fußgängerbrücke am Steilhang hinüber in den Erdbunker des Oberbefehlshabers balancieren.

Freilich, die Verpflegungsstärke des Stabes war bedeutend kleiner geworden. Verschiedene hohe Offiziere, darunter die Stellvertreter Tschuikows für

Artillerie- und Pioniertruppen, für Panzer und mechanisierte Truppen, hatten sich während des Stellungswechsels verdrückt und waren am linken Wolga-Ufer geblieben. »Wir weinten ihnen keine Träne nach«, schreibt Tschuikow, »ohne sie war die Luft reiner.«

Der Szenenwechsel, den der Oberbefehlshaber von Stalingrad vornehmen mußte, war symbolisch, nicht nur im Hinblick auf die Moral: Der Schwerpunkt des Kampfes verlagerte sich nach Norden, die Süd- und Zentralstadt waren nicht mehr zu halten.

Am 22. September begann in der Südstadt der letzte Akt. Stoßtrupps der 29. Infanteriedivision (mot.) stürmten zusammen mit Grenadieren der 94. Infanteriedivision und der 14. Panzerdivision den rauchgeschwärzten Getreidesilo. Als Pioniere die Zugänge aufsprengten, taumelte eine Handvoll Marineinfanteristen eines Maschinengewehrzuges unter Sergeant Andrej Chosjainow in die Gefangenschaft. Die letzten Überlebenden.

Auch die südliche Anlegestelle der Wolgafähre wurde besetzt. Die Grenadiere der sächsischen 94. Infanteriedivision Generalleutnant Pfeiffers, die die Meißener Schwerter im Divisionszeichen führte, übernahmen die Ufersicherung an der Wolga am Südrand der Stadt.

In Stalingrad Mitte, im Stadtkern, brach die sowjetische Verteidigung gleichfalls zusammen. Nur ein paar Widerstandsnester hielten sich noch in den Trümmern des Hauptbahnhofs und an der Anlegestelle der großen Dampffähre im Zentralhafen.

Am 27. September konnte man nach üblicher Beurteilung eines Stadtkampfes davon sprechen, daß Stalingrad überwältigt war. Die 71. Infanteriedivision zum Beispiel hatte in der gesamten Divisionsbreite die Wolga erreicht: Infanterieregiment 211 südlich der Mininaschlucht, Infanterieregiment 191 zwischen Minina- und Zarizaschlucht, Infanterieregiment 194 nördlich davon.

Der Kampf ging jetzt nur noch um die nördlichen Arbeitersiedlungen und um die Industriewerke der Stadt. Namen, die nicht nur in die Kriegsgeschichte eingegangen sind: Geschützfabrik »Rote Barrikade«, Hüttenwerk »Roter Oktober«, Traktorenwerk »Dserschinski«, chemische Fabrik »Lazur« mit dem berüchtigten »Tennisschläger«, wie die Eisenbahnanlage der Fabrik wegen ihrer Form genannt wurde – die »Forts« der Industriestadt Stalingrad.

Die Kämpfe um den Nordteil von Stalingrad sind an Kampfentschlossenheit, Feuerkonzentration und Menscheneinsatz auf kleinstem Raum nur vergleichbar mit den Materialschlachten des Ersten Weltkrieges, ins-

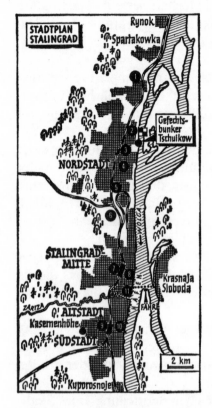

Karte 11: 1 Traktorenwerk, 2 Geschützfabrik »Rote Barrikade«, 3 Brotfabrik, 4 Hütten- oder Metallurgisches Werk »Roter Oktober«, 5 Chemische Fabrik Lazur mit »Tennisschläger«, 6 Hügel »Mamai Kurgan«, 7 Hauptbahnhof, 8 Kaufhaus und »Roter Platz«, 9 Südbahnhof, 10 Silo, 11 Tschuikows Zariza-Unterstand.

besondere aber mit der Schlacht um Verdun, wo 1916 in sechs Monaten über eine halbe Million deutsche und französische Soldaten gefallen sind.

Die Schlacht in Stalingrad Nord war Nahkampf. Der Russe, dem die Verteidigung besonders liegt, profitiert von seiner Überlegenheit in der Tarnung und seiner Kunst der Geländeausnutzung. Außerdem war er im Häuser- und Barrikadenkampf geübter und besser ausgebildet als der deutsche Soldat.

Manfred Kehrig stellt in der Analyse der Schlacht um Stalingrad fest: »Es fehlte nicht zuletzt die Ausbildung im Stadtkampf. Vor allem diesem letzten Mangel sind die hohen Verluste zuzuschreiben.«

Dazu kam, daß Tschuikow unter den Augen Chruschtschows den Widerstand bis zur Siedehitze fanatisierte. Jeder Kompanie, die über die Wolga nach Stalingrad ging, wurden drei Parolen eingehämmert:

Jeder Soldat eine Festung!

Hinter der Wolga gibt es für uns kein Land mehr!

Es gilt zu kämpfen oder zu fallen!

146

Das war der totale Krieg. Das war die Verwirklichung des Wortes: »Zeit ist Blut.« Der Chronist der 14. Panzerdivision, Rolf Grams, damals als Major Kommandeur des Kradschützenbataillons 64, zitiert einen Gefechtsbericht, in dem es heißt: »Es war ein unheimlicher, zermürbender Kampf auf und unter der Erde. In den Trümmern, Kellern, Kanälen der großen Stadt und der Industriewerke. Mann gegen Mann. Panzer kletterten über Berge von Schutt und Schrott, krochen kreischend durch chaotisch zerstörte Werkhallen und schossen auf nächste Distanz in verschütteten Straßen und engen Fabrikhöfen . . . Doch das wäre noch alles zu ertragen gewesen. Aber da waren noch die tiefen, verwitterten Löß-Schluchten, die steil zur Wolga abfielen und aus denen die Sowjets immer wieder neue Kräfte in den Kampf warfen. Drüben in den Urwäldern des tiefer gelegenen Ostufers der Wolga war der Feind nicht zu sehen, seine Batterien nicht und seine Infanterie nicht, aber er war da und schoß, und Nacht für Nacht brachte er in Hunderten von Booten Verstärkung über den gewaltigen Strom in die Ruinen der Stadt.«

Dieser Nachschub, dieser ständig über den Fluß kommende Ersatz für die Verteidiger, dieses immer wieder durch die Lebensader Wolga rollende frische Blut war das Problem der Schlacht. Das Geheimnis lag in eben diesen Löß-Schluchten des Wolga-Ufers. In diesem Steilufer, das für die deutsche Artillerie unerreichbar war, saßen die Stäbe der Sowjets, waren die Lazarette untergebracht, die Munitionsdepots. Hier waren ideale Sammelplätze für die in der Nacht über den Fluß gebrachten Menschen- und Materialtransporte. Hier waren die Ausfallstellungen für Gegenstöße. Hier mündeten die Abwässerkanäle der Industriewerke, jetzt leere lange Höhlenwege, die in den Rücken der deutschen Front führten. Sowjetische Stoßtrupps krochen hindurch. Hoben vorsichtig die Gullydeckel. Brachten MG in Stellung. Dann prasselten ihre Feuerstöße in den Rücken vorgehender deutscher Verbände, knallten in die Essenträger- und Nachschubkolonnen. Gullydeckel zu und zurück.

Ratlos standen die Stoßtrupps der Deutschen, die gegen diese Hinterhalte eingesetzt waren. Ja, dieses Steilufer war so viel wert wie ein tiefgestaffeltes, bombensicheres Befestigungsfeld. Es waren oft nur ein paar hundert Meter, die die deutschen Regimenter in ihren Kampfabschnitten vom Wolga-Ufer trennten.

Mit Recht stellt General Doerr deshalb in seiner Studie über die Stalingrader Kämpfe fest: »In den letzten hundert Metern vor der Wolga lag deshalb für beide, für den Angreifer und für den Verteidiger, die Entscheidung.«

In geballtem Angriff versuchte General Paulus Ende September die letzten

Bollwerke von Stalingrad nacheinander zu stürmen. Zu einem alles umfassenden Großangriff auf den ganzen Industriekomplex reichten die Kräfte jedoch nicht aus.

Die ostpreußische 24. Panzerdivision stürmt, von Süden über den Flugplatz kommend, die Siedlungen »Krasny Oktjabr« und »Barrikady«. Das Panzerregiment und Teile der 389. Infanteriedivision nehmen auch die Siedlung des Traktorenwerks »Dserschinski« und kämpften sich am 18. Oktober in die Ziegelei. Die Ostpreußen stehen damit am Wolgasteilufer. Hier ist es also geschafft. Dann rollt die Division wieder südwärts in den Kampfraum chemische Fabrik »Lazur« und »Tennisschläger«.

Die 24er hatten ihre Aufgabe gemeistert. Aber man frage nicht, wie die Division aussah: Jedes Grenadierregiment reichte gerade noch zur Bildung eines Bataillons, die Reste des Panzerregiments waren eine verstärkte Kompanie Kampfwagen, ihre panzerlosen Besatzungen wurden als Schützenkompanien eingesetzt.

Das mächtige Traktorenwerk »Dserschinski«, eines der größten Panzerwerke der Sowjetunion, stürmt General Jaenecke mit den Hessen seiner 389. Infanteriedivision und den Regimentern der sächsischen 14. Panzerdivision am 14. Oktober. Durch die Trümmer des riesigen Fabrikgeländes hindurch quälen sich die Panzer und Grenadiere ans Wolga-Ufer, wenden sich nach Süden, dringen in die Geschützfabrik »Rote Barrikade« ein und stehen damit dicht vor dem Steilufer in der Nähe von Tschuikows Gefechtsstand.

In die Trümmer der riesigen Fabrikhallen des Traktorenwerkes, in denen der Widerstand der Sowjets immer wieder aufflammt, rücken die Bataillone der badisch-württembergischen 305. Infanteriedivision, die Bodensee-Division, die am 15. Oktober von der Donfront in die Traktorenfabrik Stalingrads geworfen wurde. Die Männer vom Bodensee schlagen sich mit den Kompanien der 308. sowjetischen Schützendivision unter Oberst Gurtjew herum. Dieser Umstand zeigt, wie wahr der Satz war, den General Tschuikow in sein Tagebuch schrieb: »Die Generalstabskarte ist ersetzt durch den Häuserplan eines Stadtviertels, durch die Skizze vom Ruinengewirr einer Fabrikanlage.«

Am 24. Oktober ist das Ziel der 14. Panzerdivision das erste Haus der Brotfabrik am Südeck der »Roten Brigade« erreicht. Der Angriff wird vom Kradschützenbataillon 64 geführt. Das sogenannte erste Haus wird genommen.

Am 25. bleibt der Angriff auf das zweite Haus im Abwehrfeuer der Russen liegen. Unteroffizier Esser hockt hinter einem zerschossenen Panzerwagen. Drüben, an der Hausecke, liegt der Kompanieführer – tot. Zehn Schritt hinter ihm der Zugführer – tot. Und neben ihm stöhnt ein Gruppenführer nur noch leise im Delirium eines Kopfschusses.

Da packt Esser die Wut. Er springt auf. »Los«, schreit er. Und der Zug springt ihm nach. Sechzig Meter sind es bis an das Gebäude. Sechzig Meter flacher, deckungsloser Hof. Aber sie schaffen es. Keuchend werfen sie sich an die Hauswand, sprengen sich mit geballter Ladung ein Loch, kriechen hindurch, sind in dem Raum. Hinter den Fenstern hocken die Sowjets und feuern in den Hof. Sie erfassen nicht mehr, was los ist, als hinter ihnen die MPi losballern.

Nächster Stock. Vorsichtig die Steintreppe hinauf. Vor jedes Türloch einen Mann. »Ruki werch!« Erschrocken heben die Russen die Hände. So nimmt Esser mit zwölf Mann das Gebäude, macht achtzig Gefangene, erbeutet eine Pak und sechzehn schwere MG. Hundert tote Sowjets bleiben auf der düsteren Walstatt des zweiten Hauses der Brotfabrik.

Drüben an der Häuserzeile des Verwaltungsgebäudes kämpft indessen Hauptmann Domaschk mit den Resten des Schützenregiments 103. Alle Kompanieführer sind gefallen.

Die Brigade schickt aus ihrem Stab Leutnant Stempel, damit wenigstens noch ein Offizier als Kompaniechef zur Verfügung steht. Ein Feldwebel weist ihn ein.

Dann geht Stempel mit seinen Kradschützen zwischen Eisenbahngleisen und zerfetzten Mauern zum Angriff vor. Stukas bomben vor ihm her. Sprung um Sprung jagt er den Bomben nach, nimmt die Ruinen des Verwaltungsbaus, kommt bis dicht ans Steilufer.

Aber nur noch zwei Dutzend Männer sind übriggeblieben. Und aus den Schluchten des Steilufers quellen immer wieder neue Sowjets hervor. Verwundete mit Verbänden, geführt von Stabsoffizieren. Troßeinheiten. Sogar Matrosen der Fährlinie. Sie fallen. Aber es kommen immer neue.

Stempel schickt einen Melder zurück: Ohne Ersatz kann ich nicht halten!

Kurz darauf kommen siebzig Mann, die von der Frontleitstelle direkt in den Kampf geworfen wurden. Ein Oberleutnant führt sie. Nach zwei Tagen sind alle siebzig tot oder verwundet. Stempel und die Männer des Schützenregiments 103 müssen zurück und den Wolgarand wieder fahren lassen.

Trotzdem: In diesen Tagen befanden sich vier Fünftel von Stalingrad in deutscher Hand. Als die Westfalen der 16. Panzerdivision und Infanteristen der 94. Infanteriedivision, die hier die Hauptlast des Angriffs trug, am 26. Oktober den seit August heiß umkämpften Vorort Spartakowka bezwungen und die beiden sowjetischen Schützenbrigaden 124 und 149 zerschlagen hatten, waren sogar neun Zehntel von Stalingrad gefallen.

Vor Tschuikows Gefechtsstand im Steilufer hielt die 45. sowjetische Schützendivision nur noch ein kleines Uferstück von vielleicht 200 Metern Durchmesser. Südlich davon, im Hüttenwerk »Roter Oktober«, waren noch die Trümmer des Ostteils, die Sortierabteilung, das Stahlgußwerk und die Kalibrierstation in russischer Hand. Hier kämpften Teile der 39. Gardeschützendivision unter Generalmajor Gurjew um jeden Mauervorsprung. Jeden Winkel, jeden Schrotthaufen mußten sich die deutschen Stoßtrupps mit Blut erkaufen. Die Verbindung nach Norden, zur 14. Panzerdivision, hielten die Kompanien der 100. Jägerdivision, die Ende September von der Front an der Donschleife nach Stalingrad geworfen worden war: Ein weiteres Beispiel dafür, wie überall die lange Donfront von deutschen Verbänden entblößt und durch rumänische und italienische Divisionen ersetzt wurde, um das verfluchte Stalingrad zu bekommen. Südlich vom Hüttenwerk »Roter Oktober« wurde nur noch die chemische Fabrik »Lazur« mit dem »Tennisschläger« sowie ein winziger Brückenkopf um die Landestelle der Dampffähre im Zentralhafen von den Sowjets gehalten.

Alles zusammen genommen verteidigte Tschuikow Anfang November noch ein paar Fabrikgebäude und ein paar Kilometer Steilufer.

5

Das Verhängnis am Don

Gefährliche Zeichen in der Flanke der 6. Armee – Unglücksmonat November – Noch einmal Sturmangriff auf das Wolga-Ufer – Die Front der Rumänen bricht – Schlacht im Rücken der 6. Armee – Durchbruch auch südlich Stalingrad – Die 29. Infanteriedivision (mot.) schlägt zu – Der Russe nimmt Kalatsch – Paulus fliegt in den Kessel

Stalingrad liegt auf demselben geographischen Breitengrad wie Wien, Paris oder das kanadische Vancouver. In diesen Breiten ist es Anfang November noch verhältnismäßig milde. General Strecker, der Kommandierende des

XI. Korps im großen Donbogen, fuhr deshalb noch im leichten Mantel zum Gefechtsstand der österreichischen 44. Infanteriedivision, der Hoch- und Deutschmeister-Division.

Auf den Feldern sah man Soldaten, die Kartoffeln und Futterrüben, Maisstroh und Heu einholten: Vorsorge für den Winter.

General Streckers XI. Korps sollte die linke Flanke von Stalingrad im großen Donbogen sichern. Aber die Donschleife ist hundert Kilometer lang. Und hundert Kilometer sind mit drei Divisionen nicht zu schützen. So bezog der General wohl oder übel eine Sehnenstellung, wodurch er zwar fünfzig Kilometer einsparte, jedoch den Flußbogen von Kremenskaja den Sowjets überlassen mußte.

Generalleutnant Batow, der Befehlshaber der 65. sowjetischen Armee, nutzte die Chance sofort, ging über den Don und saß nun am Südufer in einem verhältnismäßig tiefen Brückenkopf. Täglich griffen Batows Regimenter die Stellungen von Streckers Divisionen an, um die deutsche Donflanke zum Einsturz zu bringen.

Aber Streckers Divisionen saßen in guten Stellungen. Oberst Boje zum Beispiel, der den Kommandierenden auf dem Gefechtsstand des Infanterieregiments 134 begrüßte, hatte auf den Donhöhen ein so raffiniertes Stellungssystem gebaut, daß er mit ruhiger Gelassenheit melden konnte: »Hier kommt kein Russe durch, Herr General.«

Strecker ließ sich sehr genau berichten, vor allem über das, was man von der Beobachtungsstelle der Division an dem kleinen Wäldchen südwestlich Sirotinskaja seit Ende Oktober laufend beobachtet und ihm gemeldet hatte.

Von der Waldhöhe hatte man weite Sicht über den Don. Man konnte im Scherenfernrohr die deutschen Stellungen des VIII. Korps bis hinüber zur Wolga erkennen. Vor allem aber war das feindliche Hinterland sehr gut zu überblicken. Es lag wie eine Reliefkarte vor den Augen. Und was man sah, war außerordentlich aufschlußreich: Der Russe schaffte in rollenden Transporten Tag und Nacht Truppen und Material an den Don, vor die Front Streckers, vor allem aber vor die Front der links benachbarten 3. rumänischen Armee.

Sorgenvoll registrierte der Korpsstab jeden Abend diese Meldungen, die von den Aufklärern der Luftflotte 4 bestätigt wurden. Und jeden Morgen gab Strecker sie nach Golubinskaja, ins Hauptquartier von General Paulus.

Und Paulus gab sie seit Ende Oktober laufend an die Heeresgruppe.

Und die Heeresgruppe ans Führerhauptquartier: Der Russe marschiert in der tiefen Flanke der 6. Armee auf.

In dieser Flanke am Don stand neben dem Korps Strecker auf einer Breite von etwa 150 Kilometern die 3. rumänische Armee. Anschließend kamen die 8. italienische und daneben die 2. ungarische Armee.

»Warum stehen in einem so breiten Streifen nur Rumänen, Herr General?« fragten die Stabsoffiziere ihren Kommandierenden. Sie hatten nichts gegen die Rumänen, es waren tapfere Soldaten, aber jeder wußte, daß ihre Ausrüstung miserabel war, noch miserabler als die der Italiener. Sie trugen veraltete Waffen aus dem Ersten Weltkrieg, hatten vor allem keine ausreichende Panzerabwehr, und ihre Versorgung war unzureichend. Jeder an der Front wußte es.

Aber Rumäniens Staatchef Marschall Antonescu hatte genau wie Italiens Mussolini gefordert, daß die für die Ostfront zur Verfügung gestellten Kräfte nur geschlossen unter eigener Armeeführung eingesetzt werden dürften.

Hitler wäre lieber dem Wunsch seiner Generale gefolgt, die »Korsettstangen-Methode« anzuwenden, das heißt, abwechselnd einen kleinen fremdländischen Verband und daneben eine deutsche Einheit einzusetzen. Doch das scheiterte an der nationalen Empfindlichkeit, vor allem der Rumänen. Sie stellten das größte Verbündeten-Kontingent, und Marschall Antonescu brauchte zur Stärkung seiner politischen Position als Staatsführer Ansehen und Autorität bei den rumänischen Militärs.

Nach monatelangem Tauziehen gab Hitler nach, und so wurde die Flankensicherung für die deutschen Hauptkräfte bei Stalingrad verbündeten Armeen anvertraut, deren Kampfwert unzureichend war. Nicht einmal jeder rumänische Soldat hatte einen Mantel oder wenigstens eine Decke. Das rumänische Heer besaß kein aktives Unteroffizierskorps, wie es gerade für einen solchen Feldzug unerläßlich war. Und die Offiziere waren ein ganz ungleicher Stand, vielen war der Begriff Fürsorge für die Truppe fremd. Dazu kam ein schwerfälliges Meldesystem, eine chaotische Versorgungstechnik und unverständliche Führungsentscheidungen: Der Kommandeur der 1. rumänischen Panzerdivision zum Beispiel war kein Panzermann, sondern der ehemalige Polizeipräsident von Bukarest.

Hitler ahnte und sah die Gefahr an der langen Flanke der 6. Armee. Schon im August und dann im September wies er in den Lagebesprechungen immer wieder darauf hin. Er hatte mit größtem Interesse eine alte Karte vom Jahre 1920 studiert, die ihm General Halder gegeben hatte, nach der Stalin damals in der ganz ähnlichen Operationslage über den unteren Don zwischen Stalingrad und Rostow vorgestoßen war und die Weißen Garden General Denikins vernichtet hatte.

Doch die Aufklärung der Abteilung »Fremde Heere Ost« des General

Gehlen blieb bei den Hitler beruhigenden Meldungen, daß alle Anzeichen darauf hindeuteten, daß die Russen eine Offensive gegen die Heeresgruppe Mitte und nicht am Don durchführen würden.

Marschall Schukow rühmt sich in seinen Memoiren, daß er durch planmäßige Scheinoperationen vor der Heeresgruppe Mitte diese Irreführung der deutschen Aufklärung bewirkt habe. »Das sowjetische Oberkommando wollte den Eindruck erwecken, als ob hier und nirgends sonst die große Winteroffensive vorbereitet würde.«

Hitlers Ahnung für die Gefahr am Don aber blieb virulent.

Am 4. November befahl er sogar die Verlegung der 6. Panzerdivision aus Frankreich an die Ostfront. Und doch willigte er in die Ablösung deutscher Korps durch die 3. rumänische Armee ein, nachdem die 6. Armee ihre Kampffähigkeit bestätigt hatte. Paulus war daran interessiert, weil er dadurch zwei deutsche Divisionen für den Kampf in Stalingrad bekommen konnte: die 100. Jägerdivision und die 305. Infanteriedivision.

Was die Forderung der Rumänen nach Pak- und Panzerrückhalt betraf, so war Hitler einsichtig. Aber der einzige Großverband, der neben ein paar Sperrverbänden aus Flak, Panzern, Jägerabteilungen und Heeresartillerie frei gemacht werden konnte, um hinter die 3. rumänische Armee postiert zu werden, war das XXXXVIII. Panzerkorps unter Generalleutnant Heim mit einer deutschen und einer rumänischen Panzerdivision sowie Teilen der 14. Panzerdivision. Das Generalkommando wurde kurzfristig bei der 4. Panzerarmee herausgezogen und in den Raum südlich Serafimowitsch verlegt.

Nun war ein deutsches Panzerkorps normalerweise eine beachtliche Streitmacht und für eine Infanteriearmee eine starke Rückendeckung. Es hätte ausgereicht, die bedrohte Front der 3. rumänischen Armee abzusichern. Aber Heims Korps war alles andere als ein Korps. Das Kernstück war die deutsche 22. Panzerdivision. Sie war zum Teil von tschechischen auf deutsche Panzer umgerüstet worden und verfügte nur über 32 deutsche Panzer III und Panzer IV. Ihr Panzergrenadierregiment 140 hatte die Division schon vor Monaten unter Führung von Oberst Michalik zur 2. Armee in den Raum Woronesch abgegeben. Dort wurde aus der »Brigade Michalik« die 27. Panzerdivision gemacht. Das Panzerpionierbataillon der Division schließlich war seit Wochen in Stalingrad im Häuserkampf eingesetzt.

Am 10. November erhielten das Generalkommando und die 22. Panzerdivision den Befehl, in den Bereich der 3. rumänischen Armee zu verlegen. Letzte Teile der Division marschierten am 16. November nach Süden, in den großen Donbogen: 250 Kilometer bei Frost und Schneeglätte.

Aber weder der Frost noch der Schnee waren das Hauptproblem. Es war wie verhext mit diesem Panzerkorps, und es gab eine bittere Überraschung nach der anderen.

Weil die 22. Panzerdivision wegen ihres Aufenthaltes an »ruhiger Front« fast keinen Betriebsstoff für Übungs- und Werkstattfahrten zugewiesen erhalten hatte, hatte ihr Panzerregiment 204, hinter der italienischen Donfront weit verstreut, durch Schilf getarnt und völlig unbeweglich festgelegen. Die Panzer hatten gut getarnt und gegen die Kälte mit Stroh abgedeckt in ihren Erdboxen gestanden. Die Panzerleute hatten vergeblich Sprit angefordert, um auch in Ruhezeiten die Fahrzeuge bewegen zu können. Eine Überprüfung der Motoren war daher nicht erfolgt. So fand Oberst von Oppeln-Bronikowski das Panzerregiment 204 kurz vor der Verlegung vor. Als man die Panzer zum eiligen Abmarsch aus den Boxen herausziehen wollte, sprang die Hälfte nur sehr mühsam oder überhaupt nicht an, weitere vierunddreißig fielen während des Verlegungsmarsches aus: Die Motoren blieben stehen, viele Türme ließen sich nicht mehr drehen. Mit einem Wort: die elektrischen Anlagen streikten.

Was war passiert? Die Antwort ist atemberaubend grotesk: Mäuse, die sich im Deckstroh der Boxen eingenistet hatten, waren in den Panzern auf Raubzug gegangen und hatten die Gummikabel angefressen. Auf diese Weise waren die elektrischen Anlagen gestört; die Zündung für die Motoren, die Leitungen für die Batterien, für Turmoptik und Panzerkanone waren außer Betrieb. Mehrere Panzer gerieten durch Kurzschlußfunken in Brand. Und da ein Unglück selten allein kommt, gab es in den Tagen des Abmarsches auch noch einen empfindlichen Kälteeinbruch, das Panzerregiment aber hatte keine Ketten-Stollen für den Winterfahrbetrieb. Sie waren irgendwo auf dem langen Weg zum Don verlorengegangen.

So kam es, daß die Panzer auf den eisglatten Straßen von einer Seite auf die andere rutschten und nur sehr langsam vorwärts kamen. Die Panzerwerkstattkompanie 204 konnte wegen Betriebsstoffmangels nicht mitgeführt werden, so daß das Regiment unterwegs auch keine größeren Reparaturen ausführen konnte.

Die 22. Panzerdivision brachte also schließlich statt 104 Panzern, wie sie in der Stärkemeldung der Heeresgruppe standen, tatsächlich nur einunddreißig Panzerkampfwagen in den Bereitstellungsraum des XXXXVIII. Panzerkorps. Elf Panzer kamen noch nach. Zweiundvierzig Panzerkampfwagen waren am 19. November die ganze Herrlichkeit der Division. Es reichte gerade, um aus den Panzern, Schützenpanzern und Kradschützen sowie einer motorisierten Batterie die »Panzerkampfgruppe Oppeln« zu bilden.

Der zweite Großverband des Korps, die 1. rumänische Panzerdivision, verfügte am 19. November über 108 Panzer. Doch achtundneunzig davon waren tschechische 38 (t) – zwar gute Kampfwagen, aber jedem mittleren russischen Tank in Panzerung und Feuerkraft unterlegen. Damit war der 3. rumänischen Armee am mittleren Don Mitte November eine Korsettstange eingezogen, die in Wirklichkeit keine war. Und vor der Front der Armee fuhr der Russe auf.

Der November 1942 war ein Katastrophenmonat: Am 4. wurde Rommels Afrika-Armee von Montgomery bei El Alamein schwer angeschlagen und mußte sich aus Ägypten nach Tripolis retten. Vier Tage später landete im Rücken der zurückgehenden Armee, an der Westküste Afrikas und in Algerien Eisenhowers Invasionsheer und marschierte auf Tunis.

Wie ein Fernbeben wirkten sich die Erschütterungen in Afrika auf alle deutschen Fronten aus: Hitler sah sich gezwungen, nun auch den bisher unbesetzten Teil Südfrankreichs militärisch zu sichern. Dadurch wurden vier hervorragend ausgestattete schnelle Großverbände festgelegt, die sonst für den Osten zur Verfügung gestanden hätten: die 7. Panzerdivision und die Waffen-SS-Divisionen »Leibstandarte«, »Reich« und »Totenkopf«, vier Divisionen, deren Feuerkraft und Einsatzstärke Tschuikow mit seinen Truppen am Wolga-Ufer keine achtundvierzig Stunden standgehalten hätte.

Am 9. November kam Hitler nach Berchtesgaden zurück, nachdem er am 8. November abends im Münchner Löwenbräukeller vor seinen alten Putschkameraden von 1923 über Stalingrad folgendes gesagt hatte: »Ich wollte zur Wolga kommen, und zwar an einer bestimmten Stelle an einer bestimmten Stadt. Zufälligerweise trägt sie den Namen von Stalin selber. Also denken Sie nur nicht, daß ich aus diesen Gründen dorthin marschiert bin – sie könnte auch ganz anders heißen – sondern, weil dort ein ganz wichtiger Punkt ist. Dort schneidet man nämlich dreißig Millionen Tonnen Verkehr ab. Darunter fast neun Millionen Tonnen Ölverkehr. Dort floß der ganze Weizen aus diesen gewaltigen Gebieten der Ukraine, des Kubangebietes, zusammen, um nach Norden transportiert zu werden. Dort ist das Manganerz gefördert worden; dort war ein gigantischer Umschlagplatz. Den wollte ich nehmen und – wissen Sie – wir sind bescheiden, wir haben ihn nämlich! Es sind nur noch ein paar ganz kleine Plätzchen da. Nun sagen die anderen: ›Warum kämpfen sie dann nicht schneller?‹ – Weil ich dort kein zweites Verdun haben will, sondern es lieber mit ganz kleinen Stoßtrupps mache. Die Zeit spielt dabei keine Rolle. Es kommt kein Schiff mehr die Wolga hoch. Und das ist das Entscheidende.«

Jodl legte Hitler am 10. und 11. November die letzten Meldungen vor:

Darunter den Inhalt eines Berichts der Nahaufklärung über den Funkverkehr der hohen sowjetischen Kommandostellen. Er enthüllte, wie viele Heeres- und Luftwaffenverbände das sowjetische Oberkommando der Front am Don und in der Kalmückensteppe zugeführt hatte. Fazit: Nicht nur nordwestlich von Stalingrad, am mittleren Don, vor der 3. rumänischen Armee, marschiert der Russe auf, nein, auch südlich der heißumkämpften Wolgastadt, wo zwei Korps der 4. rumänischen Armee die Flanke von Hoths 4. Panzerarmee sichern, deuten die bereits mehrfach gemeldeten sowjetischen Aufmärsche auf einen baldigen Angriff hin.

Finster las Hitler die Meldungen und beugte sich über die Karte. Ein Blick genügte, um zu erkennen, was gespielt wurde: Der sowjetische Aufmarsch an beiden Flügeln der Stalingradfront ließ auf den Plan einer Umfassungsopera- tion gegen die 6. Armee schließen.

Wenn Hitler auch immer noch geneigt war, die sowjetischen Kraftreserven zu unterschätzen, so sah er doch die Gefahr, die in den großen rumänischen Frontabschnitten lag. »Stünden deutsche Verbände dort, würde ich mir keine schlaflose Nacht machen«, meinte er, »aber so! Die 6. Armee muß endlich Schluß machen und die Restteile von Stalingrad schnell nehmen.«

Schnell, schnell! Er wollte der im Grunde operativ nutzlosen Bindung so vieler Divisionen in der Stadt ein Ende machen, um endlich wieder Opera- tionsfreiheit zu gewinnen. »Die Schwierigkeiten des Kampfes um Stalingrad und die gesunkenen Gefechtsstärken sind mir bekannt«, ließ der »Führer« am 16. November an General Paulus funken. »Die Schwierigkeiten für den Russen sind jetzt aber bei dem Eisgang auf der Wolga noch größer. Wenn wir diese Zeitspanne ausnutzen, sparen wir uns später viel Blut. Ich erwarte des- halb, daß die Führung nochmals mit aller wiederholt bewiesenen Energie und die Truppe nochmals mit dem oft gezeigten Schneid alles einsetzen, um wenigstens bei der Geschützfabrik und beim metallurgischen Werk bis zur Wolga durchzustoßen und diese Stadtteile zu nehmen.«

Wie recht Hitler mit seinem Hinweis auf die Schwierigkeiten bei den Russen wegen des Eisgangs auf der Wolga hatte, zeigen Generalleutnant Tschuikows Aufzeichnungen aus jenen Tagen. Unter Hinweis auf die Lage- berichte der 62. sowjetischen Armee und ihre Versorgungsschwierigkeiten machte Tschuikow folgende Tagebucheintragungen:

»14. November. Den Truppenteilen fehlen Munition und Verpflegung. Der Eisgang hat die Verbindung zum linken Ufer unterbrochen.

27. November. Die Munitionszufuhr und der Abtransport der Verwunde- ten mußten eingestellt werden.«

Die Führung der Front ließ daraufhin Munition und Lebensmittel mit Flugzeugen vom Typ Po 2 über die Wolga bringen. Doch die Flugzeuge konnten nicht viel ausrichten, weil sie ihre Lasten über einen nur etwa hundert Meter breiten Streifen abwerfen mußten. Die geringste Abweichung – und sie fielen in die Wolga oder in die Hände der Deutschen.

Paulus ließ den Funkspruch Hitlers mit der beschwörenden Mahnung, in Stalingrad schnell Schluß zu machen, am 17. November allen in Stalingrad eingesetzten Kommandeuren verlesen. Am 18. November traten daraufhin die Stoßtrupps der Stalingraddivisionen erneut an. Zum letzten Sturm, hofften sie.

Da stürmen sie, die ausgemergelten Pioniere von den Pionierbataillonen 50, 162, 294 und 336. Die Grenadiere der 305. Infanteriedivision jagen aus ihren Unterständen, geduckt, das Sturmgewehr unterm Arm, das Koppel voll Handgranaten gestopft. Keuchend schleppen sie die MG und Granatwerfer über das Trichterfeld und durch das Ruinengewirr der Fabrikhallen. Um Flak auf Selbstfahrlafetten geschart, hinter einem Panzer oder einem Sturmgeschütz laufend, greifen sie an: im Heulen der Stukas und im Prasseln des feindlichen MG-Feuers. Vom Nieselregen und Schneetreiben durchnäßt, verdreckt, abgerissen. Aber sie stürmen: an der Fährstelle, bei der Brotfabrik, in den Gleisen des »Tennisschlägers«. Sie »erobern« dreißig, fünfzig, auch hundert Meter am ersten Tag. Es geht. Geht langsam, aber es geht. Noch vierundzwanzig, vielleicht auch noch achtundvierzig Stunden, dann müßte es geschafft sein. Dann war man befreit von dieser verfluchten Stadt. Dann konnte man Reserven bilden, um die gefährdeten Flanken zu schützen.

Aber am nächsten Morgen, am 19. November, als sich die Sturmtrupps beim ersten Büchsenlicht bereits wieder über das Trümmergewirr der Fabrikhallen Schritt für Schritt dem Wolga-Ufer entgegenkämpfen, die Barrikaden stürmen, die die Russen aus alten Geschützrohren aufgerichtet haben, die geballten Ladungen in die Gullys der Abwasserschächte schleudern, tritt der Russe 150 Kilometer nordwestlich, am Don, gegen die 3. rumänische Armee an.

Generaloberst von Richthofen, der Befehlshaber der Luftflotte 4, schreibt in sein Tagebuch: »Wieder hat der Russe meisterhaft eine Schlechtwetterlage ausgenützt. Regen, Schnee, Eisnebel verhindern jeglichen Einsatz der Luftwaffe am Don.«

Mit zwei Panzerkorps, einem Kavalleriekorps und sechs Schützendivisionen kommt die 5. sowjetische Panzerarmee aus dem Raum Serafimowitsch, also genau dort, wo eigentlich ein starkes deutsches Panzerkorps liegen soll, wo aber nur der Schatten eines Panzerkorps, nämlich das Korps Heim, steht. Links von der 5. Panzerarmee stößt gleichzeitig die 21. sowjetische Armee mit einem Panzerkorps, einem Gardekavalleriekorps und sechs Schützendivisionen aus dem Raum Kletskaja, links von der 5. Panzerarmee, nach Süden.

Die Zahl der sowjetischen Korps hört sich sehr gefährlich an. Aber eine sowjetische Armee entsprach im allgemeinen einem kampfkräftigen deutschen Korps, ein sowjetisches Korps kam einer deutschen Division gleich, und die sowjetische Division hatte etwa deutsche Brigadestärke. Mit Recht sagt Generaloberst Hoth: »Wir haben den Russen in der Front überschätzt, seine Reserven aber durchweg unterschätzt.«

Achtzig Minuten zusammengefaßtes Artilleriefeuer leiten den Angriff ein. Dann kommen die ersten roten Wellen im dichten Nebel heran. Die rumänischen Bataillone wehren sich tapfer. Vor allem die 1. Kavalleriedivision und die Regimenter der 6. rumänischen Infanteriedivision, die zur Gruppe General Mihail Laszar gehört, halten ihre Stellungen.

Aber die Rumänen sehen sich bald einem Phänomen gegenüber, dem sie nicht gewachsen sind. Sie verfallen dem »Panzerschreck«, wie Guderian jenen Tatbestand getauft hat, der eine im Panzerkampf unerfahrene Truppe zuweilen befällt: Durchgebrochene Feindpanzer kommen plötzlich von hinten und greifen an. Der Schrei ertönt: »Feindliche Panzer von hinten!« Panik. Die Front wankt. Unglücklicherweise ist auch die rumänische Artillerie ziemlich lahmgelegt. Sie kann wegen des Nebels nicht zielsicher schießen.

Schon am Mittag des 19. zeichnet sich die Katastrophe ab. Ganze Divisionen der rumänischen Front, vor allem die 13., 14. und 9. Infanteriedivision, lösen sich auf und fluten panikartig zurück. Nicht selten die Offiziere voran.

Die Sowjets stoßen hinterher, nach Westen an den Tschir, nach Südwesten und nach Süden. Dann aber drehen sie mit den Hauptkräften nach Südosten. Es wird klar, sie wollen in den Rücken der 6. Armee.

Jetzt kommt die Stunde des XXXXVIII. Panzerkorps. Aber es liegt wirklich kein Segen über General Heims Verbänden. Die Heeresgruppe setzt das Korps zum Gegenangriff nach Nordosten auf Kletskaja an, also gegen die Infanterie der 21. sowjetischen Armee, die hundert Panzer hat. Kaum rollt das Korps, da kommt um 11 Uhr 30 aus dem Führerhauptquartier ein Gegenbefehl: Angriff nach Nordwesten, in die umgekehrte Richtung gegen den – richtig erkannten – viel gefährlicheren Durchbruch der schnellen Verbände der 5. sowjetischen Panzerarmee im Raum Blinow-Pestschany. Also kehrt! Zur Unterstützung werden dem Korps die drei Divisionen des II. rumänischen

Korps unterstellt, zerschlagene und aufgelöste Verbände, die nur noch wenig Kampfkraft besitzen.

Am Abend des 19. November sind die sowjetischen Panzerspitzen bereits fünfzig Kilometer tief durch das Loch bei Blinow durchgebrochen.

Das deutsche Korps, vor allem die gepanzerte Gruppe der 22. Panzerdivision unter Oberst von Oppeln-Bronikowski, meistert die Schwenkung um 180 Grad vorbildlich und wirft sich den feindlichen Panzerkräften bei Pestschany entgegen.

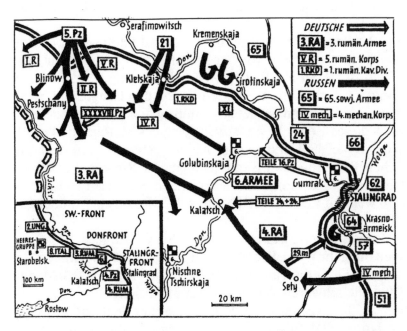

Karte 12: Am 19. November, als die 6. Armee in Stalingrad noch einmal antritt, um die letzten sowjetischen Stellungen zu stürmen, brechen die Sowjets mit vier Armeen und einem Panzerkorps durch die rumänischen Frontabschnitte an der Nord- und Südflanke der 6. Armee und jagen auf Kalatsch. Die kleine Übersichtskarte zeigt den Frontverlauf der Heeresgruppe B vor dem Durchbruch.

Aber nun zeigt sich das Handicap: Der Gewaltmarsch durch die vereisten Schluchten, ohne Stollen zum Schutz gegen das Rutschen, hat zu weiteren Verlusten geführt. Mit ganzen zwanzig Panzern trifft die tapfere, aber nicht mit Fortune gesegnete Division auf dem Schlachtfeld von Pestschany auf den übermächtigen Gegner. Zum Glück ist die Panzerjägerabteilung zur Stelle und kappt in kühnen Einsätzen und blutigen Duellen Pak gegen Panzer die sowjetische Panzerspitze.

Sechsundzwanzig T 34 liegen brennend vor der schnell errichteten Abwehrfront. Aber die Russen greifen mit zwei Armeen und über 500 Panzern T 34 an. Und rechts und links ist nichts, gar nichts außer flüchtenden Rumänen.

Der 22. Panzerdivision, die in Wirklichkeit außer der gepanzerten Gruppe Oppeln nur noch über ihre Panzerjäger, ein Panzergrenadierbataillon und wenige Batterien verfügt, droht die Einkesselung. Sie wird zum Ausweichen gezwungen.

Die 1. rumänische Panzerdivision, die unter General Radu weiter östlich tapfer kämpft, wird auf diese Weise von der 22. Panzerdivision getrennt, das Korps ist gespalten, seine Stoßkraft dahin. Die Heeresgruppe erkennt die Gefahr und jagt an die 1. rumänische Panzerdivision den Funkbefehl, nach Südwesten einzuschwenken, um wieder Anschluß an die Gruppe Oppeln zu bekommen. Aber dieses Korps Heim ist vom Unglück verfolgt, und es ist wirklich, als ob der Teufel die Hand im Spiel hat: die deutsche Funkstelle bei der 1. rumänischen Panzerdivision ist ausgefallen, der Russe hat sie beim ersten Angriff überrollt, so kommt der Befehl nicht an. Statt nach Südwesten ficht die Division weiter mit Front nach Norden. Der Russe aber rollt ungeschoren nach Südosten.

Das Ziel der Sowjets ist jetzt klar zu erkennen. Sie wollen nach Kalatsch. Nichts steht ihnen mehr im Wege. Die Masse der 3. rumänischen Armee ist in Auflösung und Panik. Sie verliert auf diese Weise in vier Tagen 75 000 Mann, 34 000 Pferde und alle schweren Waffen von fünf Divisionen.

Die sowjetische Offensive war nach dem Vorbild der deutschen Kesselschlachten des Jahres 1941 angelegt, gut angelegt. Während die zweischneidige Nordzange schon durch die zertrümmerte 3. rumänische Armee schnitt, traten am 20. November auch an der Südflanke der Stalingrader Front die Korps der sowjetischen Südzange aus dem Raum Beketowka–Krasnoarmeisk und aus zwei weiteren Schwerpunkten südlich davon mit über 300 Panzern an.

Auch hier hatten sich die Sowjets den rumänischen Verteidigungsabschnitt für ihre Offensive ausgesucht. Es waren die Frontabschnitte des VI. und VII. rumänischen Korps. Mit zwei vollmotorisierten Korps, sogenannten mech.-Korps, einem Kavalleriekorps und sechs Schützendivisionen rollten die 57. und 51. sowjetische Armee der Heeresgruppe Jeremenko los. Zwischen den beiden Armeen lag das IV. mechanisierte Korps mit hundert

Panzern auf der Lauer. Es sollte nach gelungenem Durchbruch zur weit ausholenden Umfassung auf Kalatsch brausen.

Die Masse der 57. sowjetischen Armee traf mit ihren Panzern und motorisierten Bataillonen westlich Krasnoarmeisk auf die 20. rumänische Division und zerschlug sie im ersten Ansturm.

Eine gefährliche Situation. Denn dieser Stoß ging direkt und auf kürzestem Wege in den Rücken der 6. Armee.

Aber jetzt zeigte sich, was eine einzige kampferfahrene und gut ausgerüstete deutsche Division zu leisten vermochte; jetzt zeigte sich auch, daß die russischen Offensivarmeen keineswegs überragende Kampfverbände waren.

Die altbewährte thüringisch-hessische 29. Infanteriedivision (mot.) stand in den Tagen der Katastrophe fünfzig Kilometer südwestlich Stalingrad in der Steppe als Reserve der Heeresgruppe. Sie war schon Ende September aus der Stalingradfront herausgezogen, zu voller Kampfstärke aufgefrischt und vom Führerhauptquartier für den Stoß auf Astrachan vorgesehen. Anfang November erhielt sie dann angesichts der Schwierigkeiten in der Kaukasusfront über die Panzerarmee Hoth den Befehl, sich Ende November zum Abmarsch in den Kaukasus bereitzuhalten. Die 29er sollten sich dort schon für die Frühjahrsoffensive bereitmachen. So optimistisch sah das deutsche Oberkommando die Lage bei Stalingrad noch Anfang November. Ein Sonderurlaubszug hatte daraufhin rund tausend Mann der Division in die Heimat transportiert.

Am 19. November ist die voll kampfkräftige Division, jetzt von Generalmajor Leyser geführt, ein Geschenk des Himmels. Da Generaloberst Hoth mit der Heeresgruppe keine Telefonverbindung bekommen kann, handelt er selbständig und setzt am 20. November um 10 Uhr 30 Leysers Division aus einer Geländeübung heraus gegen die südlich Stalingrad durchgebrochenen Teile der 57. sowjetischen Armee an.

Wie die wilde Jagd brausen die 29er los. Die Panzerabteilung 129 im Breitkeil mit fünfundfünfzig Panzern III und IV voran. An den Flanken die Panzerjäger. Dahinter auf ihren Schützenpanzern die Grenadiere. Und dann die Artillerie. Trotz Nebel geht es voran. Dorthin, von wo der Schlachtenlärm ertönt.

Die Kommandanten stehen im offenen Turm. Die Sicht ist keine hundert Meter. Da reißt der Nebel auf.

Im selben Augenblick reißt es auch die Panzerkommandanten hoch: Vor ihnen, keine 400 Meter entfernt, rollt breitflächig die sowjetische Panzerarmada des XIII. mechanisierten Korps heran. Die Luken der Panzerkuppeln fliegen zu. Die alten Kommandos ertönen: »Turm 12 Uhr!« – »Panzer-granate« – »400« – »Viele Feindpanzer« – »Feuer frei!«

Die Blitze zucken. Die 7,5-Kanonen krachen. Einschläge. Brände. Die Sowjets sind verwirrt. Solche Überraschungen sind nicht ihre Sache. Sie kurven durcheinander, retirieren, fahren sich fest, werden abgeschossen.

Und jetzt enthüllt sich ein neues Bild: Drüben auf der freien Bahnstrecke steht Güterzug hinter Güterzug und spuckt Massen von russischer Infanterie aus: Die Russen fahren mit der Eisenbahn aufs Schlachtfeld.

Die Artillerieabteilung der 29er erkennen das lohnende Ziel und hämmern hinein. Der russische Durchbruch der 57. sowjetischen Armee wird zusam-mengeschlagen.

Aber kaum ist dieses Loch erfolgreich gestopft, da kommt die Alarmmel-dung, daß dreißig Kilometer weiter südlich, beim VI. rumänischen Korps, die 51. sowjetische Armee in der Mitte und am Südflügel durchgebrochen ist und ein schnelles Korps – es ist das IV. – auf Sety stößt. Eine entscheidende Stunde der Schlacht ist angebrochen. Die 29. Infanteriedivision (mot.) ist gut in Fahrt. Mit diesem Verband könnte bei Fortführung einer offensiven Verteidigung mit einem Stoß nach Südwesten in die Flanke des sowjetischen mech.-Korps, das rund neunzig Panzer besitzt, sehr wahrscheinlich auch dieser Durchbruch gestoppt werden. Generaloberst Hoth faßt dann auch diesen zweiten Stoß in die Flanke von Generalmajor Wolskis Korps ins Auge.

Aber da kommt am 21. von der Heeresgruppe der Befehl: Angriff einstel-len, Abwehrstellung zum Schutz der Südflanke der 6. Armee beziehen. Die Division wird Hoths 4. Panzerarmee weggenommen und zusammen mit dem IV. Korps General Jaeneckes der 6. Armee unterstellt. General Paulus aber erfährt erst am 22. früh von der Unterstellung.

Auf diese Weise wird ein hervorragender Kampfverband mit bestem Angriffswert festgehalten und wie eine Infanteriedivision defensiv in einer Sicherungslinie eingesetzt, wo es im Grunde noch gar nichts zu defendieren gibt. So begreiflich und nach den herkömmlichen operativen Grundsätzen auch naheliegend es war, die Flanke einer Armee, die von feindlichen Durch-brüchen bedroht ist, abzusichern; aber hier hätte die Heeresgruppe erkennen müssen, daß die Sowjets mit der Südzange vorerst gar nicht nach Stalingrad wollten, sondern weitausholend auf Kalatsch zielten, um am Don mit der Nordzange die große Falle hinter der 6. Armee zuzumachen.

Man hat der Heeresgruppe Weichs nicht zu Unrecht die hier sichtbare Stra-tegie der kleinen Lösungen, die Strategie: »Das Hemd ist uns näher als der Rock« vorgeworfen. Freilich, hinterher ist das leicht zu sagen, und wahrscheinlich übersah auch die Heeresgruppe zu dieser Zeit die russischen Angriffe noch nicht. Aber schon die nächsten Stunden hätten einer funktionierenden Aufklärung enthüllen müssen, was sich anbot: Generalmajor Wolskis IV. mech.-Korps ist inzwischen bis Sety gekommen. Noch vor Einbruch der Dunkelheit gehen die Russen in Ruhestellung. Bleiben stehen. Warum? Die Antwort ist interessant.

Das überraschende Auftreten der 29. Infanteriedivision (mot.) auf dem Schlachtfeld hat dem sowjetischen Korpskommandeur Generalmajor Wolski, der durch Funkmeldungen von der Katastrophe der 51. sowjetischen Armee unterrichtet war, den Schneid genommen. Er fürchtet, in seiner langen ungedeckten Flanke gepackt zu werden. Er fürchtet genau das, was Hoth auch vorhatte. Er bleibt also stehen, obwohl ihn sein Armeebefehlshaber wütend auffordert, weiterzustoßen. Am 22. erst, am Totensonntag, als wieder kein deutscher Angriff kommt, rollt er schließlich nach einem erneuten energischen Befehl Jeremenkos weiter, dreht nach Nordwesten ein und steht vierundzwanzig Stunden später vor Kalatsch am Don.

Hitler begriff und erkannte die Gefahr, die nicht nur der 6. Armee, sondern der ganzen Südfront, das heißt der Heeresgruppe, mit einer Million Mann drohte. Er suchte einen Retter. Am 20. November machte er den Oberbefehlshaber der 11. Armee, den Bezwinger von Sewastopol, der stärksten Festung der Welt, Feldmarschall von Manstein zum Oberbefehlshaber der neuen »Heeresgruppe Don«.

Manstein sollte alle westlich und südlich von Stalingrad stehenden Kräfte zur Abwehr der Gefahr zusammenfassen. Ihm wurden die 4. Panzerarmee, die 6. Armee und die 3. rumänische Armee unterstellt. Das war eine gute Wahl und eine ebenso gute Entscheidung in der Gefahrenstunde. Manstein besaß Fronterfahrung mit rumänischen Verbänden. Außerdem genoß er in der Wehrmacht allgemeine Autorität als der fähigste Befehlshaber. Seine Aufgabe war, die sowjetische Offensive zum Stehen zu bringen und das verlorene Terrain zurückzuerobern.

Gleichfalls am 20. November ließ Hitler den Generalstabschef der Luftwaffe, Jeschonnek, nach Berchtesgaden kommen, um die Rolle der Luftwaffe zu besprechen. Über das Gespräch gibt es keine eindeutigen Unterlagen, aber soviel ist sicher: Jeschonnek hat Hitler gesagt, daß die Luftwaffe unter gewissen Bedingungen die 6. Armee eine kurze Zeit aus der Luft versorgen könne. »Unter bestimmten Umständen und Bedingungen«, wie Erhaltung der frontnahen Flugplätze und erträgliches Flugwetter. Das Letztere war bei der unbeständigen Wetterlage im Raum Stalingrad besonders wichtig.

Hitler hörte das grundsätzliche »Ja« zur Luftversorgung nur zu gerne; aber eine endgültige Entscheidung zum Festhalten der 6. Armee und zur Luftversorgung fällte er am 20. November in Berchtesgaden noch nicht.

Am 21. November sandte Paulus einen Funkspruch an die Heeresgruppe und bat wegen der schweren Angriffe auf die Flanken um Genehmigung, die Armee von der Wolga und Stalingrad nach Südwesten auf Don und Tschir absetzen zu dürfen. Die Heeresgruppe Weichs leitete den Antrag ans Führerhauptquartier mit nachdrücklicher Befürwortung. Hitler antwortete noch am Nachmittag: »Funkspruch Nr. 1352 – Dringend – An Gefechtsstand 6. Armee – Führerentscheid: 6. Armee hält trotz Gefahr vorübergehender Einschließung Bahnlinie möglichst lange offen. Über Luftversorgung folgt Befehl.«

Das klang einsichtig.

Am gleichen 21. November hatte Paulus den Armeestab von Golubinskaja am Don nach Gumrak verlegt, dicht an die Stalingrader Front. Er selbst, sein Chef des Stabes, Arthur Schmidt, und der IIa waren nach Nischne Tschirskaja geflogen, weil dort, an der Mündung des Tschir in den Don, ein vorbereiteter Gefechtsstand der Armee ausgebaut war, mit direkten Leitungen zur Heeresgruppe, zum OKW und zum Führerhauptquartier. Nischne Tschirskaja war als Wintergefechtsstand für die 6. Armee gedacht – für die Zeit nach der Einnahme Stalingrads.

Paulus und sein Chef wollten sich in Nischne Tschirskaja der guten Nachrichtenmittel bedienen, um sich ausführlich und umfassend zu informieren, ehe sie nach Gumrak gingen. Es gab damals und gibt heute nicht den Schimmer eines Verdachts, daß Paulus, getrennt von seinem Stabe, außerhalb des sich anbahnenden Kessels bleiben wollte. Aber Hitler mißverstand offenbar die Motive und die Absicht des Oberbefehlshabers der 6. Armee. Kaum war Paulus in Nischne Tschirskaja angekommen, da befahl Hitler in barscher Form den General in den Kessel.

Generaloberst Hoth war in der Frühe des 22. November auf Befehl der Heeresgruppe nach Nischne Tschirskaja gefahren, um mit Paulus die Lage zu erörtern. Er traf ihn nervös und über den schulmeisterlichen Befehl Hitlers sehr aufgebracht an. Das Gesicht dieses hervorragenden militärischen Intellektuellen war von einem gequälten Ausdruck über die bedrückende, unklare Lage überschattet. Generalmajor Schmidt, der Chef des Stabes, war hingegen die Ruhe selbst. Er telefonierte unentwegt mit den Kommandeuren der Front, um Informationen zu bekommen, das Feindbild zu erkennen, Abwehrmaßnahmen zu erörtern: Der Typ des zugeknöpften, kühlen und per-

fekten Generalstabsoffiziers, der seine Charakterfestigkeit später in zwölf-
jähriger sowjetischer Kriegsgefangenschaft unter Beweis stellte.

Was Schmidt auf seiner Handkarte eintrug, die er vor sich, neben dem Telefon liegen hatte, war alles andere als ermutigend. Es sah schlimm aus im
Rücken der 6. Armee westlich des Don. Und nicht viel besser an der Südwestflanke.

6
Die 6. Armee im Kessel

*»Mein Führer, ich erbitte Handlungsfreiheit« – Göring und die Luft-
versorgung – Das OKH schickt einen Vertreter in den Kessel – General
von Seydlitz fordert Ungehorsam – Manstein kommt – Wenck rettet
am Tschir*

Tiefe Wolken hingen am Himmel, Schneetreiben fegte aus der Steppe, nahm
der Erd- und vor allem der Luftaufklärung die Sicht, nahm auch die Möglichkeit zum Einsatz von Schlachtfliegern und Stukas. Das Wetter war auch diesmal Stalins Verbündeter. Im verzweifelten Einsatz warf sich die Luftwaffe,
die im besten Fall in wenigen Ketten fliegen konnte, auf die durchgebrochenen Feindspitzen. Zusammengeraffte Teile von Versorgungstruppen der
6. Armee, rückwärtige Dienste, Feldeisenbahnkompanien, Flakartillerie und
Bodenpersonal der Luftwaffe bauten mühselig am Tschir erste Sicherungen
auf, um wenigstens eine Ausweitung des russischen Durchbruchs in den
leeren Raum nach Südwesten, Richtung Rostow, zu verhindern.

Besonders schlimm war die Nachricht, daß die bei Kalatsch gelegenen
Feldflugplätze überrannt und die Nahaufklärer des VIII. Fliegerkorps zerschlagen waren. Nordwestlich Kalatsch saß die 44. Infanteriedivision noch in
ihren guten Stellungen am Don. Sie war zwar von ihren Versorgungseinhei-
ten abgeschnitten, aber sie bildete einen wichtigen Kristallisationspunkt westlich des Flusses. Das war hoffnungsvoll. Leider nicht lange.

In Stalingrad hatte General Paulus bereits am Abend des 19. auf Befehl der
Heeresgruppe alle Angriffsunternehmen eingestellt. Vor den letzten hundert
Metern bis zum Ziel mußte Halt geblasen werden. Aus Teilen der drei Panzer-

divisionen, der 14., 16. und 24., wurden Kampfgruppen gebildet, aus der Front gelöst und in Richtung Don dem von Nordwesten anrollenden Feind entgegengeworfen.

Aber diese schwachen Kräfte konnten bei der stürmischen Entwicklung der Lage im Durchbruchsraum nichts Entscheidendes mehr ausrichten.

Am 22. November um 14 Uhr flogen Paulus und Schmidt über die feindlichen Linien nach Gumrak in den Kessel. Der neue Gefechtsstand lag zwei Kilometer westlich von dem kleinen Bahnhof.

Am Abend des 22., bei Einbruch der Dunkelheit, hatte der nördliche sowjetische Stoßkeil die Donhöhen erreicht. Das 26. sowjetische Panzerkorps unter Oberstleutnant Filipow hatte bereits in den Frühstunden die Donbrücke von Kalatsch im Handstreich genommen. Die südliche Angriffsgruppe stand gleichfalls vor der Stadt. Kalatsch fiel am 23. November. Und damit war die Falle hinter der 6. Armee zugeklappt. 20 deutsche und zwei rumänische Divisionen, rund 200 000 Mann, waren eingekesselt, mit ihnen 20 300 Russen, die auf deutscher Seite kämpften. Und vierzig- bis fünfzigtausend Pferde.

Was war jetzt zu tun?

Diese Frage ist in der schon vielbändigen Literatur über Stalingrad immer wieder gestellt und mit widersprüchlichen Theorien beantwortet worden. Wenn eine Schlacht verloren ist, weiß ja bekanntlich jeder Fähnrich, wie sie hätte gewonnen werden können. Denn Siege haben viele Väter, Niederlagen aber sind Waisenkinder. Was kriegsgeschichtlich interessiert, sind die Ursachen für Irrtum und Fehlentscheidungen. Denn durch Irrtum und Fehlentscheidungen werden die meisten Schlachten verloren. Und die Irrtümer und Fehler, die die 6. Armee in den Stalingrader Kessel führten, beginnen nicht erst Ende November. Sie sind nicht Paulus anzulasten, sondern wurden bereits mit den Weisungen der höchsten deutschen Kommandostellen im Spätsommer begangen.

In den Tagen zwischen 19. und 22. November bot sich allerdings zum letzten Male die Chance, diese Fehler und Irrtümer zu korrigieren. Das deutsche Oberkommando hätte vielleicht am 19. November erkennen müssen, welche Gefahr drohte, und durch den Befehl, sich von der Wolga zu lösen und Stalingrad aufzugeben, die Lage schnell bereinigen können. Die 6. Armee konnte das von sich aus nicht. General Paulus konnte auf keinen Fall die Gesamtlage so klar übersehen, um selbständig eine so weitgehende und für die ganze Südfront gefährliche Entscheidung zu fällen, die 6. Armee aus ihren Stellungen zu nehmen und einen überstürzten Rückzug anzutreten. Es ging ja nicht nur um seine, die 6. Armee, mit ihren 230 000 Mann, sondern um die ganze

Heeresgruppe A im Kaukasus mit einer Million Mann. Im übrigen gebietet es die nüchterne Betrachtung der Dinge, festzustellen, daß am 19., 20. und auch am 22. November das Verhängnis noch keineswegs eine strategische Zwangsläufigkeit war. Eine richtige Bewertung der Tatsachen beweist das.

Auf der Generalstabsschule im Wehrkreiskommado I, Königsberg (Preußen), war der spätere General Oßwald Taktiklehrer von Arthur Schmidt und Wolfgang Pickert gewesen. »Das Kreuz des Südens« hatten ihn seine Schüler genannt. Seine Marotte: eine Lage knapp zu schildern und dann zu sagen: »Meine Herren, in zehn Minuten Entschluß und kurze Begründung.« Wer bei Oßwald im Hörsaal gesessen hatte, vergaß das nie.

Als General Pickert, Kommandeur der 9. Flakdivision, am Morgen des 22. November 1942 in Nischne Tschirskaja seinen alten Freund Arthur Schmidt begrüßte, platzte der mit der Oßwaldschen Schulaufgabe heraus: »Pickert, Entschluß und kurze Begründung.«

Pickert antwortete mit drei Worten: »Nichts wie raus.«

Schmidt nickte: »Wollen wir auch, aber . . .« Und dann setzte Paulus' Chef des Stabes seinem Freund Pickert die Auffassung der Armee auseinander: Zu hektischen Maßnahmen besteht kein Anlaß. Es ist noch keine operative Zwangslage gegeben, die zu selbständigen Entschlüssen ohne Rücksicht auf die große Lage herausfordert. Das allerwichtigste ist, den Rücken der Armee abzuschirmen. Ein überstürzter Rückzug aus den sicheren Stellungen in Stalingrad könnte nur unübersehbare Folgen haben. Wie richtig gerade diese Bedenken waren, sollte sich schon in wenigen Tagen erweisen.

Als Schmidt und Pickert in Nischne Tschirskaja diskutierten, gab es daher tatsächlich nur zwei Aufgaben: den bedrohten Rücken der Armee zu sichern, das heißt eine feste Front nach Westen und Süden zu bilden, und dann den Ausbruch nach Südwesten vorzubereiten. Was man dazu vor allem brauchte, war Sprit, den die Luftwaffe einzufliegen hatte. Sprit für Panzer. Sprit für die Zugmaschinen.

Dieser Gedanke stand im Einklang mit den Auffassungen der Heeresgruppe Weichs, die noch am 21. abends befohlen hatte, Stalingrad und Wolgafront »unter allen Umständen« zu halten und sich auf den Ausbruch vorzubereiten. Pickert bezweifelte, daß die Luftwaffe auch nur für kurze Zeit die Armee versorgen könne, und mahnte erneut, schnell auszubrechen. Schmidt wies darauf hin, daß man die noch am Westufer des Don stehenden Teile des XIV. und XI. Korps und 10 000 Verwundete nicht zurücklassen könne: »Das wäre napoleonisch.«

Daß auch Paulus und Schmidt im übrigen fest an dem Gedanken hingen, nach entsprechender Vorbereitung auszubrechen, beweisen die nächsten Stunden.

Am Nachmittag des 22. November kam bei Paulus über die Heeresgruppe Weichs ein Funkspruch des OKH an: »Aushalten und weitere Befehle abwarten.« Das sollte ganz offensichtlich ein Riegel gegen übereilte Absetzbewegungen sein. Der General hatte sich inzwischen ein genaues Bild von der Lage an seiner Südwestflanke verschafft, wo sowjetische Kräfte mit rund hundert Panzern operierten, und antwortete um 19 Uhr mit einem Funkspruch an die Heeresgruppe B, in dem es unter anderem heißt:

»Südfront ostwärts Don noch offen. Don zugefroren und überschreitbar. Betriebsstoff bald aufgebraucht. Panzer und schwere Waffen dann unbeweglich. Munitionslage gespannt. Verpflegung reicht für sechs Tage. Armee beabsichtigt, verbliebenen Raum von Stalingrad bis beiderseits Don zu halten, und hat hierzu alle Maßnahmen eingeleitet. Voraussetzung ist, daß Schließung Südfront gelingt und reichliche Versorgung laufend zugeflogen wird. Erbitte Handlungsfreiheit für den Fall, daß Igelbildung im Süden nicht gelingt. Lage kann dann dazu zwingen, Stalingrad und Nordfront aufzugeben, um mit ganzer Kraft Gegner an Südfront zwischen Don und Wolga zu schlagen und hier Anschluß an 4. rumänische Armee zu gewinnen . . .«

Da steht es klar und präzis, was Paulus am Nachmittag des 22. November wollte. Wohlüberlegt war für alle Fälle geplant. Er wollte igeln, jawohl, aber er forderte Handlungsfreiheit, das heißt, Freiheit für schnelles Absetzen, wenn es die Lage erfordern sollte.

Darauf ging um 22 Uhr ein persönlicher Funkspruch Hitlers ein. Er verweigerte die Handlungsfreiheit und befahl der Armee, stehenzubleiben: »Die 6. Armee muß wissen«, so heißt es in dem Funkspruch, »daß ich alles tue, ihr zu helfen und sie zu entsetzen. Ich werde ihr rechtzeitig meine Befehle geben.«

Damit war der Ausbruch aus dem Kessel klar und präzis untersagt. Paulus reagierte sofort. Am 23. um 11 Uhr 45 funkte er an die Heeresgruppe. »Halte Durchschlagen nach Südwesten ostwärts des Don unter Heranziehen des XI. und XIV. A. K. über den Don zur Zeit noch für möglich, wenn auch unter Opfern von Material.«

Weichs unterstützte diese Forderung in einem Fernschreiben und betonte: »Ausreichende Luftversorgung ist nicht möglich.«

Am 22. November abends fuhr Hitler von Berchtesgaden Richtung Führerhauptquartier »Wolfsschanze« in Ostpreußen. Auf der 18stündigen Bahnfahrt bis Leipzig ließ er alle zwei Stunden anhalten und auf schnell gestellten

Telefonleitungen auf den Bahnhöfen sich von Zeitzler über die Frontlage informieren. Er war also minutiös über die sich dramatisch entwickelnde Situation bei der 6. Armee unterrichtet.

General Jeschonnek begleitete Hitler und konferierte ständig mit ihm über die Frage der Luftversorgung. Er telefonierte auch mit Göring, und der Reichsmarschall ordnete bereits am Nachmittag die Vorbereitung für die Errichtung einer Luftbrücke und Versorgung Stalingrads an. Jeschonnek unterrichtete Hitler, daß Göring von seinen Generalen einen Transport von täglich 500 Tonnen forderte.

Bei den Telefongesprächen Hitlers mit Zeitzler schärfte er ihm ein, mit grundsätzlichen Entscheidungen bis zu seinem Eintreffen in »Wolfsschanze« zu warten, und auf keinen Fall der 6. Armee die Genehmigung zum Absetzen oder zur Handlungsfreiheit zu geben, wie es Paulus in seinem Funkspruch vom 22. November verlangt hatte. Zeitzler befürwortete das. Offenbar war bei Hitler im Zug bereits die Entscheidung für das Festbinden der 6. Armee und ihre Versorgung aus der Luft gefallen.

Paulus wußte das noch nicht und kämpfte weiter um Ausbruch.

Um 23 Uhr 45, am 23. November, gab er nach sorgfältiger Überlegung und nach Rücksprache mit den Kommandierenden Generalen der Armee einen Funkspruch direkt an Hitler, in dem er dringend um Genehmigung zum Ausbruch bat. Paulus funkte: »Mein Führer, seit Eingang Ihres Funkspruchs vom 22. 11. abends hat sich die Entwicklung der Lage überstürzt. Die Schließung des Kessels ist im Südwesten und Westen nicht geglückt. Bevorstehende Feinddurchbrüche zeichnen sich hier ab. Munition und Betriebsstoff gehen zu Ende. Zahlreiche Batterien und Panzerabwehrwaffen haben sich verschossen. Eine rechtzeitige ausreichende Versorgung ist ausgeschlossen. Die Armee geht in kürzester Zeit der Vernichtung entgegen, wenn nicht unter Zusammenfassen aller Kräfte der von Süden und Westen angreifende Feind vernichtend geschlagen wird. Hierzu ist sofortige Herausnahme aller Divisionen aus Stalingrad und starker Kräfte aus der Nordfront erforderlich. Unabwendbare Folge muß dann Durchbruch nach Südwesten sein, da Ost- und Nordfront bei derartiger Schwächung nicht mehr zu halten. Es geht dann zwar zahlreiches Material verloren, es wird aber die Mehrzahl wertvoller Kämpfer und wenigstens ein Teil des Materials erhalten. Die Verantwortlichkeit für diese schwerwiegende Meldung behalte ich in vollem Umfange, wenn ich melde, daß die Kommandierenden Generale Heitz, v. Seydlitz, Strecker, Hube und Jaenecke die gleiche Beurteilung der Lage haben. Bitte aufgrund der Lage nochmals um Handlungsfreiheit.«

»Alle Korpskommandeure sind meiner Meinung«, fügte Paulus dem Funkspruch an.

Als Hitler am 23. November abends in der »Wolfsschanze« ankam, berichtete ihm Zeitzler über die Forderung von Paulus. Hitler war von der langen Reise müde und zerschlagen. Er wies Zeitzler nicht einfach ab, sondern ließ ihn den Eindruck gewinnen, man werde morgen darüber reden. Zeitzler deutete das als positiv und unterrichtete noch in der Nacht die Heeresgruppe, daß er für den 24. eine Genehmigung Hitlers zum Ausbruch erhoffe.

Das schuf große Euphorie auch bei der 6. Armee. Paulus stellte Panzerkräfte für den Ausbruch bereit. Doch am 24. kam eine ganz andere Entscheidung. Sie ging am 24. morgens um 8 Uhr 38 durch Funkspruch ein. Er trug die Überschrift: »Führerentscheid«, das war die höchste und strikteste Befehlsstufe. Hitler befahl sehr präzis die Frontbildung des Kessels und die Zurücknahme aller noch westlich des Don stehenden Armeeteile über den Fluß in die Kesselfront. Der Schluß lautete: »Jetzige Wolgafront und jetzige Nordfront unter allen Umständen halten. Luftversorgung.«

Da war es, das verhängnisvolle Wort: Luftversorgung. Zeitzler und das Oberkommando des Heeres hofften noch immer, Hitler die Entscheidung ausreden zu können. Gab es doch die Beurteilung autorisierter Generale, die bezweifelten, daß die Luftversorgung im Winter funktionieren könne: Der Chef der Luftflotte 4, General von Richthofen, der erfahrene Kommandeur des VIII. Fliegerkorps, und die örtlichen Luftwaffenkommandeure, Generaloberst Weichs und natürlich Zeitzler widersprachen der Möglichkeit einer funktionierenden Zulieferung von mindestens 350 Tonnen Lebensmitteln und Munition für eine ganze Armee über Feindgebiet für längere Zeit.

In einem dramatischen Zusammenstoß zwischen Zeitzler und Göring im Beisein Hitlers am Abend des 24. November kulminierte das Problem. Zeitzler bezweifelte Göring gegenüber die Durchführbarkeit der Luftversorgung. Auch zeitweilig könne sie das nicht. Er berief sich auf das Urteil des Oberbefehlshabers der Luftflotte 4, Generaloberst von Richthofen, der ihn in mehrfachen Telefongesprächen auf die Undurchführbarkeit der ausreichenden Luftversorgung hingewiesen und den Ausbruch der Armee verlangt habe.

Das war für Göring, den Oberbefehlshaber der Luftwaffe, ein peinliches Argument, und er erklärte gereizt: Die Luftwaffe könne sehr wohl 500 Tonnen im Durchschnitt täglich einfliegen.

Als Zeitzler ihm zornig, laut und mit rotem Kopf zurief: »Das kann die Luftwaffe nicht, Herr Reichsmarschall«, raunzte Göring beleidigt zurück:

»Die Luftwaffe kann das, Herr Generalstabschef.« Und zu Hitler gewandt erklärte Göring in deutlichem Ton: »Es wird bei jeder Wetterlage geflogen, mein Führer. Alles wird zusammengezogen, sogar die Junkers-Maschinen aus dem Luftverkehr. Demjansk und andere Fälle haben bewiesen, daß man das kann.«

Die anwesenden Offiziere waren, nach Aussage des Wehrmachtadjutanten Major Engel, entsetzt über soviel Optimismus. Hitler jedoch war begeistert über den Reichsmarschall, »der schaffe das wie in früheren Jahren. Dort sei nicht der Kleinmut, wie bei vielen Stellen des Heeres«. Hitler erklärte Zeitzler befehlsmäßig, es bleibe bei seiner getroffenen Entscheidung vom frühen Morgen.

Für Hitler war die Zusicherung Görings eine Bestätigung seiner strategischen Intentionen. Ein zornbewegtes Streitgespräch, von dem Kompetenzkampf zwischen Heer und Luftwaffe unterlegt, und wohl auch von der Eitelkeit des Reichsmarschalls beherrscht, bestimmte eine Entscheidung, die nur in kühler Erwägung und kalter Berechnung hätte gefällt werden dürfen.

Nur kein Rückzug! Beschwörend verwies Hitler die Generale auf die Erfahrungen im Winter 1941 vor Moskau, wo seine Aushaltebefehle die Vernichtung der Heeresgruppe Mitte verhindert hatten. Aber was im Winter 1941 vor Moskau richtig war, mußte im Winter 1942 an der Wolga nicht unbedingt stimmen. Starres Halten war kein strategisches Patentrezept. Und außerdem war das Halten von Stalingrad unter Gefährdung einer ganzen Armee auch strategisch keine Notwendigkeit mehr. Eigentlicher Auftrag der 6. Armee war es ja doch, Flanke und Rücken der Kaukasusoperation zu decken. So stand es klipp und klar im Fahrplan für »Fall Blau«. Und diese Aufgabe war auch ohne den Besitz von Stalingrad, zum Beispiel am Don, zu erfüllen.

Man hört heute im Nachhinein und in Kenntnis der Katastrophe immer wieder die These, Paulus hätte den Haltebefehl Hitlers vom 24. November mißachten und auf eigene Verantwortung den Ausbruch zur Rettung der 6. Armee befehlen müssen. Das bedarf nun angesichts der Katastrophe einer sorgfältigen Erörterung.

Am 24. November gab der Oberquartiermeister der 6. Armee die Kürzung des Verpflegungssatzes um 50 Prozent bekannt, weil für die Luftversorgung die Zufuhr von Munition und Betriebsstoff Vorrang hatte. So war nun die tägliche Brotration von 750 Gramm auf 300 Gramm herabgesetzt.

General Paulus beendete mit diesem Tag, dem 24. November, alle Vorbereitungen für einen selbständigen Ausbruch. Manfred Kehrig schreibt in der Studie des Militärgeschichtlichen Forschungsamts: »Was Paulus und

Schmidt zu dieser Haltung veranlaßt hat, ist aktenmäßig nicht zu fassen. Es liegt aber nahe, anzunehmen, daß sie den Versicherungen der Führung vertrauten und deshalb zunächst einmal den angekündigten Entsatz und die Ergebnisse einer durch weitere 100 Ju 52 verstärkten Luftbrücke abwarten wollten. Folgerichtig erscheint ihre Haltung aber deshalb, weil sie einen selbständigen Ausbruch der Armee ohne Genehmigung und Absprachen für nicht möglich hielten und somit ein im Zusammenwirken mit der Heeresgruppe B und der Luftwaffe vorbereiteter und durchgeführter Ausbruch ausgeschlossen blieb. Für einen rational begründbaren Akt des Ungehorsams blieb damit kein Raum.«

General Arthur Schmidt hat dieser Feststellung in dem mir vorliegenden Exemplar handschriftlich angefügt: »Richtig. Aber seit 24. 11. auch die Einsicht, daß ein Ausbruch um diese Zeit nicht mehr möglich war.«

Warum nicht?

Paulus und seine engsten Mitarbeiter konnten Ende November in Gumrak nicht beurteilen, welche strategischen Beweggründe dem Entschluß der obersten Führung zugrunde lagen. Und waren nicht im letzten Winter im Kessel von Demjansk 100 000 Mann zweieinhalb Monate eingeschlossen, aus der Luft versorgt und schließlich freigekämpft worden? Hatte nicht auch im Kessel von Rschew Models 9. Armee befehlsgemäß ausgehalten? Wie war es in Cholm? In Suchinitschi?

Erfahrungen, die bei Hitlers Entscheidung eine Rolle gespielt haben. Erfahrungen, die auch Paulus und Schmidt kannten.

In der Führungszentrale der eingeschlossenen 6. Armee saß seit dem 25. November ein Zeuge, dessen Beobachtungen in den Betrachtungen über Stalingrad gemeinhin nicht genügend beachtet werden: Coelestin von Zitzewitz, Generalstabsmajor im Oberkommando des Heeres, wurde am 23. November vom Chef des Generalstabs, General Zeitzler, mit einem Funktrupp nach Stalingrad geschickt, um als sein persönlicher Beobachter täglich dem OKH direkt über die Lage bei der 6. Armee Bericht zu erstatten. Am 23. November früh um 8 Uhr 30 wurde Zitzewitz zu Zeitzler gerufen und mit seiner Aufgabe betraut.

Die Art der Auftragserteilung durch den Generalstabschef gibt einen interessanten Hinweis auf die Beurteilung der Lage durch das Oberkommando des Heeres. Coelestin von Zitzewitz schildert sie so:

»Der General Zeitzler trat mit mir kurz an die auf dem Tisch liegende Karte: ›Die 6. Armee ist seit heute morgen eingeschlossen. Sie fliegen noch heute mit einem Funktrupp des Führungsnachrichtenregiments nach Stalingrad. Es kommt mir darauf an, daß Sie unmittelbar und schnell möglichst viel melden. Irgendwelche Führungsaufgaben haben Sie nicht. Wir haben keine Sorge, der General Paulus macht alles sehr schön. Haben Sie noch eine Frage?‹ – ›Nein.‹ – ›Sagen Sie dem General Paulus, daß alles geschieht, um die Verbindung wiederherzustellen. Danke sehr.‹ Damit war ich entlassen.«

Major von Zitzewitz flog am 24. November mit seinem Funktrupp – einem Unteroffizier und sechs Mann – von Lötzen über Charkow und Morosowskoje in den Kessel. Was für eine Auffassung fand er dort vor?

Zitzewitz berichtete dem Verfasser: »Die erste Frage von General Paulus war natürlich, wie das OKH sich den Entsatz der 6. Armee denke. Darauf konnte ich ihm keine Antwort geben. Er sagte, daß das Versorgungsproblem seine Hauptsorge sei. Eine noch nie dagewesene Aufgabe, eine ganze Armee durch die Luft zu versorgen. Er hatte der Heeresgruppe und dem OKH seinen Bedarf mit zunächst 300 Tonnen täglich, für später mit 500 Tonnen, gemeldet, wenn die Armee kampf- und lebensfähig bleiben sollte. Dies war ihm zugesagt.

Der OB stand auf dem mir durchaus einleuchtenden Standpunkt: Die Armee kann hier halten, wenn sie mit dem notwendigen Versorgungsgut, vor allem mit Betriebsstoff, Munition und Verpflegung, versorgt wird und wenn mit einem Entsatz von außen her in absehbarer Zeit zu rechnen ist. Es war nun Sache der obersten Führung, die Möglichkeiten dieser Versorgung und einen Entsatz generalstabsmäßig zu planen und dann die entsprechenden Befehle zu geben.

Paulus selbst war der Auffassung, daß eine Zurücknahme der 6. Armee im Rahmen der Gesamtlage nützlich sei. Er betonte immer wieder, daß die 6. Armee an der durchbrochenen Front zwischen Woronesch und Rostow nutzbringender für die Gesamtlage verwendet werden könnte als hier im Raum von Stalingrad. Außerdem würden dann die Eisenbahn, die Luftwaffe, die ganzen Nachschuborganisationen für Aufgaben im Dienste der Gesamtlage frei.

Doch von sich aus konnte er diesen Entschluß nicht fassen. Er konnte auch die Nichterfüllung seiner Forderung hinsichtlich Entsatz und Versorgung nicht voraussehen; dafür fehlten ihm die erforderlichen Unterlagen. Dies alles hatte der OB seinen Generalen – die wie er alle für den Ausbruch waren – mitgeteilt und anschließend seine Befehle für die Verteidigung gegeben.«

Was hätte Paulus, dieser Vertreter bester deutscher Generalstabsschule, anders tun sollen, anders tun können? Ein Reichenau, ein Guderian, ein Rommel oder ein Hoepner hätte vielleicht anders gehandelt. Aber Paulus war kein Draufgänger und schon gar kein Rebell, er war Generalstabsoffizier reinsten Wassers.

Ein General in Stalingrad war grundsätzlich anderer Meinung als Paulus und wollte die durch den Führerbefehl geschaffene Lage nicht hinnehmen: General der Artillerie Walther von Seydlitz-Kurzbach, der Kommandierende des LI. Korps. Der Mann, der im Frühjahr den Kessel von Demjansk freigeschlagen hatte, forderte von Paulus den Ungehorsam gegen den Führerbefehl und verlangte den Ausbruch aus dem Kessel auf eigene Verantwortung.

In einer Denkschrift vom 25. November legte er dem OB der 6. Armee schriftlich dar, was er schon am 23. im Kreise aller Kommandierenden leidenschaftlich verfochten hatte und womit er nicht durchgedrungen war: Es muß sofort ausgebrochen werden!

Die Denkschrift begann mit den Sätzen: »Die Armee steht vor dem eindeutigen Entweder-Oder: Durchbruch nach Südwesten in allgemeiner Richtung Kotelnikowo oder Untergang in wenigen Tagen.«

Als entscheidend für die Beurteilung der Lage und den Entschluß sei die Versorgungslage. Es sei illusorisch, wesentliche Erwartungen in die Luftversorgung zu setzen. Folglich: »Soll die Armee erhalten bleiben, so muß sie einen anderen Befehl sofort herbeiführen oder sofort einen anderen Entschluß selbst fassen.«

Die Hauptargumente der Denkschrift unterschieden sich nicht von den Auffassungen der anderen Kommandierenden Generale der 6. Armee, auch nicht von den Auffassungen Paulus'. Die präzise Lagebeurteilung, die der ausgezeichnete Chef des Generalstabs des LI. A.K., Oberst Clausius, zusammengestellt hatte, drückte die Erwägungen aller Generalstabsoffiziere in den Stäben des Kessels aus.

Seydlitz schlug vor: Unter Entblößung von Nord- und Wolgafront Stoßkräfte frei zu machen, um mit ihnen an der Südfront anzugreifen und unter Aufgabe von Stalingrad in Richtung des schwächsten Widerstandes, das heißt gegen Kotelnikowo, durchzubrechen.

Wörtlich hieß es: »Dieser Entschluß macht die Zurücklassung erheblicher Materialmengen nötig, bietet aber Aussicht, die südliche Backe der feindlichen Umfassung zu zerschlagen, einen großen Teil der Armee und ihrer Rüstung der Katastrophe zu entziehen und sie für die Fortführung der Operationen zu erhalten. Hierdurch bleibt ein Teil der Feindkräfte dauernd gebunden, während nach Vernichtung der Armee in der Igelstellung jegliche Bindung von Feindkräften aufhört. Nach außen hin ist eine Darstellung der Ereignisse möglich, die schweren moralischen Schäden vorbeugt: nach völliger Zerstörung des sowjetischen Rüstungszentrums Stalingrad ist die Armee unter Zerschlagung einer feindlichen Kräftegruppe von der Wolga abgesetzt worden. Die Erfolgsaussichten für den Durchbruch sind um so größer, als die bisherigen Kämpfe vielfach eine geringe Standfestigkeit der feindlichen Infanterie im freien Gelände gezeigt haben.«

Das war einleuchtend, präzis und logisch. Jeder Generalstabsoffizier konnte das unterschreiben. Das Problem lag in dem Schlußsatz der Denkschrift. Hier hieß es:

»Hebt das OKH den Befehl zum Ausharren in der Igelstellung nicht unverzüglich auf, so ergibt sich vor dem eigenen Gewissen gegenüber der Armee und dem deutschen Volk die gebieterische Pflicht, sich die durch den bisherigen Befehl verhinderte Handlungsfreiheit selbst zu nehmen und von der heute noch vorhandenen Möglichkeit, die Katastrophe durch eigenen Angriff zu vermeiden, Gebrauch zu machen. Die völlige Vernichtung von zweihunderttausend Kämpfern und ihrer gesamten Materialausstattung steht auf dem Spiel. Es gibt keine andere Wahl.«

Die sittliche Begründung für selbständiges Handeln und der Appell zum Ungehorsam schlug bei dem kühlen Generalstäbler Paulus nicht durch. Auch bei anderen Korpskommandeuren und dem Chef des Armeestabes, General Arthur Schmidt, nicht. Außerdem minderten einige zugespitzte Feststellungen die Wirkung: »Die Vernichtung der Armee in wenigen Tagen« war am 25. November Übertreibung, und auch in der Nachschubfrage argumentierte Seydlitz leider falsch, wenn er schrieb: »Selbst wenn täglich 500 Maschinen landen werden, können nicht mehr als 1000 Tonnen Güter herangebracht werden, die für den Bedarf einer Armee von rund 200 000 Mann, im Großkampf und ohne Vorräte, nicht ausreichen.«

Hätte die Armee 1000 Tonnen täglich erhalten, wäre sie wahrscheinlich davongekommen!

Trotzdem schickte Paulus die Denkschrift an die Heeresgruppe Manstein. Er fügte hinzu, daß die Beurteilung der Kampflage mit seinen eigenen Auffassungen übereinstimme, und forderte deshalb erneut Handlungsfreiheit zum Ausbruch, verwarf aber die Idee eines Ausbruchs gegen die Befehle von Heeresgruppe und Führerhauptquartier.

Paulus bekam die Genehmigung zum Ausbruch nicht. Hatte Seydlitz also recht, von ihm den Ungehorsam zu verlangen? Sehen wir einmal von der Rangordnung von Befehl und Gehorsam für den Soldaten im Kriegsgeschehen ab, das heißt von der Tatsache, daß Befehl und Gehorsam »das Funktionsprinzip einer jeden Armee sind und so fest begründet sein müssen, daß sie auch in Gefahr und Todesmut . . . noch festen Bestand haben«, wie General der Bundeswehr a.D. Uhle-Wettler es im Zusammenhang mit dieser Frage formulierte, so bleibt das Problem: War denn der geforderte Ungehorsam überhaupt praktikabel?

Was machte Chruschtschow, als der General Lopatin Anfang Oktober seine 62. Armee aus Stalingrad zurücknehmen wollte, weil er, die schrecklichen Verluste vor Augen, nur ihre Vernichtung sah? Er setzte Lopatin ab, ehe dieser die Rückzugsbewegung einleiten konnte.

Auch Paulus wäre mit einem offenen Ungehorsam gegen Hitler nicht weit gekommen. Es war illusorisch, zu glauben, im Zeitalter von Funk und Fernschreiber, Dezimeterwelle und Kurierflugzeug könnte ein Armeeführer, wie in den friderizianischen Kriegen die Festungskommandanten, Entscheidungen gegen den Willen des Obersten Befehlshabers treffen, ohne daß der Souverän etwas dagegen tun konnte.

Nicht eine Stunde lang wäre Paulus in seinem Kommando geblieben, wenn seine Absicht erkennbar geworden wäre. Er wäre abgesetzt, seine Befehle wären rückgängig gemacht worden.

Wie gut und schnell die Verbindung von Stalingrad in Hitlers »Wolfsschanze« über Tausende von Kilometern hinweg funktionierte, das erwies sich gerade an einem Fall, der Seydlitz persönlich betraf. Ein Vorfall auch, der mahnend demonstrierte, was ein überstürzter Rückzug aus den sicheren Stellungen an der Wolga für Gefahren barg.

General Seydlitz hatte in der Nacht zum 24. November, also vor Überreichung seiner Denkschrift, den linken Flügel seines Korps an der Wolgafront des Kessels entgegen den klaren Befehlen zurückgenommen. Die Aktion sollte nach einer Äußerung von Seydlitz' Stabschef, Oberst Claudius, General Schmidt gegenüber so etwas wie ein Fanal des Ausbruchs, eine Initialzündung für das Absetzen von Stalingrad werden und Paulus das Handeln aufzwingen. Seydlitz widerspricht dem in seinen Memoiren sehr heftig. Die Maßnahme sei eine notwendige Frontverkürzung aus einem exponierten Zipfel der Nordfront gewesen. Hier der Vorgang:

Die 94. Infanteriedivision von Seydlitz' LI. Korps, die in gut ausgebauten, allerdings überdehnten Stellungen lag und auch ihre Nachschuborganisation noch nicht verloren hatte, löste sich befehlsgemäß aus ihrer Front. Alles sperrige und schwer zu tragende Material wurde verbrannt oder zerstört: Briefschaften, Tagebücher, Sommersachen in lodernde Feuer geworfen. Auch Munition wurde krachend zerstört. Dann verließen die Männer ihre Bunker und Erdhöhlen und setzten sich in Richtung Nordrand der Stadt ab. Schneelöcher und vereiste Schluchten ersetzten die warmen Quartiere. Sie brachten nicht nur das große Abenteuer ins Rollen, sondern sahen sich plötzlich von schnell nachstoßenden sowjetischen Regimentern gestellt, wurden überrollt, zusammengeschossen. Die altbewährte 94. Infanteriedivision ging zugrunde.

General Tschuikow war durch das Feuerwerk in den deutschen Stellungen auf die Räumung aufmerksam geworden und hatte den sofortigen Stoß in die Rückzugsoperation befohlen.

Das Ergebnis einer spontanen Absetzbewegung war verheerend.

Aber nicht nur das ist exemplarisch, sondern noch etwas anderes: Noch ehe die Führung der 6. Armee Kenntnis von diesen Vorgängen an ihrer linken Kesselflanke hatte, wußte Hitler schon davon. Ein Funktrupp der Luftwaffe, der im Katastrophenraum saß, hatte die Meldung an den Luftwaffenverbindungsoffizier im Führerhauptquartier gegeben, und schon wenige Stunden später funkte Hitler an die Heeresgruppe: »Verlange umgehend Meldung, warum Front nördlich von Stalingrad zurückgenommen.«

Außerdem bekam die Armee noch am 24. November früh den Befehl Hitlers, zu melden, wie es gegen seinen Sonderbefehl, der die Zurücknahme von Truppen über Bataillonsstärke ohne seine persönliche Genehmigung verbot, zu dieser Aufgabe des Latschamkazipfels gekommen sei.

Paulus recherchierte, stellte die Zusammenhänge fest und – beantwortete die Anfrage aus dem Führerhauptquartier nicht. Seydlitz wurde beim Führer nicht angeschwärzt, was ihm mit Sicherheit ein Kriegsgerichtsverfahren gebracht hätte.

Die Heeresgruppe gab dem Führerhauptquartier eine bagatellisierende Erklärung. Hitler bekam auf diese Weise keine Kenntnis von den Hintergründen und erfuhr nicht, daß Seydlitz für das Desaster verantwortlich war. Paulus nahm durch sein Schweigen die Verantwortung auf sich. Wie viele Oberbefehlshaber hätten auf einen eklatanten Verstoß gegen die militärische Disziplin so reagiert? Die Reaktion aus der »Wolfsschanze« war allerdings für Paulus niederschmetternd: Hitler, der Seydlitz seit den Kämpfen um den Kessel von Demjansk sehr schätzte und ihn auch jetzt für den härtesten Mann im Kessel hielt, glaubte, die Frontverkürzung gehe auf Paulus' Konto. Er verfügte deshalb mit Funkspruch vom 24. November 21 Uhr 24, er wünsche, daß der Nordteil des Stalingrader Festungsbereichs »einem einzigen militärischen Führer unterstellt wird«, der ihm für das unbedingte Halten verantwortlich sein sollte.

Und wen ernannte Hitler? Den General von Seydlitz-Kurzbach. Getreu dem Prinzip: teile und herrsche, wollte er Paulus gewissermaßen einen Aufpasser für Energie beigesellen. Als Paulus persönlich die Führerweisung Seydlitz überbrachte und ihn fragte: »Was werden Sie jetzt tun?« bekam er zur Antwort: »Da bleibt ja wohl nichts anderes übrig, als zu gehorchen.«

General Paulus hat in der Gefangenschaft und nach seiner Entlassung immer wieder auf dieses Gespräch mit Seydlitz hingewiesen. General Roske, der Kommandant von Stalingrad Mitte, erinnert sich sogar, daß General Paulus ihm noch in Stalingrad mitgeteilt hat, er habe zu Seydlitz gesagt: »Wenn ich jetzt den Oberbefehl über die 6. Armee niederlege, besteht kein Zweifel, daß Sie als Persona grata vom Führer den Oberbefehl bekommen. Ich frage Sie: Werden Sie dann gegen den Befehl des Führers ausbrechen?« Nach einiger Überlegung habe Seydlitz geantwortet: »Nein, ich werde verteidigen.«

Das klingt angesichts der Denkschrift merkwürdig, aber es ist verbürgt.

Seydlitz bestätigt in seinen Memoiren das Gespräch mit Paulus mit einem etwas modifizierten Wortlaut: » . . . Dabei fügte Paulus leicht ironisch hinzu: ›Nun können Sie ja selbständig handeln und ausbrechen!‹ Darauf erwiderte ich – dem Sinne nach – daß das wohl eine Utopie sei. Ich hatte zu gehorchen.«

»Ich hatte zu gehorchen.« Genau das tat auch Paulus.

Und er hatte recht; denn zu diesem Zeitpunkt, am 25. oder 26. November, hatte Paulus aufgrund des Mangels an strategischer Gesamtübersicht kein Recht, seine Zweifel über die Lagebeurteilung den Befehlen Hitlers und des Oberkommandos überzuordnen. Und schon bald, am 26. November, wurde Paulus in seiner Haltung durch den neu ernannten Oberbefehlshaber der Heeresgruppe, Feldmarschall von Manstein, bestätigt, der in seinem Lagebericht optimistisch von der Möglichkeit eines Entsatzangriffes und eines Versorgungskorridors ausging.

Nein, die 6. Armee wäre bei der schlechten Versorgungslage mit Munition und Sprit am 26. November gemäß dem Vorschlag von Seydlitz nicht fähig gewesen, nach Südwesten durchzubrechen.

Kehrig stellt in seiner Analyse fest: »Die hier vorgelegten Zahlen lassen den Schluß zu, daß die Munitions- und Betriebsstofflage der 6. Armee einen Tage dauernden Durchbruchsversuch nach Südwesten mit Aussicht auf Gelingen nicht mehr erlaubte.«

Wie Tschuikow auf der Gegenseite, so lebten auch Paulus und seine Mitarbeiter unter der Erde. In der Steppe, sechs Kilometer westlich Stalingrad, dicht beim Bahnhof Gumrak, war der Armeestab in zwölf Erdbunkern untergebracht.

Vier mal vier Meter war der Bunker groß, den Generaloberst Paulus bewohnte. Mit zwei Meter hohen, festgefrorenen Erddecken boten diese

Unterstände ausreichenden Schutz gegen Artilleriebeschuß mittleren Kalibers. Die Innenausstattung bestand aus Holzlatten und Behelfsmaterial. Selbstgebaute Lehmöfen wärmten die Höhlen – wenn genügend Heizmaterial vorhanden war, das aus Stalingrad Mitte herangeholt werden mußte. Mit Decken gegen den Wind geschützte Eingänge verhinderten ein zu schnelles Abkühlen. Da die Parkplätze in einiger Entfernung von den Bunkern eingerichtet worden waren, konnte auch aus der Luft kaum eine Veränderung in der Steppenlandschaft festgestellt werden. Nur hier und dort flatterte eine dünne Rauchfahne aus einem Schneehügel.

Am turbulenten 24. November, kurz nach 19 Uhr, betrat der Funkoffizier, Leutnant Schätz, mit einem entzifferten Spruch der Heeresgruppe den Unterstand von General Schmidt: »Geheime Kommandosache, Chefsache«, also höchste Geheimhaltungsstufe. Text: »Übernehme 26. 11. Befehl über Heeresgruppe Don. Wir werden alles tun, Sie herauszuhauen. Es kommt inzwischen darauf an, daß Armee unter Festhalten der Wolga- und Nordfront gemäß Führerbefehl baldmöglichst starke Kräfte bereitstellt, um sich notfalls wenigstens vorübergehend eine Nachschubstraße nach Südwesten auszuschlagen.« Unterschrift: »Manstein.« Paulus und Schmidt atmeten auf.

Es war keine einfache Aufgabe, die der Feldmarschall zu lösen hatte. Er brachte keine neuen Kräfte mit, sondern übernahm die eingeschlossene 6. Armee, die zerschlagene 3. rumänische Armee, die Armeegruppe Hollidt mit zusammengerafften Kräften am Tschir und die neu formierte Armeegruppe Hoth.

In Nowo Tscherkask war das Hauptquartier der neuen Heeresgruppe Don, der Paulus nun unterstand. Am Vormittag des 27. November traf Manstein auf seinem Gefechtsstand ein und übernahm den Befehl.

Mansteins Plan sah trotz Schwierigkeiten hoffnungsvoll und kühn aus: Er wollte frontal von Westen her aus der Tschirfront mit der Armeegruppe des Generals Hollidt direkt auf Kalatsch angreifen, die Armeegruppe Hoth sollte inzwischen von Südwesten her aus dem Raum um Kotelnikowo den sowjetischen Ring aufschlagen.

Zum Verständnis der Zusammenhänge ist es notwendig, einen Blick zurückzuwerfen. Wie sah es am Tschir und bei Kotelnikowo, den Eckpfeilern für die Ausgangsbasis des deutschen Entsatzangriffs, aus?

Die Lage zwischen Don und Tschir hatte sich wider Erwarten stabilisiert. Das war vor allem das Verdienst eines Mannes: Oberst i. G. Wenck, am 19. November noch Chef des Generalstabs des LVII. Panzerkorps, das an der Kaukasusfront in schweren Kämpfen um Tuapse stand. Am 21. November erhielt er vom OKH den Befehl, sich sofort mit einer Sondermaschine der Luftwaffe nach Morosowskaja zu begeben, um dort die Stellung des deutschen Chefs des Generalstabs der 3. rumänischen Armee zu übernehmen.

Noch am gleichen Abend war Wenck bei der schwer angeschlagenen 3. rumänischen Armee. Er berichtet: »Ich meldete mich bei Generaloberst Dumitrescu. Durch den Dolmetscher, Oberleutnant Iwansen, wurde ich in die Lage eingewiesen. Sie war verzweifelt genug. Am nächsten Morgen begab ich mich im Fieseler Storch nach vorn, in den Tschirbogen. Von den rumänischen Verbänden war nicht mehr viel vorhanden. Irgendwo westlich Kletskaja, am Don, kämpften noch Teile der tapferen Gruppe Lascar. Der Rest der Verbündeten war auf völliger Flucht. Das Zurückfluten war mit den uns zur Verfügung stehenden geringen Mitteln nicht zu stoppen. Ich konnte mich also nur auf die Reste des XXXXVIII. Panzerkorps, die Alarmverbände der Luftwaffe, die vorgefundenen rückwärtigen Teile der bereits eingeschlossenen 6. Armee stützen, die sich unter tatkräftigen Offizieren zu Kampfgruppen formten, sowie auf die im Raum befindlichen und nach und nach wieder eintreffenden Urlauber der 6. Armee und der 4. Panzerarmee. Die Gruppen Generalleutnant Spang, Oberst Stahel, Hauptmann i. G. Sauerbruch und Oberst Adam, Alarmverbände aus den rückwärtigen Diensten und Werkstatteinheiten der 6. Armee, ferner Panzerbesatzungen und Panzerkompanien ohne Panzer sowie mehrere Pionier- und Flakeinheiten bildeten zunächst den einzigen militärischen Rückhalt im Don–Tschirbogen auf mehrere hundert Kilometer Breite. Später kam noch die Masse des XXXXVIII. Panzerkorps dazu, die sich ab 26. November etwa den Rückweg nach Südwesten erkämpfte. Mit dem Panzerkorps Heim habe ich aber erst Verbindung aufnehmen können, nachdem sich Generalleutnant Heim mit der 22. Panzerdivision bis auf das Südufer des Tschir durchgeschlagen hatte.

Meine Hauptaufgabe bestand zunächst darin, Sperrverbände unter energischen Offizieren aufzustellen, die beiderseits der bereits gebildeten Kampfgruppen Adam, Stahel und Spang die lange Front am Don und Tschir im Zusammenwirken mit den Luftwaffenverbänden des VIII. Fliegerkorps wenigstens aufklärungsmäßig sichern sollten. Meinen eigenen Stab habe ich mir dabei buchstäblich auf der Straße ›zusammengeklaut‹. Das gleiche geschah mit Krädern, Pkw und Nachrichtenmitteln, das heißt praktisch mit allem, was man auch für den kleinsten Stabsbetrieb braucht. Von unschätzbarem Wert waren dabei die alten osterfahrenen Obergefreiten, die sich schnell einfanden und für alles zu verwenden waren.

Eigene Nachrichtenverbindungen hatte ich nicht. Zum Glück konnte ich die Nachrichtenverbindungen im Versorgungsraum der 6. Armee und das Luftwaffennetz benutzen. Erst durch zahllose Gespräche auf diesen Leitungen erhielt ich allmählich ein Bild der Lage an unserem Frontabschnitt, wo die deutschen Sperrverbände kämpften und wo noch rumänische Truppenteile zu finden waren. Ich selbst war mit wenigen Begleitern jeden Tag unterwegs, um mir einen persönlichen Eindruck zu verschaffen und an Ort und Stelle entscheiden zu können, wo elastisch gefochten werden konnte oder unbedingt gehalten werden mußte.

Unsere einzige Reserve, mit der wir im Einbruchsraum rechnen durften, war der Rückstrom der Urlauber. Ihre Bewaffnung erfolgte aus Heeresgruppendepots, Werkstätten oder ganz einfach aus ›organisierten‹ Beständen.

Um die durch den russischen Durchbruch führerlos gewordenen Gruppen, Grüppchen und einzelnen abgesplitterten Truppenteile von drei Armeen zu neuen Einheiten zusammenzuschweißen, bedurfte es oft ausgefallenster, immer aber erfindungsreicher und drastischer Maßnahmen.

So erinnere ich mich, wie wir in Morosowskaja den Chef einer Wehrmachtpropagandakompanie veranlaßten, an den Verkehrsknotenpunkten Kinovorstellungen durchzuführen. Anschließend wurden die so gesammelten Soldaten zu Einheiten zusammengefaßt, neu gegliedert und ausgerüstet. Meistens haben sie sich gut bewährt.

Einmal meldete sich bei mir ein Feldwebel der Feldgendarmerie und berichtete, er habe neben der Hauptrollbahn ein fast verlassenes ›Betriebsstofflager ohne Herrn‹ entdeckt. Wir brauchten zwar keinen Sprit, dafür aber um so dringender Fahrzeuge, um unsere neuformierten Truppenteile transportieren zu können. So ließ ich überall an den Straßen im rückwärtigen Frontbereich Hinweisschilder mit der Aufschrift ›Zur Betriebsstoff-Ausgabestelle‹ anbringen. Sie führten die sprithungrigen Fahrer mit ihren Lastern, Pkw und was sonst alles hinter der Front herumfährt zu unserem Lager. Hier warteten Kommandos unter Führung energischer Offiziere. Die ankommenden Fahrzeuge erhielten zwar ihren Sprit, wurden aber sehr eingehend auf ihren Verwendungszweck überprüft. Und bei dieser ›Durchforstung‹ gelang es, so viele in der Gegend herumfahrende und aufs Absetzen bedachte Fahrzeuge nebst Fahrzeugbesatzungen sicherzustellen, daß unsere schlimmsten Transportsorgen behoben werden konnten.

Mit solchen ›Aushilfen‹ wurden in kurzer Zeit neue Truppenteile geschaffen, die zwar im Sprachgebrauch jener Tage ›Alarmeinheiten‹ hießen, in Wirklichkeit aber den Grundstock bildeten für die später neuaufgestellte 6. Armee. Diese Verbände haben sich unter den fronterfahrenen Offizieren und Unterführern in diesen kritischen Monaten hervorragend bewährt. Die bunt zusammengewürfelten Einheiten haben mit ihrer Standfestigkeit und ihrer Tapferkeit die Lage am Tschir gerettet, die sowjetischen Durchbrüche gestoppt und den Weg nach Rostow verriegelt.«

Soweit der spätere General der Panzertruppe Wenck.

Ein Fels in der Schlacht an Don und Tschir war die Panzergruppe der 22. Panzerdivision. Sie erwarb sich bei der Infanterie während der schweren Wochen im Donbogen durch ihre blitzschnellen Gegenstöße fast legendären Ruf. Diese Gruppe bestand zwar nach wenigen Tagen nur noch aus etwa sechs Panzern, zwölf Schützenpanzerwagen und einer 8,8-Flak. Ihr Führer, Oberst von Oppeln-Bronikowski, saß in einem Panzer III/Skoda, mit dem er seinen schnellen Verband nach alter Reiterart von ganz vorn führte. Aber sie wirkte im wahrsten Sinne des Wortes wie »eine Feuerwehr« am Tschir. Sie wurde von Wenck immer wieder an die wechselnden Brennpunkte der Schlacht geworfen.

Als Generalfeldmarschall von Manstein am 27. November den Befehl über die neue Heeresgruppe Don übernahm, meldete sich Wenck bei ihm in Nowo Tscherkask. Manstein kannte den Oberst. Und so lautete sein lakonischer Befehl: »Wenck, Sie haften mir mit Ihrem Kopf dafür, daß der Russe im Abschnitt Ihrer Armee nicht nach Rostow durchbricht. Die Don–Tschirfront muß halten. Sonst ist nicht nur die 6. Armee in Stalingrad, sondern auch die ganze Heeresgruppe A im Kaukasus verloren.« Und die Heeresgruppe A, das waren eine Million Mann. Wer wollte sich wundern, daß da die Frontkommandeure oft zu verzweifelten Aushilfen Zuflucht nahmen?

So fehlte es vor allem an schnellen, gepanzerten Eingreifreserven, um der Feindpanzer Herr zu werden, die immer wieder überall auftauchten und das rückwärtige Heeresgruppengebiet in Schrecken versetzten. Kurz entschlossen stellte der Stab Wenck aus beschädigten Panzern, ausgefallenen Sturmgeschützen und SPW eine gepanzerte Einheit zusammen, die mit großem Erfolg an den Brennpunkten der Abwehrschlacht zwischen Don und Tschir zum Einsatz gelangte.

Natürlich mußten auch sie ergänzt werden. Und so verfielen Wencks Offiziere auf die »Aushilfe«, Panzer, die auf den rollenden Panzertransporten für die Heeresgruppe A oder die 4. Panzerarmee durch den Armeebereich kamen, »sicherzustellen« und sie nach Besetzung mit erfahrenen Panzerbesatzungen ihren Panzerkompanien einzuverleiben. So kam langsam eine »eigene Panzerabteilung« zusammen. Als dann der Ia, Oberstleutnant Hörst, eines Abends bei der Durchgabe der »Abendlage« aus Versehen die erfolgreiche Bereinigung eines gefährlichen Einbruchs am Tschir durch »unsere Panzerabteilung« meldete, wurden der Feldmarschall und sein Stab stutzig, Wenck wurde zum Bericht befohlen.

»Mit was für einer Panzerabteilung hat die Armee die Lage bereinigt, sie hat nach unseren Unterlagen doch gar keine?« fragte Manstein. Da half nichts, es mußte Farbe bekannt werden. Wenck meldete den Tatbestand und fügte hinzu: »Wir hatten keine andere Wahl, wollten wir der vielen Krisen Herr werden. Ich bitte notfalls meine Handlung kriegsgerichtlich überprüfen zu lassen.«

Feldmarschall von Manstein schüttelte nur entgeistert den Kopf. Dann aber folgte die Andeutung eines amüsierten Lächelns. Der OB verzieh die desperate Aushilfe, verbot aber für die Zukunft jeden weiteren »Panzerklau«. Wenck: »Wir leiteten einige unserer Panzer an die 6. und 23. Panzerdivision weiter, setzten aber von Stund an unsere Panzerteile nur noch kompanieweise ein, damit sie höheren Ortes nicht mehr auffielen.«

So wurde das große Loch gestopft, das die russische Offensive im Rücken der 6. Armee in die deutsche Front gerissen hatte. Führungsmäßig eine ungeheure Leistung. Wochenlang wurde eine zweihundert Kilometer breite Front mit Verbänden gehalten, die zu einem nicht geringen Teil aus Reichsbahnbediensteten, Arbeitsdienstmännern, Baugruppen der OT sowie Freiwilligen der kaukasischen und ukrainischen Kosakenvölker bestanden.

Es muß gesagt werden, daß sich zahlreiche abgesprengte rumänische Einheiten unter deutsches Kommando stellten. Dort haben sie sich unter deutscher Führung und vor allem mit deutscher Ausrüstung zum Teil gut geschlagen, und viele sind auf eigenen Wunsch auch lange in diesen deutschen Verbänden geblieben.

Erst Ende November kam ein regulärer großer Truppenverband an die Tschirfront, als sich das XVII. Armeekorps unter General der Infanterie Hollidt in den Raum der 3. rumänischen Armee durchkämpfte. Jetzt endlich konnte man aufatmen.

Die Heeresgruppe unterstellte Hollidt den ganzen Don–Tschirabschnitt und bildete die »Armeeabteilung Hollidt«. Damit hörte die bunt zusammengewürfelte »Wenck-Armee«, wie die Landser sagten, auf zu existieren. Sie hatte eine Leistung vollbracht, die in der Kriegsgeschichte keine Parallelen hat.

Auf diese Leistung baute sich der zweite Akt der Operation am Tschir auf: die Wiedergewinnung der für jeden Gegenangriff unerläßlichen Höhen auf dem südwestlichen Tschirufer. Diese Aufgabe meisterten die herangewor-

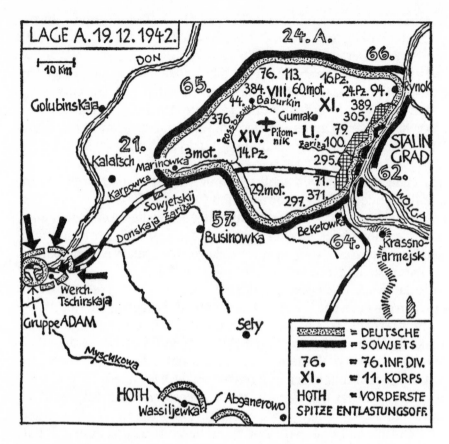

Karte 13: Der Kessel von Stalingrad vor dem sowjetischen Großangriff.

fene 336. Infanteriedivision und die nachfolgende 11. Panzerdivision Anfang Dezember.

Damit kehren wir an den Ausgangspunkt dieses Zwischenkapitels zurück, denn diese Positionen am Tschir waren von ausschlaggebender Bedeutung für die von Manstein geplante Entsatzoffensive für Stalingrad, für die der Feldmarschall die Armeegruppe Hoth ostwärts des Don aus dem Raum Kotelnikowo ansetzte.

Die Tschirfront deckte Flanke und Rücken dieser Rettungsaktion für die 6. Armee. Mehr noch: sobald es die Lage erlauben würde, sollte das XXXXVIII. Panzerkorps, unter Führung des Generals von Knobelsdorff, mit 11. Panzerdivision, 336. Infanteriedivision und einer Luftwaffenfelddivision Hoths

184

Operation durch einen Angriff nach Nordosten unterstützen. Sprungbrett für diese Hilfsoperation sollte der letzte Donbrückenkopf der 6. Armee von Werchne Tschirskaja sein, genau dort, wo der Tschir in den Don mündet. Oberst Adam, der Adjutant von General Paulus, hielt diesen Schlüsselpunkt mit zusammengerafften Alarmeinheiten der 6. Armee in wirklich heldenhaftem Kampf in einer Igelstellung.

So waren alle Weichen gestellt, alles Menschenmögliche getan, mit Tapferkeit und Feldherrnkunst an der Front die 6. Armee freizuschlagen.

7

Hoth tritt zum Entsatzangriff an

»Wintergewitter« und »Donnerschlag« – Der 19. Dezember – Noch fünfzig Kilometer – Das Ringen um »Donnerschlag« – Rokossowski bietet ehrenhafte Kapitulation an

Am 12. Dezember trat Hoth an. Der erfahrene und listige Panzerführer hatte eine schwere, aber nicht hoffnungslose Aufgabe vor sich.

Die rechte Flanke von Hoth war, wie am Tschir, mit drastischen Mitteln abgesichert worden. Hier war es Oberst Doerr, der – wie im Norden Oberst Wenck – mit Alarmeinheiten und zusammengerafften Teilen schneller deutscher Truppen eine dünne Sicherung aufgebaut hatte. Die Kampfgruppen Major Sauvant mit Teilen der 14. Panzerdivision, Oberst von Pannwitz mit seinen Kosaken, Flakeinheiten und Alarmverbände brachten Ruhe in die zurückflutenden rumänischen Truppen und die von der Panik miterfaßten deutschen rückwärtigen Dienste. Die 16. Infanteriedivision (mot.) setzte sich aus der Kalmückensteppe auf eine vorbereitete Stellung ab. So konnte auch hier, am Südflügel, der russische Versuch verhindert werden, von Osten her der Heeresgruppe Kaukasus in den Rücken zu fahren und sie abzuschneiden.

Man sollte meinen, daß Hitler nun wagemutig alles hergab und Hoth für seinen Entsatzangriff zur Verfügung stellte, damit der Befreiungsstoß durch hundert Kilometer Feindgebiet überraschend, kraftvoll und schnell geführt werden konnte.

Aber wieder geizte Hitler mit Verbänden, weil überall die Decke zu kurz war. Gab aus dem Kaukasus außer der 23. Panzerdivision, die im Landmarsch heraneilte, nichts her. Der einzige voll kampfkräftige Verband, den Hoth erhielt, war die 6. Panzerdivision General Raus' mit 160 Panzern, die aber auch erst in Eiltransporten aus Frankreich herangeführt wurde. Sie traf am 12. Dezember mit 136 Panzern ein, die 23. Panzerdivision mit 96.

Hundert Kilometer hatte Hoth vor sich, hundert Kilometer stark verteidigtes Feindgebiet. Aber es geht gut an. Fast mühelos wirft das Panzerregiment 11 der 6. Panzerdivision unter seinem Kommandeur Oberst von Hünersdorff an diesem Tage die Sowjets, die nach Osten ausweichen. Die Russen räumen das Südufer des Aksai, Oberstleutnant von Heydebreck gewinnt mit Teilen der 23. Panzerdivision einen Brückenkopf über den Fluß.

Die Sowjets sind überrascht. Generaloberst Jeremenko ruft Stalin an und meldet besorgt: »Es besteht die Gefahr, daß Hoth in den Rücken unserer 57. Armee stößt, die den Südwestrand des Stalingrader Kessels zuhält. Wenn Paulus in diesem Augenblick aus dem Kessel nach Südwesten angreift, wird es schwer sein, seinen Ausbruch zu verhindern.«

Stalin ist erregt. »Du hältst, wir schicken Reserven«, befiehlt er drohend. »Ich gebe dir die 2. Gardearmee, die beste Truppe, die ich noch habe.«

Aber ehe die Garde heran ist, muß sich Jeremenko selbst helfen. Er zieht aus der Stalingrader Einschließungsfront das XIII. Panzerkorps ab und wirft es Hoths 6. Panzerdivision entgegen. Er entblößt auch noch rücksichtslos seine Heeresgruppe von den letzten Reserven und schmeißt die 235. Panzerbrigade und die 87. Schützendivision gegen die Angriffsspitzen Hoths.

Fünf Tage wird um die Höhen nördlich des Aksai gerungen. Zum Glück gibt auch Hitler in dieser Stunde die 17. Panzerdivision frei. So kann am 19. Dezember der Feind geworfen werden.

Nach abenteuerlichem Nachtmarsch erreicht die gepanzerte Gruppe der 6. Panzerdivision in der Frühe des 20. Dezember den Myschkowa-Abschnitt bei Wassiljewka. Stalins 2. Gardearmee ist bereits da. Aber trotzdem schlagen sich die Verbände General Raus' einen drei Kilometer breiten Brückenkopf. Fünfzig bis sechzig Kilometer Luftlinie trennen die Spitzen Hoths noch von den Vorposten der Stalingradfront.

Wie sah es inzwischen im Kessel aus? Die Versorgung der rund 230 000 deutschen und verbündeten Soldaten war völlig unzureichend. Es zeigte sich, daß die deutsche Luftwaffe nicht in der Lage war, eine ganze Armee im Winter, tief in Rußland, von provisorischen Feldflughäfen aus, ohne die nötigen Werkstatteinrichtungen und bei miserablen Wetterverhältnissen zu versorgen. Man hatte nicht genügend für diese Aufgabe ausgestattete Transportmaschinen. Bomber mußten als Versorgungsflugzeuge mit eingesetzt werden. Sie konnten aber nicht mehr als anderthalb Tonnen Nachschubgüter transportieren. Ihre Abwesenheit vom Kampfeinsatz machte sich außerdem an allen Frontabschnitten böse bemerkbar. Wieder enthüllte sich das Kernproblem: die materielle Kraftreserve Deutschlands reichte für diesen Krieg nicht aus.

General von Seydlitz hatte die notwendige Versorgung auf 1000 Tonnen beziffert. Das war sicher zu hoch. Die 6. Armee hielt 600 Tonnen für wünschenswert, 300 Tonnen für den Mindestsatz, um die Armee einigermaßen kampffähig zu halten. Vierzig Tonnen Brot allein brauchten die Verteidiger im Kessel täglich.

Die Luftflotte 4 hat versucht, diese 300 Tonnen je Tag einzufliegen. Der erfahrene Kommandierende des VIII. Fliegerkorps, Generalleutnant Fiebig, wurde mit der schweren Aufgabe betraut, und zuerst sah es auch so aus, als ob sie zu meistern wäre. Kälte und schlechtes Wetter erwiesen sich aber als die unüberwindlichsten Feinde, härter als die sowjetischen Jäger oder die schwere russische Flak. Vereisung, unsichtiges Wetter und dadurch entstehende Flugunfälle forderten mehr Opfer als der Feind. Trotzdem wurde von den Besatzungen mit einer Bravour geflogen, die es bis dahin noch nie gegeben hatte.

Und die wenigen Jäger des Jagdgeschwaders Udet, sieben an der Zahl, leisteten Übermenschliches bei der Sicherung der Flugplätze und dem Schutz der Transportmaschinen. Solange es eine Geschichte der Fliegerei gibt, wurde noch nie mit einer solchen Todesverachtung, so hartem Einsatzwillen geflogen, wie für die Luftversorgung von Stalingrad. Etwa 550 Maschinen Totalverlust stehen zu Buch. Das heißt, ein Drittel der eingesetzten Maschinen blieb mit ihren Besatzungen auf der Strecke, als Opfer von Wetter, Jägern und Flak. Jede dritte Maschine ging verloren – eine schreckliche Rate, eine Rechnung, die keine Luftmacht der Welt begleichen könnte.

Nur zweimal wurde der Mindestsatz von 300 Tonnen knapp geschafft: am 7. Dezember landeten gemäß Kriegstagebuch des Oberquartiermeisters der 6. Armee auf dem Flughafen Pitomnik 188 Flugzeuge und brachten 282 Tonnen. Am 20. Dezember wurden 291 Tonnen erreicht. Nach der ausgezeichneten Studie von Generalmajor Herhudt von Rohden, der sich auf das Aktenmaterial der Luftwaffe stützt, war der 19. Dezember der Höhepunkt der Versorgung, als 154 Maschinen 289 Tonnen Versorgungsgut nach Pitomnik brachten und tausend Verwundete mit hinausnahmen.

Im Durchschnitt wurden vom 25. November bis zum 11. Januar täglich 104,7 Tonnen eingeflogen, 24 910 Verwundete wurden insgesamt abtransportiert. Bei diesem Versorgungssatz mußten die Soldaten im Kessel hungern und blieben ohne den nötigen Munitionsnachschub.

Seit Anfang Dezember hatte die Armee die Verpflegung auf knapp die Hälfte dessen festgesetzt, was ein arbeitender Mensch benötigt. Nach einem Monat Luftversorgung gab es 200 Gramm Brot, 200 Gramm Pferdefleisch (der sukzessive geschlachteten oder gefallenen Pferde), 30 Gramm Käse, 30 Gramm Fett und drei Zigaretten pro Tag und pro Mann.

Das war weniger als die Hälfte dessen, was der Soldat zum Leben und zum Kämpfen braucht. Und als alle Pferde geschlachtet waren, wurde alles noch mehr verkürzt.

Genauso unzureichend war der Nachschub an Munition, vor allem für leichte und schwere Feldhaubitzen. Und der Benzinzuflug lag unter zehn Prozent des notwendigen Bedarfs, so daß Panzer, Sturmgeschütze und schwere Pak nur beschränkt beweglich waren.

Trotzdem hielten die Männer aus. Die Sowjets haben bis heute keine klaren Angaben über die Zahl der Überläufer gemacht. Nach allen verfügbaren deutschen Quellen muß sie bis Mitte Januar verschwindend klein gewesen sein. Als sich bei der Truppe von den Stäben aus die Nachricht herumsprach, daß Hoths Divisionen zum Entsatzangriff angetreten waren, verbreitete sich sogar eine kampfesfreudige Stimmung. Es gab kaum einen Soldaten oder Offizier, der nicht fest überzeugt gewesen wäre: »Manstein haut uns raus.« Und kräftig genug, um den Befreiern entgegenzustoßen, fühlte sich auch das abgekämpfteste Bataillon. Daß eine solche Absicht bestand, wußte jeder im Kessel. Teile von zwei motorisierten Divisionen und einer Panzerdivision standen an der Südfront bereit, um auf das Stichwort »Wintergewitter« den Divisionen Hoths entgegenzustoßen, wenn diese nahe genug heran waren.

In einem versiegelten Umschlag lag bei der 6. Armee der Tagesbefehl für den Ausbruchsangriff nach Südwesten bereit, der erst 24 Stunden vor Beginn der Aktion geöffnet werden durfte. Die Soldaten der eingeschlossenen 6. Armee wurden darin aufgerufen, das Letzte herzugeben, um die Verbindung mit der Entsatzarmee Hoths herzustellen und die sowjetischen Einschließungskräfte zu schlagen.

Der Beginn des Ausbruchsangriffs war für den Moment vorgesehen, in dem kampfkräftige Teile von Hoths Panzerkorps den Myschkowa-Fluß überschritten hatten und sich dem Raum Businowka näherten – rund 20 Kilometer vom Kesselrand entfernt.

Die 6. Armee war bereit. War willens und auch – wie die Berichte zeigen – fähig, diese Operation zu bewältigen. Am 18. Dezember war bereits eine Versorgungskolonne für die 6. Armee mit etwa 2300 Tonnen Kolonnenraum bereitgestellt, um durch einen Versorgungskorridor in den Kessel zu rollen. Im Kessel selbst standen 4000 Tonnen Kolonnenraum bereit, um nach Herstellen einer Verbindung zur Gruppe Hoth, mit Verwundeten beladen, herauszufahren, die bereitgestellten Güter aufzuladen und in den Kessel zu bringen.

Am Nachmittag des 19. Dezember. Es ist kalt, aber klare Luft. Großartiges Flugwetter. Über Pitomnik rauschen die Transportmaschinen an. Entladen. Werden vollgepackt mit Verwundeten. Und starten wieder. Benzinfässer türmen sich. Kisten werden gestapelt. Granaten abgefahren. Wenn jeden Tag solches Wetter wäre!

Vor vierundzwanzig Stunden war ein Abgesandter Mansteins im Kessel erschienen, um die Armee über die Auffassung des Feldmarschalls wegen des Ausbruchs zu orientieren. Major i. G. Eismann, der 3. Generalstabsoffizier (Ic) der Heeresgruppe Don, ist bereits wieder zurückgeflogen. Noch ahnt niemand, daß dieser Besuch zu einer irritierenden Episode in der Tragödie Stalingrad werden soll, weil kein Dokument die Gespräche festhält und der zehn Jahre später aus dem Gedächtnis verfaßte Bericht des Majors Anlaß zu widerstreitenden Thesen gibt.

Hat Eismann klar und präzis die Gedanken Mansteins übermittelt, wie der Feldmarschall in seinen Memoiren mitteilt, daß es angesichts der Lage nur noch die brutale Alternative gab: schneller Ausbruch oder Vernichtung? Hat er klar berichtet, daß die Armeeabteilung Hollidt am Tschir so sehr mit der Abwehr sowjetischer Gegenangriffe beschäftigt war, daß an einen Unterstützungsangriff für Hoth nicht zu denken war? Hat er gesagt, daß gegen Hoth immer stärkere sowjetische Verbände geworfen wurden? Hat er unmißverständlich gesagt, daß sich der Feldmarschall über eins vollkommen klar sei: der Ausbruch wird die Aufgabe Stalingrads in Etappen notwendig machen, welchen Namen man der Sache auch geben würde, um Hitler nicht zu früh mißtrauisch zu machen; denn sein Befehl lautete ja »Wintergewitter« ja; aber die Aufgabe Stalingrads nein! Hatte Eismann klipp und klar die Meinung Mansteins übermittelt, daß die Lage an der Tschirfront und bei den Italienern am Don sich so zuzuspitzen schien, daß es auf jede Stunde ankam, den Ausbruch »Wintergewitter« zum Korridor mit Hoths Entlastungsangriff in Gang zu setzen, auch auf die Gefahr hin, daß dann Stalingrad nicht mehr zu halten sei; denn es bestünde die Gefahr, daß Kräfte von Hoths Entsatzangriff abgezogen werden müßten, wegen russischer Durchbrüche am Don. General Schmidt und Feldmarschall Paulus gaben nach dem Krieg eine Version, nach der das dramatische Drängen zum Ausbruch für »Wintergewitter« aus Eismanns Bericht nicht zu erkennen gewesen sei.

Doch wozu hätte Manstein denn dann seinen Ic in den Kessel geschickt? Daß der verstorbene Eismann sich im Jahre 1957 in einem gewundenen Brief distanziert, löst die Frage nicht.

Man kann den 19. Dezember den Tag der Entscheidung nennen, den Tag, an dem das Drama Stalingrad den Kulminationspunkt erreichte.

Paulus und sein Chef des Stabes, Generalmajor Schmidt, stehen im Unterstand des Armee-Ia am Fernschreiber, der mit dem Dezimetergerät gekoppelt ist, einer drahtlosen Fernmeldeanlage, deren Impulse die Sowjets nicht abhören können. Die 6. Armee hat auf diese Weise eine nicht zu unterschätzende, wenn auch technisch etwas schwerfällige, direkte Verbindung zur Heeresgruppe Don in Nowo Tscherkask.

Paulus wartet auf die verabredete Verbindung mit Manstein. Jetzt ist es soweit. Das Gerät rasselt. Schreibt: »Sind die Herren dort?«

»Jawohl«, läßt Paulus antworten.

»Bitte kurz Stellung nehmen zu Vortrag Eismann«, kommt es von Manstein.

Paulus nimmt Stellung. Er formuliert knapp.

Fall 1: Herausbrechen aus dem Kessel zur Vereinigung mit Hoth ist nur mit Panzern möglich. Infanteristische Kraft fehlt. Bei dieser Lösung verlassen alle Panzerreserven die Festung, mit denen bisher jegliche Einbrüche bereinigt wurden.

Fall 2: Durchschlagen ohne Verbindung mit Hoth ist nur im äußersten Notfall möglich. Die Folge wäre der Verlust zahlreichen Materials. Voraussetzung ist vorheriges Einfliegen von ausreichender Verpflegung und Betriebsstoff, um Kräftezustand der Menschen zu bessern. Wenn Hoth nur vorübergehend Verbindung herstellt und Zugmittel hereinbringt, wird diese Lösung leichter durchzuführen sein. Infanteriedivisionen sind zur Zeit fast unbeweglich und werden es täglich mehr, da Pferde laufend geschlachtet werden müssen.

Fall 3: Weiteres Halten in jetziger Lage ist abhängig von Versorgung und Einfliegen von ausreichenden Mengen. Bisherige Versorgung völlig ungenügend.

Und dann diktiert er in den Fernschreiber: »Auf jetziger Basis weiteres Halten nicht mehr lange möglich.« Der Fernschreiber tickt drei Kreuze.

190

Dann klappert Mansteins Text: »Wann können Sie frühestens zu Lösung 2 antreten?« (Da ist sie, die Kernfrage, die Risikolösung; aber eine Lösung!)

Paulus antwortet: »Vorbereitungszeit drei bis vier Tage.«

Manstein fragt: »Wieviel Betriebsstoff und Verpflegung ist nötig?«

Paulus antwortet: »Verkürzter Verpflegungssatz für zehn Tage für 270 000 Mann.«

Das Gespräch wird unterbrochen. Eine Viertelstunde später, um 18 Uhr 30, wird es fortgesetzt, und Manstein und Paulus unterhalten sich noch einmal über die Tasten des Fernschreibers. Merkwürdig anonym tackt das Gerät die Worte aufs Papier:

»Hier Generaloberst Paulus, Herr Feldmarschall + + +«

»Guten Tag Paulus + + +«

Manstein berichtet, daß Hoths Entsatzangriff mit dem LVII. Panzerkorps General Kirchners bis an die Myschkowa gekommen ist.

Paulus meldet, daß der Feind an der Südwestecke die für einen eventuellen Ausbruch versammelten Kräfte angegriffen hat.

Manstein: »Sie erhalten anschließend einen Befehl + + +« Nach ein paar Minuten rattert dieser Befehl über den Fernschreiber. Hier ist er:

Befehl!

An 6. Armee

1.) 4. Pz.Armee hat mit LVII. Pz.Korps Feind im Raum Werchne Kumskij geschlagen und Myschkowa-Abschnitt erreicht. Angriff gegen starke Feindgruppe im Raum Kamenka und nördlich eingeleitet. Harte Kämpfe hier noch zu erwarten. Lage an Tschirfront erlaubt nicht Vorgehen von Kräften westlich des Don auf Stalingrad. Donbrücke Tschirskaja in Feindeshand.

2.) 6. Armee tritt baldmöglichst zum Angriff »Wintergewitter« an. Dabei ist vorzusehen, notfalls über die Donskaja Zariza hinaus die Verbindung mit LVII. Pz.Korps zum Durchschlagen Geleitzuges herzustellen.

3.) Entwicklung der Lage kann dazu zwingen, daß Auftrag zum Durchbruch der Armee zum LVII. Pz.Korps an die Myschkowa erweitert wird. Stichwort »Donnerschlag«. Es kommt alsdann darauf an, ebenfalls zunächst schnell mit Panzern eine Verbindung zum LVII. Pz.Korps zwecks Durchbringen des Geleitzuges herzustellen. Alsdann unter Deckung der Flanken an unterer Karpowka und an der Tscherwlenaja die Armee gegen die Myschkowa vorzuführen unter abschnittsweiser Räumung des Festungsgebietes.

Operation »Donnerschlag« muß unter Umständen unmittelbar an Angriff »Wintergewitter« anschließen können. Versorgung auf dem Luftwege wird im wesentlichen laufend ohne größere Bevorratung erfolgen müssen. Möglichst lange Erhaltung Flugplatz Pitomnik wichtig.

Mitnahme aller irgend beweglichen Waffen, Artillerie, in erster Linie der zum Kampf benötigten und zu munitionierenden Geschütze, darüber hinaus der schwer ersetzbaren Waffen und Geräte. Diese hierzu rechtzeitig im Südwestteil zusammenziehen.

4.) Ziffer 3) vorbereiten. Inkrafttreten erst auf ausdrücklichen Befehl »Donnerschlag«.

5.) Angriffstag und Zeit zu 2) melden.

Ein historisches Dokument. Die Stunde war da. Die Armee sollte antreten zum Befreiungsmarsch. Aber noch galt nur »Wintergewitter«, das heißt ein Korridor sollte zu Hoths Divisionen geschlagen, Stalingrad aber vorerst noch nicht geräumt werden, wie es Hitler befahl.

Am Nachmittag hatte Manstein erneut versucht, von Hitler die Genehmigung zum sofortigen Gesamtausbruch der 6. Armee zu bekommen, zu »Donnerschlag«. Aber Hitler billigte zwar »Wintergewitter«, verweigerte jedoch die Zustimmung zur großen Lösung. Trotzdem gab Manstein, wie unser Dokument zeigt, der 6. Armee den Befehl, sich auf »Donnerschlag« vorzubereiten, und sagte unter 3.): »Entwicklung der Lage kann dazu zwingen, daß ›Auftrag zum Durchbruch der Armee‹ erweitert wird.« Also zum Ausbruch.

Das Drama ist auf dem Höhepunkt. Das Schicksal einer viertel Million Soldaten hängt an zwei Worten: »Wintergewitter« und »Donnerschlag«.

Um 20 Uhr 40 sitzen die beiden Generalstabschefs schon wieder am Fernschreiber. General Schmidt teilt mit, daß feindliche Angriffe die Masse der Panzer und einen Teil der infanteristischen Stoßkraft binden.

Schmidt: »Erst wenn die Kräfte nicht mehr in der Abwehr gebunden, kann zum Ausbruch angetreten werden. Frühester Zeitpunkt 22. Dezember.« Das sind noch drei Tage. Drei Tage!

Eiskalt ist die Nacht. In den Bunkern bei Gumrak wird fieberhaft gearbeitet. Paulus ist am nächsten Morgen um 7 Uhr schon unterwegs zu den Krisenstellen des Kessels. Den ganzen Tag gibt es an vielen Frontabschnitten örtliche Kämpfe. Als sich am Nachmittag die beiden Stabschefs Schulz (von Manstein) und Schmidt wieder über den Fernschreiber sprechen, meldet Schmidt: »Durch Verluste der letzten Tage Lage an Westfront und in Stalingrad äußerst gespannt. Einbrüche können nur durch die für ›Wintergewitter‹ vorgesehenen Kräfte bereinigt werden. Bei größeren Einoder gar Durchbrüchen müssen die Armeereserven, insbesondere die Panzer zur Stelle sein, wenn die Festung überhaupt halten soll.

Etwas anders ist die Lage zu beurteilen«, fügt Schmidt hinzu, »wenn sicher ist, daß auf ›Wintergewitter‹ unmittelbar ›Donnerschlag‹ folgt. In diesem Fall können wir örtliche Einbrüche an den übrigen Fronten in Kauf nehmen, wenn sie das Zurückgehen der Gesamtarmee nicht gefährden. Wir können für den Ausbruch nach Süden dann wesentlich stärker sein, da wir zahlreiche örtliche Reserven an allen Fronten im Süden zusammenführen können.«

Da ist der Teufelskreis wieder, der nur zu lösen wäre, wenn die 6. Armee die Genehmigung zu »Donnerschlag« hätte – von Hitler oder von Manstein auf eigene Verantwortung. Aber auch Manstein will nicht gegen Hitlers Befehl handeln.

General Schulz antwortet – leider durch das Medium Fernschreiber, so daß der beschwörende Ton nicht zum Ausdruck kommt, mit dem er seinem Ia-Schreiber diktiert: »Lieber Schmidt, der Feldmarschall ist der Auffassung, daß der Angriffsbeginn der 6. Armee zu ›Wintergewitter‹ so früh wie möglich starten muß. Es kann nicht damit gewartet werden, bis Hoth sich Businowka nähert. Wir sind uns völlig klar, daß Ihre Angriffskraft für ›Wintergewitter‹ nur begrenzt sein wird. Deswegen strebt Feldmarschall Genehmigung zur Durchführung ›Donnerschlag‹ an. Der Kampf um diese Genehmigung ist beim OKH trotz unseres ständigen Drängens noch nicht entschieden.« (Und dann kommt der beschwörende Satz, hinter dem das steckt, was die Generale in den hohen Stäben seit langem ›die Strategie hinter der Hand‹ nennen, die Weisung zwischen den Zeilen, die Herbeiführung einer Zwangslage, um keine Befehlsverweigerung gegen Hitler zu begehen.)

Ohne Rücksicht auf die Entscheidung für ›Donnerschlag‹ weist der Feldmarschall ausdrücklich darauf hin, daß »Beginn ›Wintergewitter‹ so früh wie möglich erfolgen muß. Für die Betriebsstoffversorgung sowie Zuführung von Lebensmitteln und Munition stehen jetzt schon über 3000 Tonnen beladener Kolonnenraum hinter der Armee Hoth bereit, die sofort zu Ihnen durchgeschleust werden, sobald die Verbindung hergestellt ist. Zugleich mit diesem Kolonnenraum werden zahlreiche Zugmaschinen zur Beweglichmachung der Artillerie zugeführt werden. Für Abtransport der Verwundeten stehen gleichfalls dreißig Omnibusse bereit.«

Dreißig Omnibusse! Sogar die stehen schon bereit. Und fünfzig Kilometer Luftlinie, das heißt sechzig bis siebzig Marschkilometer sind es bis zur Rettung.

In dieser Stunde bricht mitten in die Erörterungen und Erwägungen, Betrachtungen und Terminfestlegungen eine neue Katastrophe über die deutsche Ostfront: Bei der 8. italienischen Armee am mittleren Don sind am

16. Dezember drei sowjetische Armeen zum Angriff angetreten. Wieder haben sich die Russen einen Frontabschnitt ausgesucht, der von schwachen Truppen eines deutschen Verbündeten gehalten wird.

Nach kurzem, grimmigem Kampf brechen die Sowjets durch. Die Italiener fliehen. Die Russen jagen nach Süden. Eine Panzerarmee und zwei Gardearmeen werfen sich gegen die eben erst mühselig errichtete schwache deutsche Front am Tschir. Wenn es den Russen gelingt, die deutsche Tschirfront zu überrollen, steht bis Rostow nichts, um sie aufzuhalten. Und wenn die Russen Rostow nehmen, dann ist Mansteins Heeresgruppe Don abgeschnitten und die im Kaukasus stehende Heeresgruppe von Kleist von ihren rückwärtigen Verbindungen getrennt: Ein Super-Stalingrad droht. Es geht nicht mehr um 200 000 bis 300 000 Mann, jetzt geht es um anderthalb Millionen.

Als am 23. Dezember die Soldaten der 6. Armee noch hoffnungsvoll auf ihre Befreier warten, näherten sich bereits von Norden feindliche Panzerspitzen dem 150 Kilometer westlich von Stalingrad liegenden Flughafen Morosowskaja, an dem die gesamte Versorgung des Kessels hing. Die katastrophale Lage war damit offenkundig. Die Armeeabteilung Hollidt, die am Tschir focht, hatte keine Flankendeckung mehr.

In dieser Lage gab es für Manstein keine andere Wahl, als Hoth zu befehlen, eine seiner drei Panzerdivisionen sofort nach Westen, an den unteren Tschir zu werfen, um einen weiteren Durchbruch der Russen zu bannen. Hoth zögerte nicht und gab für diese entscheidend wichtige Aufgabe seine stärkste Truppe ab.

Mitten im Angriff in Richtung Stalingrad traf die 6. Panzerdivision der Befehl zum Abmarsch. Mit nur zwei abgekämpften Divisionen aber war es Hoth nun unmöglich, seinen Angriff in Richtung Stalingrad fortzusetzen. Unter dem Druck der 2. sowjetischen Gardearmee mußte er am Heiligabend sogar bis hinter den Aksai zurück.

Feldmarschall von Manstein war voller Sorge. Er gab ein dringendes Fernschreiben ans Führerhauptquartier und mahnte beschwörend: »Die Entwicklung der Lage auf dem linken Flügel der Heeresgruppe macht die alsbaldige Verschiebung von Kräften dorthin nötig. Diese Maßnahme bedeutet den Verzicht auf Entsatz der 6. Armee auf lange Zeit mit der Folge, daß diese auf lange Sicht ausreichend versorgt werden muß. Nach Ansicht Richthofens ist nur mit Tagesdurchschnitt von 200 Tonnen zu rechnen. Kann ausreichende Luftversorgung 6. Armee nicht gewährleistet werden, so bleibt nur übrig, unter weiterer Inkaufnahme eines hohen Risikos auf linkem Heeresgruppenflügel den Ausbruch der 6. Armee zum frühestmöglichen Zeitpunkt

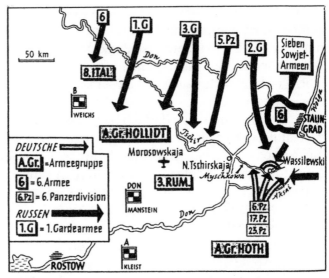

Karte 14: Am 22. Dezember 1942 stehen die Panzerspitzen der Armeegruppe Hoth rund fünfzig Kilometer vor dem sowjetischen Ring um Stalingrad. Der russische Durchbruch im Frontabschnitt der 8. italienischen Armee verhindert jedoch die Fortsetzung der Befreiungsoffensive; denn der russische Stoß zielt auf Rostow und droht die beiden deutschen Heeresgruppen Manstein und Kleist einzukesseln. Um diese Riesengefahr abzuwenden, muß die 6. Armee geopfert werden.

zu erzwingen. Das hierin angesichts des Zustandes der Armee liegende Risiko ist bekannt.«

Hier ist in militärischer Bürosprache alles gesagt, was es zu sagen gab. Nach dem Durchbruch der Russen an Don und Tschir: Die 6. Armee muß ausbrechen, oder sie ist verloren!

Gespannt wartete man in Mansteins Hauptquartier in Nowo Tscherkask auf die Antwort. Zeitzler gab sie über Fernschreiber: Der Führer genehmigt den Abzug von Kräften aus der Armeegruppe Hoth an den Tschir, aber er befiehlt, daß Hoth seine Ausgangsstellungen hält, um alsbald wieder zum Entsatzangriff antreten zu können.

Das war Optimismus in einer Zwangslage, denn Hitler hatte ein schlagendes Argument gegen die Genehmigung von »Donnerschlag«: »Paulus hat ja gar nicht genug Sprit, um bis zu Hoth auszubrechen.« Eine These, die sich auf eine Meldung der 6. Armee stützte, daß die Panzer nur noch Benzin für eine Kampfstrecke von höchstens zwanzig Kilometern haben. Eine Meldung, die vielfach angezweifelt worden ist, wogegen General Schmidt auf seine strengen Kontrollen zur Erfassung auch der schwarzen Bestände verweist und Paulus später ins Feld führte, daß keine Armee eine Aktion, die um Leben und Tod gehe, auf den Verdacht von vorhandenen schwarzen Benzinbeständen aufbauen könne.

Aufgrund dieser Situation läßt sich Manstein am Nachmittag des 23. Dezember noch einmal mit Paulus durch den Fernschreiber verbinden und bittet zu prüfen, ob »Donnerschlag« nicht doch durchgeführt werden könne, wenn keine andere Wahl bleibe.

Paulus fragt: »Habe ich mit diesem Gespräch Vollmacht, ›Donnerschlag‹ einzuleiten?«

Manstein: »Vollmacht darf ich heute noch nicht geben, hoffe morgen Entscheidung.« Der Feldmarschall fügt hinzu: »Der springende Punkt ist, ob Sie der Armee zutrauen, sich bis Hoth durchzuschlagen, wenn Versorgung auf lange Sicht nicht möglich gemacht werden kann.«

Paulus: »Dann bleibt ja nichts anderes übrig.«

Manstein: »Wieviel Sprit brauchen Sie?«

Paulus: »1000 Kubikmeter.«

1000 Kubikmeter aber waren 1000 Tonnen!

Warum trat Paulus in dieser Stunde aber trotz aller Risiken und aller Bedenken nicht doch an? Warum folgte er nicht dem Befehl, »Wintergewitter« loszulassen? Ohne Rücksicht auf Spritvorrat und Verpflegung, da es doch so oder so um die Existenz der Armee ging?

Feldmarschall von Manstein stellt in seinen Erinnerungen die Verantwortung dar, die Paulus mit diesem Befehl auferlegt wurde: Die drei Divisionen an der Südwestecke des Kessels, wo ausgebrochen werden soll, sind zum Teil in Abwehrkämpfe verwickelt. Kann er das Risiko auf sich nehmen, mit Teilen dieser Divisionen allein anzutreten, um den starken Einschließungsring zu sprengen? Werden ihm die Angriffe der Sowjets überhaupt die Chance dazu lassen? Wird er die anderen Fronten halten können, bis die Heeresgruppe ihm das Stichwort »Donnerschlag« und damit Handlungsfreiheit für den Gesamtausbruch geben kann? Wird der Betriebsstoff für die Panzer reichen, um bei Mißlingen von »Wintergewitter« die Stoßgruppe wieder in den Kessel zurückzuführen? Was wird aus den 6000 Verwundeten und Kranken?

Und was geschah, wenn der Ausbruch der Armee scheiterte, ihre Verbände vernichtet wurden? Die frei werdenden sowjetischen Einschließungsarmeen konnten dann die ganze Kaukasusfront mit einer Million Mann zum Einsturz bringen.

Paulus und Schmidt sahen nur die Möglichkeit, »Wintergewitter« und »Donnerschlag« gleichzeitig loszulassen. Und auch das erst nach Zufliegen ausreichender Mengen Sprit.

Am 23. Dezember hatte die Armee nach scharfen Kontrollen so wenig Betriebsstoff, daß man die zum Ausbruchskampf notwendigen Panzer,

Sturmgeschütze, Kraftfahrzeuge, Artillerie und schweres Gerät schon nach wenigen Kilometern hätte stehen lassen müssen, um in der deckungslosen Steppe einen Durchschlagekampf mit Gewehr und Spaten gegen einen überlegenen Feind zu führen. Und das über 50 Kilometer!

General Schmidt hat diese dokumentarischen Feststellungen bei Kehrig mit der handschriftlichen Randbemerkung versehen: »Das war der entscheidende Grund für unser Nichtantreten zu ›Wintergewitter‹. Wir wollten wohl, aber wir konnten nicht!«

Die Heeresgruppe wollte den Gesamtausbruch durch »Wintergewitter« einleiten und ging von der Vorstellung aus, daß erst der sowjetische Ring an der Südwestfront gesprengt werden mußte, ehe die Fronten des Kessels Schritt für Schritt abgebaut, das heißt »Donnerschlag« in Gang gesetzt werden konnte.

Neben den militärischen Erwägungen war für Mansteins Fahrplan entscheidend, daß sich Hitler nur bei einem solchen Ablauf der Zwangsläufigkeit einer Aufgabe Stalingrads gebeugt hätte und nicht mehr in der Lage gewesen wäre, sie rückgängig zu machen. Denn das galt es zu bedenken, und Feldmarschall von Manstein wußte das: Wenn die Heeresgruppe der 6. Armee von vornherein den Gesamtausbruch und die Aufgabe von Stalingrad befohlen hätte, so wäre dieser Befehl ohne jeden Zweifel sofort von Hitler aufgehoben worden.

Der Ausbruch einer ganzen Armee ist ein komplizierter Prozeß, in den zahlreiche Kommandobehörden einschließlich des Oberkommando des Heeres einbezogen worden wäre – allein wegen der operativen Umgliederungen an den anderen Frontabschnitten. Es war ausgeschlossen, daß Hitler nicht sofort davon erfahren und den Befehl aufgehoben hätte. Manstein aber hätten nicht nur seine Abberufung und Ersatz durch einen willfährigen Nachfolger, sondern das Kriegsgericht erwartet.

Paulus, an seinen Kampfplatz im Kessel gefesselt und jede Stunde voll in Anspruch genommen von den notwendigen Improvisationen gegen die sowjetischen Angriffe, war Gefangener der dramatischen Lage. Und Manfred Kehrig stellt in seiner umfassenden Studie zu Recht fest: »Es widersprach der soldatischen Erziehung und Haltung von Paulus und Schmidt, aus einem Befehl zwischen den Zeilen die ›Meinung‹ eines Vorgesetzten herauszulesen.«

Eindrucksvoll zeigt sich an diesen Argumenten, daß es zu nichts führt, den Ursachen der Tragödie von Stalingrad im Bereich der Armeeführung und der Heeresgruppe Don nachzuspüren oder dort die Schuld zu suchen.

Hitlers operativer Irrtum, der auf der Unterschätzung des Gegners und der Überschätzung der eigenen Kräfte beruhte, hatte eine Lage herbeigeführt, die keine Aushilfe, keine List und kein Haltebefehl mehr wenden konnte. Nur die rechtzeitige Zurücknahme der 6. Armee im Oktober, spätestens am 24. November, hätte die Katastrophe an der Wolga verhüten können.

Heute wissen wir darüber hinaus, daß angesichts der russischen Kräfte, wie sie die sowjetische Kriegsgeschichte ausweist, auch »Wintergewitter« und »Donnerschlag« keine operationsfähige Armee aus Stalingrad mehr herausgebracht hätte. Es hätte nur die Chance bestanden, einen Teil der Soldaten zu retten.

Im Abschnitt des II. Bataillons Panzergrenadierregiment 64 gab es eine Rarität. Aus einem verschneiten Weizenfeld ragten gerade noch die Ähren aus dem Schnee. Die Männer robbten nachts hinaus, schnitten die Ähren ab, klopften in den Unterständen die Körner heraus und kochten sie mit Wasser und Pferdefleisch zu einer Weizensuppe. Das Pferdefleisch stammte von den gefallenen und verendeten Vierbeinern, die überall unter kleinen Schneehügeln hartgefroren im Gelände lagen.

Am 8. Januar hatte der Gefreite Fischer die letzte Handvoll Ähren mühselig zusammengesucht und kam klappernd vor Frost in den Bunker zurück. Dort war alles in heller Aufregung. Aus dem Bataillonsgefechtsstand war die Nachricht gesickert, die Russen hätten in ihren Rundfunk-Propaganda-Sprüchen ein Angebot für ehrenvolle Kapitulation angekündigt.

In Windeseile ging die Parole durch den Kessel. Im Kampfraum Marinowka, bei der 3. Panzerdivision (mot.) passierte es dann: Ein russischer Hauptmann tauchte mit einer weißen Fahne bei den vordersten Stellungen der Kampfgruppe Willig auf. Die Männer ließen ihren Kommandeur kommen. Der Russe gab ihm höflich einen Brief, adressiert an: Generaloberst der Panzergruppe Paulus oder Vertreter.

Major Willig dankte und ließ den Russen, nach Rückfrage bei der Armee, mit seiner Fahne wieder ziehen. Dann spielten die Telefone. Ein Kurier brachte das Schreiben nach Gumrak. Paulus rief persönlich an und befahl: Es sind von niemandem Kapitulationsverhandlungen mit russischen Offizieren zu führen. In einem Tagesbefehl wies er auf die Schrecken russischer Gefangenschaft hin.

Am nächsten Tag konnte jeder Soldat lesen, was Generaloberst Rokossowski, der russische Oberbefehlshaber der Donfront, an die 6. Armee geschrieben hatte: Über dem ganzen Kessel warfen russische Flugzeuge Flugblätter ab mit dem sowjetischen Kapitulationsangebot. Da stand es

schwarz auf weiß und von General Voronow als Vertreter des Roten Hauptquartiers sowie von Rokossowski unterzeichnet, verbrieft und besiegelt:
»Wenn der Widerstand sofort eingestellt und alles Heeresgut unbeschädigt
übergeben und die Truppe sich organisiert ergibt, dann garantieren [wir] allen
Offizieren, Unteroffizieren und Mannschaften, die den Widerstand aufgeben, Leben und Sicherheit sowie bei Kriegsende die Rückkehr nach
Deutschland oder auf Wunsch der Kriegsgefangenen in ein beliebiges anderes Land.

Alle Wehrmachtangehörigen der sich ergebenden Truppen behalten ihre
Uniform, ihre Rangabzeichen und Orden, die persönlichen Gebrauchs- und
Wertgegenstände. Den höheren Offizieren werden Degen und Seitengewehr
belassen.

Den Offizieren, Unteroffizieren und Mannschaften, die sich gefangen-
geben, wird sofort normale Verpflegung verabreicht. Allen Verwundeten,
Kranken und Frostbeschädigten wird ärztliche Hilfe zuteil. Wir erwarten Ihre
schriftliche Antwort am 9. Januar 1943 um 15 Uhr 00 Moskauer Zeit durch
einen von Ihnen persönlich bevollmächtigten Vertreter, der in einem mit
weißer Flagge kenntlich gemachten Personenkraftwagen auf der Straße von
der Ausweichstelle Konnij zur Station Kotluban zu fahren hat. Ihr Vertreter
wird am 9. Januar 1943 um 15 Uhr 00 Minuten von bevollmächtigten russischen Offizieren im Rayon ›8‹, 0,5 km südöstlich der Ausweichstelle 564,
erwartet.

Sollte unsere Aufforderung zur Kapitulation von Ihnen abgelehnt werden,
so kündigen wir an, daß die Truppen der Roten Armee und der Roten Luftwaffe gezwungen sein werden, zur Vernichtung der eingekesselten deutschen
Truppen zu schreiten. Die Verantwortung für deren Vernichtung tragen Sie.«

Das Flugblatt, welches mit dem Text des Briefes abgeworfen wurde, ent-
hielt auch den düsteren Satz: »Wer weiter Widerstand leistet, wird erbar-
mungslos niedergemacht.«

Warum nahm die 6. Armee dieses Kapitulationsangebot nicht an? Warum
gab man den aussichtslosen Kampf nicht wenigstens jetzt auf, bevor die
Truppe körperlich und seelisch am Ende war? Bis heute wird diese Frage vor-
wurfsvoll gestellt.

Paulus hat schon während seiner Gefangenschaft immer wieder darauf
hingewiesen, daß er aus eigenem Entschluß nicht kapituliert hat, weil er
Anfang Januar noch einen strategischen Sinn für einen weiteren Widerstand
gesehen habe: die Bindung starker russischer Kräfte und damit die Sicherung
des bedrohten Südflügels der Ostfront.

Dieselbe Meinung vertritt Feldmarschall von Manstein. Er sagt klipp und klar: »Die 6. Armee band seit Anfang Dezember sechzig große Verbände der Sowjets. Die Lage der beiden Heeresgruppen Don und Kaukasus wäre katastrophal geworden, wenn Paulus Anfang Januar kapituliert hätte.«

Konnte man diese These lange als »Aussage in eigener Sache« erklären und abwerten, so ist das jetzt nicht mehr möglich: Die sowjetischen Marschälle Tschuikow und Jeremenko bestätigen in ihren Memoiren Mansteins Auffassung vollauf. Tschuikow schreibt, daß noch Mitte Januar von Paulus sieben sowjetische Armeen vollauf gebunden wurden. Jeremenko läßt klar erkennen, daß das Angebot vom 9. Januar an Paulus, ihm »ehrenvolle Kapitulation« zu gewähren, von dem Gedanken ausging, die sieben sowjetischen Armeen freizubekommen, um sie auf Rostow in Marsch zu setzen und den ganzen Südflügel der deutschen Ostfront zum Einsturz zu bringen. Der Endkampf der 6. Armee verhinderte diesen Plan. Ob das Opfer rückschauend im Sinne einer politischen Wertung des Krieges richtig war, ist eine andere Frage.

Paulus wurde aber noch aus einem anderen Umstand in seiner Haltung bestärkt: Am Vormittag des 9. Januar kehrte der bewährte General Hube von einem Vortrag bei Hitler in den Kessel zurück und berichtete sofort, was ihm der Führer und auch die Offiziere des OKH gesagt hatten: Man plane eine neue Entsatzoffensive von Westen her. Die Bewegung aufgefrischter Panzerverbände sei bereits im Gange, sie würden ostwärts Charkow zusammengezogen. Die Luftversorgung war seit dem 29. Dezember von Generaloberst von Richthofen auf eine neue Basis gestellt. Das VIII. Fliegerkorps war durch Führerbefehl von allen Kampfaufträgen entbunden und nur für die Versorgung von Stalingrad eingesetzt. Aus dem Reich, von anderen Frontabschnitten, sogar aus Afrika von Rommels bedrängter Front, wurden Transportmaschinen und Großraumflugzeuge zugeführt. Am 10. Januar 1943 waren 490 Maschinen dieser Typen für »die Versorgung der Festung Stalingrad« an der Front.

Der Führerbefehl an die Luftwaffe lautete: »Es sind täglich 300 Tonnen einzufliegen.« Die He 111 konnte 1,8 Tonnen, die Ju 52 1,4 Tonnen, die Großraumflugzeuge FW 200 6 Tonnen schleppen. Rein rechnerisch hätten selbst bei nur 50 Prozent Leistung 300 Tonnen täglich eingeflogen werden können. Rechnerisch! Aber diese Rechnung ging nicht auf. Das Wetter folgte keinem Führerbefehl. Dichter Nebel und Schneetreiben verhinderten vielfach entweder den Start oder die Landung im Kessel. Auf den provisorischen Flugplätzen, weit von Stalingrad entfernt, fehlten Wärmewagen, um die Flugzeuge bei 40 Grad Kälte startklar zu machen; dazu kam das konzentrierte Flakfeuer der Russen und der massierte Jägereinsatz gegen die unbewaffneten Transporter, so daß die Ju's schließlich nur noch nachts fliegen konnten. So kamen im Kessel keinen Tag mehr als 100 Tonnen an.

Aber General Hubes Bericht hat trotzdem seine Wirkung. Der Kern seiner Darlegung war: Die 6. Armee müsse nach Auffassung Hitlers und des Oberkommandos des Heeres notfalls unter Verengung des Kessels bis auf das Stadtgebiet von Stalingrad aushalten, um die Rückführung der Heeresgruppe Kaukasus zu ermöglichen, und dann eine neue Entsatzoffensive von Westen her zu starten. Es sei ein Wettrennen mit der Zeit.

Die Ausführungen Hubes deckten sich mit dem, was der Ia der 71. Infanteriedivision Major i. G. von Below, berichtete. Below, später wieder Offizier in der Bundeswehr, war im September 1942 in Stalingrad krank geworden, nach Deutschland geflogen und kehrte nun nach seiner Genesung mit Hube zusammen am 9. Januar in den Kessel zurück.

Er war vor seinem Rückflug Ende Dezember im OKH gewesen. Dort hatten ihn sowohl der Chef der Operationsabteilung, Generalmajor Heusinger, als auch der Generalstabschef Zeitzler ausführlich über Entsatzangriffsmöglichkeiten von Westen her, über den Don bei Kalatsch, befragt. Below gewann den Eindruck, daß man im OKH die Lage der 6. Armee noch optimistisch sah und die Möglichkeit für einen neuen Entsatzangriff günstig beurteilte. General Zeitzler verabschiedete den Major mit den Worten: »Es sind zwar genügend Generalstabsoffiziere im Kessel Stalingrad. Wenn ich Sie aber nicht einfliegen lasse, glaubt man dort, sie seien bereits aufgegeben.«

Ist es vom militärischen Blickwinkel aus gesehen nicht begreiflich, daß Paulus aufgrund der strategischen Zwangslage und bei diesem Hoffnungsschimmer am 9. Januar das Kapitulationsangebot der Sowjets ablehnte? Die These, Paulus habe bei seiner Ablehnung des Kapitulationsangebots Hubes und Belows Bericht noch nicht gekannt, widerlegt Arthur Schmidt mit dem Hinweis, daß Hube am 9. Januar vormittags berichtete und Paulus nach Rücksprache mit den Kommandierenden Generalen am Abend des 9. Januar abgelehnt habe.

Noch war auch diese Bereitschaft zum Widerstand im Kessel nicht gebrochen. Offiziere und Soldaten glaubten, wollten glauben. »Wir können, denn wir müssen hier halten, wenn wir die erforderliche Versorgung kriegen«, liest man in einem Brief des Hauptmann Behr vom 11. Januar 1943. Man liest allerdings auch die Berichte, daß russische Spähtrupps deutschsprechender Soldaten in deutschen Uniformen vor der Kesselfront auftauchten.

Die Festungspropagandastelle der 6. Armee versuchte, der Zermürbungstaktik zu begegnen. Man produzierte Grabenzeitungen und veranstaltete Rundfunksendungen, um die sehr geschickt von deutschen kommunistischen Emigranten und Überläufern formulierten Propagandathesen wirkungslos zu machen.

8

Der Untergang

Der sowjetische Schlußangriff – Auf der Straße von Pitomnik – Das Ende im Südkessel – Paulus geht in Gefangenschaft – Strecker kämpft weiter – Der letzte Flug über die Stadt – Das letzte Brot für Stalingrad

Wie Rokossowski in seinen Flugblättern angekündigt hatte, begann vierundzwanzig Stunden nach der Ablehnung des Kapitulationsangebots, am 10. Januar, der Großangriff gegen den Kessel. Ein 55minütiges Trommelfeuer mit 7000 Geschützen eröffnete das Inferno. Dann trat die Infanterie zum Sturm an. Fünf sowjetische Armeen gegen alle Fronten des Kessels. Was dann geschah, hat es in der modernen Geschichte nur bei zwei Heeren gegeben: beim sowjetischen und beim deutschen.

Von allen Verbindungen abgeschnittene, hungernde, von Frostbeulen geplagte und schlecht bewaffnete Soldaten schlugen sich gegen den überlegenen Feind mit einer verbissenen Tapferkeit, die wenige Beispiele hat. So etwas hat es nur noch im Wolchowkessel gegeben, als sich die 2. sowjetische Stoßarmee in ihren Untergang focht. Gnadenlos wie jede Schlacht in den Winterwäldern des Wolchow waren auch die Schlußkämpfe um Stalingrad. Nur die Rollen hatten gewechselt. Das Leid, die Not, die Tapferkeit und das Elend waren dieselben.

Der Angriff der Sowjets in die Stellungen der Kesselfront wurde mit ungeheurer Wucht geführt, konzentriert gegen die Abschnitte der 44., der 29. (mot.) und der 297. Infanteriedivision. Dann traf der Sturm auf die 16. Panzerdivision von Nordosten. Dann auch gegen die 44. und 76. Division an der West- und Südfront. Was die Armee noch an Sturmgeschützen, Panzern und Pakgeschützen hatte, wurde an die Durchbruchsstellen geworfen. Die deutschen Flak-Kampftrupps der 9. Flakdivision von General Pickert, mit ihren 8,8 in vorderster Front, versuchten, den Panzersturm zu brechen. Sie kämpften bis zum letzten Schuß und schossen über 100 Panzer ab. Aber es nützte nichts. Die Infanterie wurde in ihren Stellungen zerschlagen. Der Russe brach an vielen Stellen durch. Die Verlustziffern der abgekämpften Kampfgruppen schnellten hoch. Auch die Erfrierungen. Denn der Schneesturm heulte bei 35 Grad unter Null über die Steppe. Die Männer der altbewährten 16. Panzerdivision hatten keinen Sprit für die Panzer mehr und keine Granate. Sie fochten als Infanteristen »mit der blanken Waffe«.

An der Westfront fechten einzelne Bataillone der dort eingesetzten Divisionen wie Inseln im Meer. Auch bei der österreichischen 44. Infanteriedivision, im Vorfeld zum lebenswichtigen Flugplatz Pitomnik. Und wer in Stalingrad nur menschliches Leid, Elend, Irrtum, Hybris und Torheit sieht, der sollte einen Blick auf diese Bataillone werfen. Eins von vielen war das I. Bataillon vom Infanterieregiment 134.

Vor Baburkin klammert es sich mit seinen zusammengeschrumpften Kompanien an den Stellungen fest. Mitte Dezember hatte der Kommandeur, Major Pohl, noch das Ritterkreuz bekommen. General Paulus schickte ihm dazu ein kleines Päckchen. »Herzlichen Gruß«, stand von Paulus' Hand darauf. Und darin ein Kommißbrot und eine Dose Hering in Tomatensauce. Ein kostbarer Preis damals in Stalingrad für die höchste Tapferkeitsauszeichnung.

Pohl liegt in seinem Schützenloch mit dem Karabiner wie seine Männer. An der Nordspitze feuert das letzte schwere Maschinengewehr Gurt um Gurt heraus. »Hier kriegt mich keiner weg, Herr Major«, hatte der Unteroffizier noch vor ein paar Tagen zu Pohl gesagt. Noch ein Feuerstoß. Dann schweigt das MG. Man sieht, wie die Russen in die Stellung springen. Sieht ein Gewühl von Kolben und Spaten. Dann nichts mehr. Die ganze Nacht hält das Bataillon noch, den Rücken gestärkt durch die Panzerjägerabteilung 46 mit ein paar 2-cm-Flak und drei sowjetischen Beutegeschützen Kaliber 7,62.

Als man am nächsten Morgen weichen muß, bleiben die Geschütze stehen – kein Sprit für die Beutejeeps, um sie abzuschleppen. So wird jeder Sprung zurück ein Waterloo für die Artilleristen: sie müssen Geschütz um Geschütz sprengen. Und wenn sie sie mühselig mitschleppen, finden sie keine Granate mehr. Die Idee, sich in die Ruinen der Stadt Stalingrad zurückzuziehen und dort den Widerstand fortzusetzen, wird illusorisch.

Major Pohl fährt in der nächsten Nacht nach Pitomnik, um sich beim Nachrichtenführer der Luftwaffe im Kessel, seinem Freund Major Freudenfeld, über die Lage zu informieren. Die Fahrt war gespenstisch. Zur besseren Markierung der Fahrbahn in der Schneewüste waren steifgefrorene Pferdebeine, die man gefallenen Pferden abgehackt hatte, mit den Hufen nach oben in den Schnee gesteckt: schreckliche Wegzeichen einer schrecklichen Schlacht.

Auf dem Flugplatz selbst sah es schlimm aus. Das Lebenszentrum der Armee war ein Trümmerfeld. Der Platz war übersät mit zerschossenen und beschädigten Flugzeugen. Die beiden Verwundetenzelte waren vollgestopft. Und in dieses Chaos wurden immer noch Maschinen hereingepeilt, zur Landung gebracht, entladen, beladen und wieder gestartet.

Aber in der Zeit vom 10. bis 17. Januar brachten die Transportverbände 736 Tonnen in die Festung. 736 Tonnen statt 300 Tonnen täglich! Zornig funkt General Schmidt an die Heeresgruppe Don: »Sind wir aufgegeben?«

Am 11. abends funkt General Paulus an Manstein: »Reserven sind nicht mehr vorhanden. Die Munition reicht noch für drei Tage. Die schweren Waffen wegen Spritmangels nicht mehr zu bewegen. Kesselfront nur noch einige Tage zu halten.«

Trotzdem: Kampfgruppen des VII. Armeekorps hielten am 12. hinter der Kolchose 1 und Teile des XIV. Panzerkorps verteidigten mit Infanteriewaffen am Westufer der Rossoschka.

Die Armee forderte mit Funkspruch an Manstein das Einfliegen mehrerer Bataillone mit schweren Waffen, um weiter halten zu können. Aber nirgendwo war ein Bataillon verfügbar. Und am 13. Januar wurden die Kämpfe der 6. Armee im Wehrmachtbericht nicht mehr erwähnt. Gespenstisch wirkte die Tatsache, daß am gleichen Tage Generalstabschef Zeitzler die Planungen der Operationsabteilung für das »Unternehmen Dietrich« genehmigte: Den Entsatz der 6. Armee im Februar–März!

Drei Tage später, am 16. Januar, fällt Pitomnik. Damit ist auch der bescheidensten Luftversorgung und dem Verwundetentransport der letzte Schlag versetzt.

Nun geht alles schnell bergab. Von den Kesselfronten ziehen die letzten Kampfgruppen ohne schwere Waffen in Richtung Stalingrad. Auch Major Pohl zieht mit seinen Männern durch die Hölle. Am Wege liegt eine Gruppe deutscher Soldaten, von einer Fliegerbombe getroffen. Die noch leben, hatten Glieder verloren, das Blut war zu Eis geronnen, niemand hatte sie verbunden, niemand hatte sie von der Straße geschafft. Alle Kolonnen waren an ihnen vorübergegangen, in dumpfer Ausweglosigkeit mit sich selbst beschäftigt. Pohl läßt die Verwundeten verbinden, legt sie zusammen und läßt einen

Sanitäter bei ihnen, um zu warten, bis ein Lkw kommt, der die Unglücklichen mitnimmt. Es kam kein Lkw mehr.

So erlebten Zehntausende die letzten Tage von Stalingrad. Der große Hunger und die Wehrlosigkeit inmitten der sowjetischen Großoffensive ließen die Kampfkraft und die Moral schnell verfallen. Die Stimmung sank ab. Die Opfer wurden riesengroß. Die Divisionen meldeten 70 bis 80 Prozent »blutige Verluste«. Der Andrang auf den Verwundetensammelstellen war fürchterlich. Medikamente und Verbandzeug gingen aus. Marodeure zogen herum.

Der Ia der Armee jagte am 24. Januar um 16 Uhr 45 einen Funkspruch an Manstein, der gerade durch seine nüchterne Sprache erschütternd ist:

»Angriffe in unverminderter Heftigkeit gegen ganze Westfront, die im Raum um Gorodischtsche seit 24. früh im Rückkämpfen nach Osten, um im Traktorenwerk zu igeln. Im Südteil Stalingrad hielt bis 16 Uhr Westfront am Stadtrand in Linie 45.8 West- und Südrand Minina. Hier örtliche Einbrüche. Wolga- und Nordostfront unverändert. Grauenhafte Zustände im engeren Stadtgebiet, wo etwa 20 000 Verwundete unversorgt in Häuserruinen Obdach suchen. Dazwischen ebensoviel Ausgehungerte, Frostkranke und Versprengte, meist ohne Waffen, die im Kampf verlorengingen. Starkes Artilleriefeuer auf ganzem Stadtgebiet. Unter Führung in der Front kämpfender tatkräftiger Generale und beherzter Offiziere, um die sich wenige noch kampffähige Männer scharen, wird 25. 1. letzter Widerstand am Stadtrand im Südteil Stalingrad geleistet werden. Traktorenwerk kann sich möglicherweise noch etwas länger halten. AOK 6/Ia.«

Tatkräftige Generale. Beherzte Offiziere. Wenige kampffähige Männer – ja!

Am Bahndamm südlich der Zarizaschlucht schießt der Kommandeur der niedersächsischen 71. Infanteriedivision, Generalleutnant von Hartmann, stehend freihändig mit dem Karabiner in die angreifenden Russen, bis er von einer MG-Garbe niedergemäht wird.

Als Feldmarschall von Manstein den Funkspruch des Ia der 6. Armee liest, weiß er, daß von einem militärischen Auftrag der 6. Armee in dieser Lage nicht mehr gesprochen werden kann. »Als die Armee keine nennenswerten Feindkräfte mehr binden konnte«, sagt der Feldmarschall, »habe ich am 24. Januar leider vergeblich in einem langen Telefongespräch versucht, von Hitler den Befehl zur Kapitulation zu erlangen. Zu diesem Zeitpunkt, aber auch erst dann, war die Fesselungsaufgabe der Armee beendet. Sie hatte fünf deutsche Armeen gerettet.«

Was Manstein telefonisch versuchte, sollte Major von Zitzewitz durch persönlichen Vortrag bei Hitler erzwingen.

Zitzewitz war auf Befehl des OKH am 20. Januar aus dem Kessel geflogen. Am 24. Januar bringt ihn General Zeitzler zu Hitler. Diese Begegnung ist von erschütternder Symbolik. Zitzewitz berichtet darüber:

»Als wir im Führerhauptquartier ankommen, wird General Zeitzler sofort vorgelassen, während ich im Vorraum warten muß. Nach einiger Zeit öffnet sich die Tür, und ich werde hineingerufen. Ich melde mich zur Stelle. Hitler kommt auf mich zu und ergreift mit beiden Händen meine Rechte. ›Sie kommen aus einer jammervollen Lage‹, sagt er. Das geräumige Zimmer ist nur schwach erleuchtet. Vor einem Kamin steht ein großer runder Tisch, umgeben von Klubsesseln, rechts ein langgestreckter, von oben beleuchteter Tisch mit einer riesigen Lagekarte von der gesamten Ostfront. Im Hintergrund sitzen zwei Stenographen, die jedes Wort mitschreiben. Außer General Zeitzler sind nur noch General Schmundt und zwei persönliche Adjutanten des Heeres und der Luftwaffe anwesend. Hitler bedeutet mir, auf einem Schemel an der Lagekarte Platz zu nehmen, und setzt sich mir gegenüber. Die anderen Herren setzen sich auf die im Dunkeln stehenden Sessel. Nur der Adjutant des Heeres steht auf der anderen Seite des Kartentisches. Hitler spricht. Er deutet dabei immer wieder auf die Karte. Er spricht von der Erwägung, eine Abteilung der ganz neuen Panzer, Typ ›Panther‹, mitten durch den Feind hindurch nach Stalingrad angreifen zu lassen, um auf diese Weise Versorgung hineinzuschleusen und die 6. Armee durch Panzer zu verstärken. Ich bin fassungslos. Eine einzige Panzerabteilung soll einen erfolgreichen Angriff mehrere hundert Kilometer durch stark besetztes Feindgebiet führen, den nicht einmal eine ganze Panzerarmee zum erfolgreichen Ende führen konnte. Ich nutze die erste Pause, die Hitler in seinen Ausführungen macht, und schildere die Nöte der 6. Armee, gebe Beispiele, lese ihm Zahlen von meinem vorbereiteten Zettel vor. Ich spreche von dem Hunger, den Erfrierungen, der mangelnden Versorgung und dem Gefühl des Aufgegebenseins, von den Verwundeten und den fehlenden Medikamenten. Ich schließe mit den Worten: ›Mein Führer, ich darf melden, den Soldaten von Stalingrad kann man das Kämpfen bis zur letzten Patrone nicht mehr befehlen, weil sie physisch dazu nicht mehr in der Lage sind und weil sie diese letzte Patrone nicht mehr haben.‹ Er schaut mich erstaunt an, aber es ist, als blicke er durch mich hindurch. Dann bin ich entlassen.«

Am 25. forderte General von Seydlitz von Paulus, das Ende des Kampfes zu befehlen. Sein richtiges Argument war, daß man dem einzelnen Mann nicht die Entscheidung aufbürden dürfe, wann der Kampf einzustellen ist. Als Paulus ablehnte, gab Seydlitz selbständig um 23 Uhr den Befehl an die Divisionen seines Korps, den Rest der Munition zu verschießen und dann den Kampf einzustellen.

General Heitz hingegen, der Kommandeur des VIII. Korps, zu dem die immer bewährte 76. Infanteriedivision gehörte, verbot jede formelle Kapitulation, vor allem das Hissen weißer Fahnen.

Am 26. Januar verlegte Paulus seinen Stab in das Kaufhaus Univermag, um sich die Reste der niedersächsischen 71. Division. Immer mehr Kommandeure erbaten die Genehmigung zur Kampfeinstellung.

Paulus fuhr unter starkem Artilleriefeuer ins GPU-Gefängnis, wo eine Reihe Generale die Reste ihrer Stäbe installiert hatten. Er erklärte ihnen seine Gründe für die Verweigerung einer Kapitulation: Es komme auf jeden Tag der Bindung sowjetischer Kräfte an, um eine geordnete Rettung der Heeresgruppe Kaukasus zu ermöglichen.

Aber pathetische Aspekte hatten keine Wirkung mehr. Selbst die tapfersten Offiziere waren ohne Kraft und ohne Hoffnung. Im Keller des GPU-Gefängnisses lagen Regimentskommandeure, Kompaniechefs und Stabsoffiziere verdreckt, verwundet, von Furunkulose und Ruhr fiebernd, und wußten nicht, was sie tun sollten. Sie hatten keine Regimenter, keine Bataillone und keine Waffen mehr, kein Brot und oft nur noch eine Patrone in der Pistole. Die letzte – für alle Fälle. Einzelne schossen sich diese Kugel in den Kopf.

Der hochdekorierte Kommandeur des bewährten und mehrmals im Wehrmachtbericht genannten Hoch- und Deutschmeisterregiments, Oberst Boje, trat am 27. im GPU-Keller vor seine Männer und sagte: »Wir haben kein Brot mehr und keine Waffen. Ich schlage vor, zu kapitulieren.« Die Männer nickten. Und der Oberst zog fiebernd, verwundet, mit ihnen aus den Trümmern des GPU-Gefängnisses hinaus.

Fünfzig Meter waren es bis zur vordersten Linie am Bahndamm. An der Unterführung der Zarizaschlucht standen die Reste der Division des Generalleutnants Edler von Daniels. Der Kommandeur unter ihnen. Alle ohne Waffen. Auch sie zur Kapitulation bereit. Es war ein trauriger Zug. Rotarmisten standen zu beiden Seiten der Straße mit der MPi im Anschlag. Sie wurden gefilmt und geknipst, auf Lastwagen geladen und davongefahren. Die Steppe verschlang sie.

Ein russisches Zeugnis dieses Elendsmarsches findet sich in den Memoiren von General Tschuikow: »Wir beobachteten den Marsch Hunderter von Kriegsgefangenen. Sie wurden zur Wolga und dann über den Fluß gebracht, um den sie monatelang gekämpft hatten. Unter den Gefangenen waren Italiener, Ungarn und Rumänen. Die Mannschaften und Unteroffiziere waren ausgemergelt, ihre Uniformen voller Ungeziefer. Den erbarmungswürdigsten Eindruck machten die rumänischen Soldaten; sie waren so dürftig gekleidet, daß es nicht anzusehen war. Obwohl wir 30 Grad unter Null hatten, liefen sie barfuß.«

Am 31. Januar gegen 14 Uhr ergab sich General von Seydlitz in seinem Bunker einem russischen Stoßtruppführer, und begann seine dramatische und tragische Rolle in sowjetischer Gefangenschaft.

Inzwischen hielten Teile des XI. Korps unter General Strecker im abgesplitterten Nordkessel ihre letzten Stellungen.

Durch den Äther geistert aber der schlimmste Funkspruch aus Stalingrad:

»An Heeresgruppe Don. Verpflegungslage zwingt dazu, an Verwundete und Kranke keine Verpflegung mehr auszugeben, damit Kämpfer erhalten bleiben. AOK 6/Ia.«

Trotzdem ließ Hitler am 31. Januar, um 1 Uhr 30, den Generalstabschef noch einen Spruch nach Stalingrad jagen: »Der Führer läßt darauf hinweisen, daß es auf jeden Tag ankommt, den die Festung Stalingrad länger hält.«

Die ganze Tragödie der letzten Tage lag in der Haltung von Paulus begründet, der auf keinen Fall eine »formelle« Kapitulation eingehen wollte. So vollzogen einzelne Kommandierende Generale und Kommandeure auf eigene Faust Kapitulationsverhandlungen mit den lokalen russischen Kommandeuren. Und als am 30. Januar klar wurde, daß das Hauptquartier im Kaufhaus nicht mehr verteidigt werden konnte, gab General Schmidt am späten Nachmittag dem Oberst Roske und dem Sonderführer Neidhardt den Auftrag, mit den Russen Kontakt aufzunehmen und eine Art »inoffizielle Kapitulation« des Oberbefehlshabers der 6. Armee einzuleiten. Der Gesprächspartner Roskes war der sowjetische General Laskin, Chef des Stabes der 64. Armee.

Bei den Verhandlungen war die Versorgung der Verwundeten ein Hauptanliegen. Laskin sagte das zu. Er bestätigte auch alle Zusagen in dem Kapitulationsangebot Rokossowskis von Anfang Januar, die er in »feierlicher Form« wiederholte.

Punkt 11 Uhr am 30. Januar betrat der Oberleutnant der Offizierswache im Keller des Kaufhauses am Stalingrader Roten Platz den kleinen Raum des Oberbefehlshabers und meldet: »Der Russe steht vor der Tür.«

Seit 6 Uhr früh war Paulus auf und sprach mit seinem Ia, Oberstleutnant von Below. Er war müde, enttäuscht, aber entschlossen, Schluß zu machen.

Aber »ohne Aufwand«, wie er sagte, das heißt ohne Kapitulationsurkunde und offizielles Gehabe.

Das war wohl der Grund für die oft mißdeutete Art, wie Paulus in die Gefangenschaft ging. Er hielt sich an den Befehl, mit der Armee nicht zu kapitulieren. Ging nur mit seinem Stab in Gefangenschaft. Während die einzelnen Abschnittskommandeure mit den Russen die Einstellung des Kampfes abmachten. Als General Laskin mit seinem Dolmetscher den Raum betrat, erhob sich Paulus und sagte: »Feldmarschall Paulus.«

Laskin ließ dolmetschen: »Herr Feldmarschall, ich erkläre Sie für gefangen; ich bitte um Ihre Waffe.«

Paulus gab seine Pistole Oberst Adam und der übergab sie General Laskin. Durch ein Spalier deutscher Offiziere und Soldaten fuhr der Oberbefehlshaber der 6. Armee in die Gefangenschaft.

Im Nordkessel, im berüchtigten Traktorenwerk und in der Geschützfabrik »Rote Barrikade«, hier, wo im Sommer die ersten Schüsse im Kampf um Stalingrad gewechselt wurden, kämpften Stützpunkte des XI. Korps auch am 1. Februar noch weiter. Wo es angefangen hatte, endete es.

Obwohl dieser Kampf in den Ruinen keinerlei militärische Bedeutung mehr hatte, funkte Hitler an General Strecker: »Ich erwarte, daß der Nordkessel von Stalingrad sich bis zum Letzten hält. Jeder Tag, jede Stunde, die dadurch gewonnen wird, kommt der übrigen Front entscheidend zugute.«

Aber auch das XI. Korps stirbt hin. In der Nacht zum 2. Februar sitzt Strecker im Gefechtsstand der Kampfgruppe Oberstleutnant Julius Müller.

Um 4 Uhr bedrängen ihn zwei seiner Generale, den Kampf einzustellen. Sie haben mit dem russischen General schon für 4 Uhr 30 die Kampfeinstellung verabredet.

Strecker sagte: »Tun Sie, was Sie für richtig halten.« Und geht in die Nacht. Als es hell wird, hört auch im Nordkessel der Kampf auf.

Die Schlacht um Stalingrad ist zu Ende.

Um 8 Uhr 40 funkt Strecker an das Führerhauptquartier: »XI. Armeekorps hat mit seinen sechs Divisionen seine Pflicht getan.« Mit sechs Divisionen! Das waren mal 80 000 Mann.

Auch hier treten die letzten hohlwangigen, ausgehungerten Männer altbewährter und oft genannter Divisionen aus Gräben und Trümmern, sammeln sich zu grauen Kolonnen. Und werden in die Steppe geführt: immer noch endlos anmutende Züge. Wie viele?

Um das Wieviel wird bis heute gestritten. Doch Leid, Tod und Tapferkeit bekommen durch Menschenerörterung kein anderes Gesicht. Deshalb sei festgestellt: Nach den Kriegstagebüchern der 6. Armee und den Tagesmeldungen der Korps befanden sich Mitte Dezember laut Meldung vom 22. über die Verpflegungsstärke vom 18. Dezember 1942 249 600 Deutsche und Verbündete im Kessel, darunter 13 000 Rumänen. Außerdem weisen die Meldungen 19 300 russische Gefangene, beziehungsweise Hiwis aus.

Von diesen 249 600 Offizieren und Soldaten wurden bis zum 24. Januar 1943 42 000 Verwundete, Kranke und Spezialisten ausgeflogen. 16 800 wurden nach sowjetischen Meldungen vom 10. bis 29. Januar von den Sowjets gefangengenommen. Bei der Kapitulation vom 31. Januar bis 3. Februar ergaben sich nach sowjetischen Angaben 91 000 Mann, nach anderen Angaben 130 000.

80 500 blieben auf dem Stalingrader Schlachtfeld: Gefallene, ein großer Teil Schwerverwundete, die in den letzten Tagen schutzlos, ohne Pflege und ohne Nahrung blieben und bei der Kapitulation nicht geborgen wurden. Die Russen geben an, 147 200 auf dem Schlachtfeld beerdigt zu haben. Diese Zahl ist nur zu akzeptieren, wenn darin auch die nach der Kapitulation verstorbenen Soldaten und Verwundeten zu den Gefallenen gezählt werden.

Rund 6000 Mann von den 107 800 bis 120 000, die nach der Kapitulation in Gefangenschaft gingen, kehrten zurück.

In der Dokumentation von Manfred Kehrig wird die Zahl der Anfang Februar 1943 in Gefangenschaft gegangenen Soldaten der 6. Armee mit knapp über 200 000 angegeben, die Verwundeten inbegriffen. General Arthur Schmidt hat dieser zum Teil aus Schätzungen errechneten Zahl in seinen Randnotizen widersprochen, weil zum Beispiel Urlauber und andere nicht im Kessel befindliche Teile – 70- bis 80 000 Mann – nicht berücksichtigt worden seien.

Am 3. Februar 1943 flog Leutnant Herbert Kuntz von der Kampfgruppe 100 mit seiner He 111 als letzter deutscher Flieger über Stalingrad.

»Sehen Sie nach, ob noch irgendwo gekämpft wird oder ob Fluchtgruppen zu sehen sind«, hatte sein Kommandeur, Hauptmann Bätcher, gesagt. »Werfen Sie dann die Ladung ab.« Die Ladung, das war Brot, Schokolade, Verbandzeug und etwas Munition.

In 2000 Meter Höhe kurvt Kuntz über der Stadt. Kein Flakschuß fällt. Dichter Nebel liegt über der Steppe. Beobachter Hans Annen blickt hinüber zu Walter Krebs, dem Funker. Der schüttelt den Kopf: »Nichts mehr.«

Kuntz drückt die Maschine tiefer. Hundert Meter zeigt der Höhenmesser. Achtzig. Bordwart Paske luchst wie ein Wilddieb. Da flattert der Nebel weg: Keine sechzig Meter hoch streifen sie über das zerfurchte, zerklüftete

Schlachtfeld. Kuntz reißt die Maschine zurück in sichere Höhe, sucht weiter. Da – sind das nicht Menschen im flatternden Nebel? »Raus!« ruft er. Und die Ladung rauscht in die Tiefe. Brot fällt in den Schnee von Stalingrad. Fällt neben die Toten, die Erstarrten und die wenigen, die noch auf den Tod warten.

Vielleicht finden es die kleinen Gruppen, die versuchen, sich durchzuschlagen. Viele sind aufgebrochen: Stabsoffiziere mit ganzen Kampfgruppen, wie aus dem Stab des IV. Korps und der 71. Infanteriedivision. Leutnante und Feldwebel sind bei Nacht und Nebel mit Zügen losmarschiert. Unteroffiziere, Gefreite, Schützen und Artilleristen haben sich zu dritt, zu viert oder gar allein durch die Trümmer aus der Stadt gepirscht. Einzelne Trupps werden später noch bis Mitte Februar von Fliegern in der Steppe gesichtet. Verlieren sich dann. Nur von einem einzigen, einem Unteroffizier einer Flakbatterie – Unteroffizier Nieweg –, wird berichtet, daß er durchkam. Aber vierundzwanzig Stunden nach seiner Rettung fiel er auf einem Verbandsplatz der 11. Panzerdivision einem unglücklichen Granatwerferschuß zum Opfer.

DRITTER TEIL
DER MARSCH NACH STALINGRAD

Fotografiert von Soldaten

III.
Der Sturm am Südflügel
Über die großen Flüsse Richtung
Kaukasus und Stalingrad

Mächtige Ströme ziehen durch Rußlands Weiten nach Süden, den Meeren zu. Über Dnjestr, Bug und Dnjepr fegte Hitlers Blitzkrieg programmgemäß hinweg. Auf die Krim! Über den Mius! Aber dann stoppte Ende 1941 der sich formierende sowjetische Widerstand den Vormarsch des deutschen Südflügels. Der untere Don wurde zur Wasserscheide des Sieges. In Rostow brach sich der deutsche Sturm. Deshalb verschob Hitler die Entscheidung auf das Jahr 1942: Die »Operation Blau« sollte im Süden den Sieg bringen. Diese Aufnahme zeigt den unteren Don mit seinem breiten, bewaldeten Flußtal in der Nähe von Konstantinowskaja. Im Vordergrund Rasdorskaja. Hier gingen im Sommer 1942 viele deutsche Divisionen über den Fluß und zogen dem Kaukasus zu.

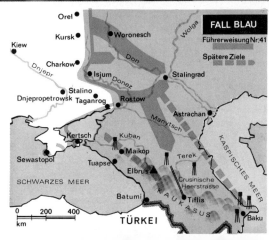

Mütterchen Rußland.
Jeder Flußübergang, jeder Schritt weiter nach Osten war ein Schritt über die Schwelle der russischen Unendlichkeit. Das Haus der Bäuerin in einem Dorf nahe Newel (links) stand schon, als Napoleon nach Moskau marschierte • Im Kampfraum der Heeresgruppe Süd zogen Deutschlands Armeen über den Pruth (oben), über Dnjepr und Don.

216/217

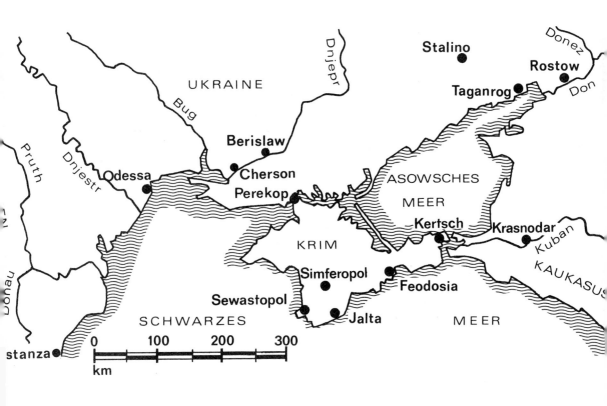

BESSARABIEN

Unguri

In die Boote.
Flüsse sind keine unüberwindlichen Hindernisse
mehr. Mit der Präzision eines Uhrwerkes wurden sie
überwunden, auch wenn die Brücken gesprengt waren. Die Truppe besaß Instruktionsfotos mit eingezeichneten Feindstellungen (oben) (E = Achtung –
Feindbunker im Flußhang mit Kasematten) • Divisionen der 11. Armee überschreiten den Dnjestr. Gut
getarnt warten die Infanteristen und Pioniere, bis
der Befehl kommt: In die Boote (rechts) • Die Floß-
säcke fassen zwölf Mann.

218/219

PODOLISCHE PLATTE

E

w–Podolsk

Bronita

Über den Dnjepr.
Bis zu dreieinhalb Kilometer breit ist der zweitgrößte
Strom Osteuropas. Als ihn die deutschen Grenadie-
re am 10. und 11. Juli 1941 überschritten, wußten sie
nicht, daß sie den Fuß über den Schicksalsfluß des
Krieges setzten.

Abziehende Rotarmisten hatten einen salutierenden Knochenmann aus einem Gymnasium von Cherson am Wege aufgestellt – als drohenden Gruß für die anrückenden Deutschen. Die Landser lachten und ließen Freund Hein stehen • Achtundvierzig Stunden später wurde der Salut des Todes ernst: Die Vorausabteilung Janus begräbt ihre Gefallenen • Eine 8,8-cm-Granate hat den Verpflegungs-Lkw der Sowjets getroffen, und Walter Hackl schrieb auf dieses Foto: »Habe Tod und Brot geladen.« (Rechts unten.)

222/223

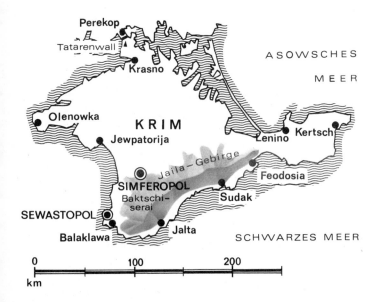

Der Kampf ums Paradies.
»Wer die Krim hat, beherrscht das Schwarze
Meer und bestimmt die Politik der Türkei«,
das war die operative Maxime für Hitlers Ver-
such, im Spätsommer 1941 den Zugang zur
Krim im Handstreich zu nehmen. Er mißlang.
Die deutschen Angriffsgruppen der 11. Armee
lagen am Eingang zum Paradies bei Perekop
und am Panzergraben des Tatarenwalls fest.
Die Skizze demonstriert die Bedeutung der
Türkei in Hitlers Strategie der großen ›Öl-
zange‹ gegen Kaukasus und den Vorderen
Orient.
224/225

Kradschützen vor.
Die Husaren der motorisierten Divisionen
fanden am Südflügel ideales Kampfgelände.
Am Beiwagen das springende Pferd, Divi-
sionszeichen der 24. Panzerdivision, jagt das
Bataillon in die Steppe. Stößt auf den Feind.
Absitzen! Angriff mit MG und blanker Waffe.
Das Foto stammt aus den Sommerkämpfen
des Jahres 1942, auf dem Wege zum Don.

226/227

Drinnen und draußen.
Der Soldat hat im Krieg keine bleibende Statt.
Sein Quartier ist nichts als Unterkunft. Die ›Berliner Morgenpost‹ zeugt von seinen Bewohnern:
der Stab einer Berliner Division (unten) • Auch
draußen geht das Leben weiter. Oben rechts:
Leutnant Herbert Kuntz fotografierte aus seiner
He 111 den wimmelnden Markt in dem hart getroffenen Rostow • Dr. Ott machte den Schnappschuß darunter: Auf dem Markt in Stalino.
228/229

Hinter der Front wird stramm gegrüßt.
Asmus Remmer hat hier die Tauwetter-Atmosphäre in einem Dorf der Etappe eingefangen: verschlammte Straße, salutierende Landser, rekrutierte Frauen • Alfred Otts fotografische Vignette aus Ordaniwka bildet dazu den sommerlichen Kontrast.

230/231

Menschen ihres Landes.

Links: Der bäuerliche Adel des Paares aus Poltawa reizte Alfred Tritschler, das Foto zu machen • Und Walter Hackl schrieb auf sein Bild von der Tatarin aus Baktschiserai: »Diese Frauen waren hübsch und stolz, und manchem Landser, der sich ihnen nähern wollte, spuckten sie vor die Füße« • Unten rechts: Das herrliche Aluschta auf der Krim, von der Straße nach Simferopol gesehen. Im Hintergrund das Jaila-Gebirge.

232/233

N

Belbek

Wolga

Stalin

Ural

Sibirien

Olberg

GPU

Molotow

Maxim Gorki

Tscheka

SEWERNAJA BUCHT

Nord-Fort

SÜD BUCHT

SEWASTOPOL

SCHWARZES

Sewernaja
Kossa

MEER

Chersones

Sapun

riedhof

Die stärkste Festung der Welt.
Wie Moskau und Leningrad, hielt auch Sewastopol im Herbst und Winter
1941 dem deutschen Ansturm stand. Links: Die Höhen um die historische
Feste waren mit Forts gespickt • Der Hafen, von Marinetruppen verteidigt •
Deutsche Eisenbahngeschütze aber (oben) zerschlugen mit Riesengranaten
bis zu Kaliber 80 cm die stärksten Kasematten.

Sewastopol wird genommen.
Im Frühsommer 1942 stürmte Mansteins 11. Armee die Seefestung auf der Krim. 1 300 Rohre feuerten fünf Tage auf die Befestigungswerke und Feldstellungen. Die Panzerkuppeln der unterirdischen 30,5-cm-Batterie ›Maxim Gorki‹ wurden von Mörsern der Heeresartillerie zerschlagen (oben rechts) • Die entscheidenden Sapuner Höhen stürmten Grenadiere der 170. I. D., unterstützt von Nebelwerfern.

236/237

Unter und über der Erde.
In den unterirdischen Stollen von Sewastopol wurden bis zur letzten Minute Waffen und Munition produziert (links oben), während in den zusammengeschossenen Stellungen die Rotarmisten kämpften und versorgt wurden (oben) • Die Befehlszentrale, der Kriegsrat der Küstenarmee, war in den unterirdischen Kasematten des Hafens untergebracht (v.l.n.r.: J. Tschuchnow, J. Petrow und M. Kusnezow) • Am 1. Juli fiel Sewastopol in deutsche Hand. Die Kämpfe um einzelne Widerstandsnester dauerten noch bis 9. Juli. Rechts: Rumänische Artillerie rollt in die Stadt.

238/239

Das Drama Feodosia.
Schon am 3. November 1941 war im Ostteil der Krim Feodosia gefallen (oben) • Aber am 28. Dezember landen überraschend starke sowjetische Panzerstreitkräfte bei Kertsch und im Rücken der Halbinsel, bei Feodosia (rechts) • Graf Sponeck (Foto von 1941 mit Major Zürn), der Kommandierende General des XXXXII. Korps, nahm die schwache 46. I. D. zurück und räumte die Halbinsel Kertsch. Er wurde zum Tode verurteilt. Begnadigt. Und 1944 doch erschossen. Feodosia wurde am 18. Januar 1942 vom Infanterieregiment 105 der 72. I. D. wieder genommen (oben links).

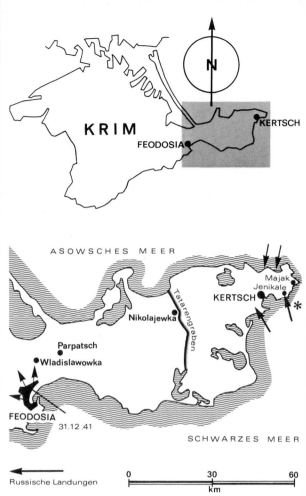

KRIM

KERTSCH

FEODOSIA

ASOWSCHES MEER

Majak
Jenikale

KERTSCH

Nikolajewka

Parpatsch

Wladislawowka

Tatarengraben

FEODOSIA

31.12.41

SCHWARZES MEER

Russische Landungen

0	30	60

km

Jenikale

Opassnaja

Russische Landung

Die blutige Küste.
Die Halbinsel Kertsch war ein Schlüsselpunkt der deutschen Strategie: 1941/1942 Sprungbrett ins Kaukasusgebiet, 1943 dann Rückhalt für den Kubanbrückenkopf. Von Seestreitkräften unterstützt, links das Panzerschiff ›Sewastopol‹, versuchten sowjetische Landetruppen immer wieder auf Kertsch einen Brückenkopf zu schaffen.

Majak

Stiukowka

3.(6)/11 *Bildstelle*
Maßstab etwa 1:10000
Karte 1:500000 Bl. Kertsch
Film: 146/42   Bild Nr.: 041

»Was man jetzt zerschlägt, stört später nicht!«
Das sagt Hitler gerade zu General von Salmuth. Es ist der 1. Juni 1942: Führerbesuch im Hauptquartier der Heeresgruppe Süd in Poltawa. Die militärischen Köpfe der Südfront sind vor der Lagekarte versammelt. Wegen der günstigen Entwicklung der Schlacht südlich Charkow ändert Hitler den Fahrplan für »Fall Blau« • Auf dem Foto (v. l. n. r.): General Schmundt und Generaloberst von Weichs; Adolf Hitler im Gespräch mit General von Salmuth; vor der Karte: General von Sodenstern, General von Mackensen, Generaloberst von Kleist (halb verdeckt); Feldmarschall Keitel im Gespräch mit General Paulus; Generaloberst der Luftwaffe Löhr.

244/245

Sturm auf Rostow.
Am 21. November 1941 hatten Verbände der Panzergruppe Kleist Rostow im Blitz genommen. Aber eine Woche später holten sich die Russen das Tor zum Kaukasus zurück (links) und warfen die Deutschen aus der Stadt. Erst acht Monate später, am 25. Juli 1942, sind die Deutschen wieder in der Stadt. Oberst Reinhardt mit dem Infanterieregiment 421 während des Straßenkampfes.

Das weiße K.

Die 1. Panzerarmee, die alte Panzergruppe von Kleist, revanchierte sich am 25. Juli 1942 für den 28. November 1941 und entriß den Sowjets Rostow erneut. Vergeblich versuchte die russische Artillerie die deutschen Panzerbereitstellungen zu zerschlagen (unten) • Panzer mit aufgesessenen Pionieren stoßen zur Stadtmitte vor (rechts) • Widerstandsnester in den Ruinen werden von Panzergrenadieren niedergekämpft (oben).

248/249

Nach Süden...
Der Weg zum Kaukasus ist freigeschlagen. Die Übergänge über den unteren Don gewonnen. Die Divisionen der Heeresgruppen A und B stürmen nach Süden, Richtung Kaukasus, und nach Osten, der Wolga zu.

250/251

Über den Tschir, über den Kschen.
Sind die Russen im Kessel? Der Marsch nach Stalingrad hat begonnen. Woronesch ist das erste Ziel. Schütze 1 hat wieder sein MG geschultert • Der Kompanietruppführer zeigt den Weg • Grenadiere, Pioniere und Kradschützen greifen an • Mitten darin, in seinem Befehlswagen mit der Korpsflagge, der Kommandierende des XXXXVIII. Panzerkorps, General Kempf.

252/253

Auf der Rollbahn 17 nach Woronesch.
28. Juni 1942. Die 4. Panzerarmee unter Generaloberst Hoth stößt auf die sowjetische Verteidigung im Vorfeld von Woronesch. Sowjetische Artillerie schießt Sperrfeuer. Deckung! Pferde scheuen. Die Schlacht rollt • Die Straße 17 ist von Gräbern gesäumt.

254/255

Die verhängnisvolle Stadt.
Woronesch durchs Scherenfernrohr (links), eine interessante Aufnahme, die Walter Seelbach auf der Beobachtungsstelle der schweren Artillerieabteilung 635 machte • Die Stadt am Don, Verkehrskreuz und Rüstungszentrum, wurde zu einem Drehpunkt der Sommeroffensive. In verlustreichen Kämpfen konnten Grenadiere der 16. I. D. (mot.) und der 3. I. D. (mot.) am 7. Juli 1942 den Westteil der Stadt nehmen.

Stellungskrieg in Woronesch.
In Gräben, Erdbunkern und Granattrichtern wurde in Woronesch um jeden Meter gekämpft; es war wie in den Materialschlachten des Ersten Weltkrieges. Mit dem Grabenspiegel neben dem MG-Stand wird der Gegner beobachtet • Es ist gefährlich, den Kopf aus dem Graben zu stecken. Drüben sitzen sowjetische Scharfschützen vom Schlage des Signalmanns V. Kozlow, der nach dem 30. Treffer von seinem Politkommissar ausgezeichnet wird.

258/259

Weiter.
Immer wieder fällt einer aus. Aber es geht
weiter, immer weiter. Orel bleibt zurück.
Kursk und Charkow. Woronesch. Rostow.
Über den Don: nach Osten und nach Süden,
durch Steppe und Maisfelder.

260/261

VI.
Kaukasus, Kuban, Kertsch
Die große Schlacht ums Öl

Als die Armeen der Heeresgruppe A aufbrachen, um das kaukasische Öl zu erobern, lagen vor ihnen 500 Kilometer Steppe und einer der mächtigsten Gebirgszüge der Welt. Die Gebirgsjäger, Panzermänner und Infanteristen kämpften an den uralten Paßstraßen des Kaukasus, an der Schwarzmeerküste, in der Kalmückensteppe. Und fochten sich dann in blutigen Gefechten wieder zurück. Ein Teil nach Norden. Die Masse in den Kubanbrückenkopf. Von dort zur Krim. Dieses Farbfoto von Karl Knödler ist ein einmaliges Dokument. Es zeigt die Räumung des Kubanbrückenkopfes im Herbst 1943. In 34 Tagen wurden über 200 000 Soldaten, rund 70 000 Pferde und 40 000 Fahrzeuge durch die Straße von Kertsch zur Krim transportiert. Eine der großen organisatorischen Leistungen des Zweiten Weltkriegs.

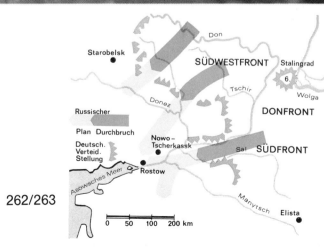

Starobelsk

Don

SÜDWESTFRONT

Stalingrad

6.

Tschir

Wolga

Donez

DONFRONT

Russischer

Plan Durchbruch

Nowo-
Tscherkassk

Sal

SÜDFRONT

Deutsch.
Verteid.
Stellung

Asowsches Meer

Rostow

Manytsch

Elista

0   50   100   200 km

Szenen des Kriegstheaters.
Charkow mit seinen Monumentalbauten am Roten Platz (oben) reizte die fotografierenden Soldaten immer wieder zu Schnappschüssen • Der Stau am Ostufer des unteren Bug auf der Rückzugstraße der 8. Armee 1944 ist ein seltenes Dokument.

Rohrkrepierer, wie sie Paul Stöcker verbotenerweise bei der schweren Artillerieabteilung 843 fotografierte, mahnten den Artilleristen daran, daß neben dem Feind auch das Unglück wartete • Unten: Feuerstellung der schweren Artillerieabteilung 740.

265

Taganrog
Rostow
Sal
Manytsch
Elista
Wolga
Astrachan
Asow. Meer
Kalmücken-Steppe
Krasnodar
Kuban
Kaspisches Meer
Noworossisk
Maikop
Kuma
Tuapse
Pjatigorsk
Mosdok
Sotschi
ELBRUS
Terek
Grosnij
Suchumi
K A U K A S U S
Schwarzes Meer
Batumi
TIFLIS
0   300   600
km
T Ü R K E I

Im Lande der Tscherkessen.
In sengender Hitze und bei strömendem
Regen ziehen die Gebirgsjäger über die
Pässe und durch die Täler des Kaukasus •
Wie eine Goldgräberstadt Amerikas wirkt
Pjatigorsk im Nordkaukasus an der Kuma.

Die Straße nach Asien.
Vor dem schimmernden Panorama des Elbrus-massivs ziehen die Kolonnen des XXXX. Panzerkorps durch die Kalmückensteppe dem Terek zu (oben) • Am 25. August 1942 wurde dieses letzte Hindernis vor dem Ölgebiet von Grosnij und vor der alten Heerstraße nach Tiflis, Kutaissi und Baku erreicht • Über die Terek-Brücke bei Mosdock (rechts) rollte der Nachschub.

268/269

Das Edelweiß an der Mütze.
In mühseliger Arbeit bringen die Gebirgsjäger ein leichtes Infanteriegeschütz in eine Stellung am Kluchorpaß (links) • Die Männer der 1. und 4. Gebirgsdivision bezwingen im eisigen Höhenwind den 5633 Meter hohen Elbrus. Hier fotografierte Andres Feldle die Gruppe am Nordwestgipfel nach der Flaggenhissung am Trigonometrischen Punkt • Unten rechts: Gebirgsjäger auf dem Wege in ihre Stellungen im Laba-Tal • Unten links: Aufklärer einer berittenen russischen Gebirgsjägerbrigade auf ihren zähen Panjepferden im Waldkaukasus.

270/271

Nur die Friedhöfe blieben zurück.
Die deutschen Gebirgsjäger hatten in Höhen von
über 3000 Meter gekämpft, hatten über schwindelerregende Felsgrate, sturmumtoste Eishänge
und gefährliche Gletscher feindliche Stellungen
erobert, die für uneinnehmbar gegolten hatten.
Aber den letzten Sprung an die Küste, ans Meer
schafften sie nicht. Die sowjetische Gegenoffensive erzwang den Rückzug aus dem Kaukasus.

272/273

Die letzten Meter vor der Küste.
Vor den Ausgängen der Gebirgstäler in die
Küstenebene bei Tuapse leistete sowjetische Marineinfanterie erbitterten Widerstand
(links). Die deutschen Kampftruppen sahen
zwar das Meer und die subtropische Küste,
aber die letzten Kilometer in die Ebene
schafften sie nicht • Die Sowjets hielten auch
nordwestlich Tuapse ihre Stellungen (unten
links).

274/275

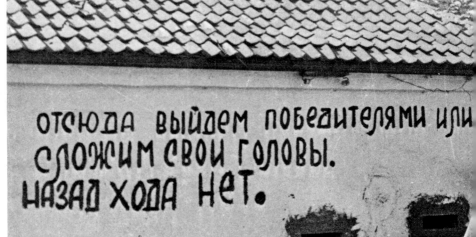

отсюда выйдем победителями или
сложим свои головы.
назад хода нет.

Der Geist von Stalingrad.
Der fanatische Geist von Stalingrad wurde Ende
1942 auch im Kaukasus geweckt. An der Ossetischen Heerstraße fochten einheimische Partisa-
nengruppen, die jedes Tal und jeden Pfad kannten
(links oben) • In Ordschonikidse waren die Wände
der zu Bunkern umgebauten Häuser mit Kampf-
parolen bemalt: »Hier kommen wir als Sieger heraus, oder fallen – es gibt kein Zurück« • Nach dem
deutschen Rückzug suchten die Einwohner ihre
Angehörigen, die bei Partisaneneinheiten gekämpft hatten. Hier fanden Eltern bei Pjatigorsk
ihren im Eis erstarrten Sohn.

276/277

Am Wege des Rückzugs machten Hans Schürer, Dr. Hermann Schmidt und Toni Hupfloher drei Aufnahmen, fotografierten drei Szenen, die das ganze Drama eines Rückzugs illustrieren • Links: Der geschlagene Landser, müde strapaziert, aber noch zum Kampf entschlossen • Oben: Zwei resignierende Verwundete, die beim Gefechtstroß hocken und auf Versorgung warten – oder auf das Ende der Reise • Unten: So erwischten sowjetische Tiefflieger immer wieder die deutschen Kolonnen.

278/279

FRANZÖSISCHE=FREIWILLIGEN= LEGION=

Die Freiwilligen.
In allen Ländern Europas wurde eine Freiwilligenbewegung mobilisiert zum Kampf gegen die Rote Armee. Links oben: Von Vernay geht ein Transportzug mit französischen Freiwilligen ab • Mitte: Ankunft in Polen – noch in französischer Uniform • Unten: Leutnant Lovis mit seinem Zug auf dem Marsch in den Kampfraum der 7. I.D. • Die Franzosen brachten in der Schlacht um Moskau schwere Opfer • Oben: Die spanische »Blaue Division« hat nördlich des Ilmen-Sees und vor Leningrad gekämpft. Hier das 1. Bataillon Infanterieregiment 269.

Sie marschierten auf unserer Seite.

Der ideologisch gefärbte Krieg sprengte die Fronten. Wlassow entschied sich gegen Stalin und für Deutschland • Russische Kosakenschwadronen ritten in feldgrauer Uniform, ihr Landeszeichen am Ärmel (unten) • Die 2. ungarische Armee des Reichsverwesers Horthy focht am Don (rechts oben) • Wlassow-Soldaten wurden am Donez als Wehrmachteinheiten ausgebildet (unten Mitte) • »Im Dienst der Deutschen Wehrmacht« stand auf der Armbinde, die der russische Ortswehrmann trug (unten rechts) • Für die Französischen Freiwilligen hatte die Regierung Pétain einen Tapferkeitsorden gestiftet. Er darf nicht mehr öffentlich getragen werden, wird aber im Militärmuseum in Paris gezeigt • Leon Degrelle von der Wallonischen Legion (rechts Mitte).

282/283

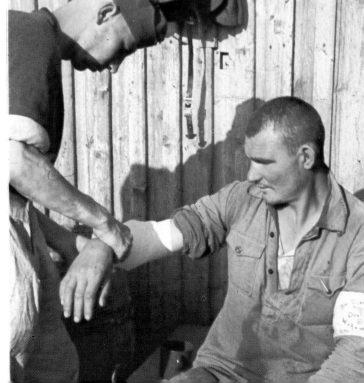

IV.
Stalingrad
»Jeder Soldat eine Festung«

In den Tagen, da die 6. deutsche Armee bei Kalatsch über den Don Richtung Stalingrad zog, machte Dr. Ott diese Aufnahme: Der Don nahe der Mündung ins Asowsche Meer. Friedliche Stimmung. Aber schon dämmerte das Drama Stalingrad herauf. Noch ahnte es niemand; denn im Operationsplan des deutschen Oberkommandos figurierte die Stadt nur am Rande. Sie sollte als Rüstungszentrum und Wolgahafen ausgeschaltet und »unter die Gewalt der Waffen« gebracht werden. Daß aus dieser Sicherungsaufgabe eine schwere Niederlage wurde, war die Folge einer Fehleinschätzung des Gegners. Der Stalingrad-Verteidiger General Tschuikow schwor seine 62. Armee auf die Parole ein: »Jeder Soldat eine Festung« – und sie hielt sich daran.

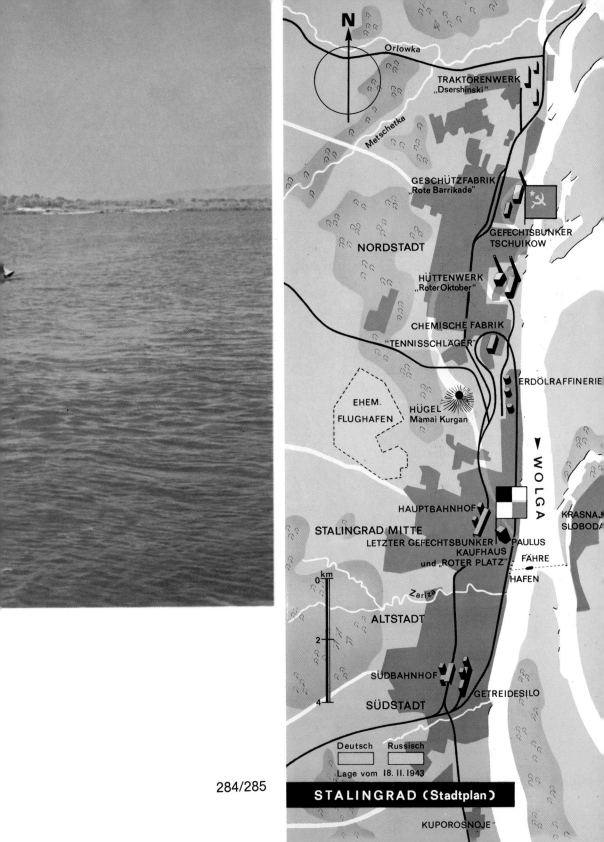

284/285

STALINGRAD (Stadtplan)

N

Orlowka

TRAKTORENWERK
„Dsershinski"

Metschetka

GESCHÜTZFABRIK
„Rote Barrikade"

NORDSTADT

GEFECHTSBUNKER
TSCHUIKOW

HÜTTENWERK
„Roter Oktober"

CHEMISCHE FABRIK
„TENNISSCHLÄGER"

ERDÖLRAFFINERIE

EHEM.
FLUGHAFEN

HÜGEL
Mamai Kurgan

W O L G A

HAUPTBAHNHOF

KRASNAJA
SLOBODA

STALINGRAD MITTE

LETZTER GEFECHTSBUNKER
KAUFHAUS
und „ROTER PLATZ"

PAULUS

FÄHRE

HAFEN

Zarize

ALTSTADT

km
0

2

SÜDBAHNHOF

GETREIDESILO

4

SÜDSTADT

Deutsch   Russisch

Lage vom 18. II. 1943

KUPOROSNOJE

Unerbittlich war der Krieg.
Diese Männer weinten vor Kälte, als Alfred Ott sein
Foto machte: Soldaten einer italienischen Division
aus dem warmen Süden Europas in der weißen
Hölle eines gnadenlosen Schneesturms • Rechts:
Der Panzer war die entscheidende Waffe auf den
Schlachtfeldern des letzten Krieges. Rechts oben:
Sowjetische Gardeschützen bei einem Angriff mit
Panzerunterstützung. Der KW 1 hat einen leichten
deutschen Panzer gerammt • Darunter: Panzerjäger
schweren Kalibers, wie diese 10-cm-Kanone auf
Selbstfahrlafette, ›dicker Max‹ genannt, waren oft
Helfer in großer Not • Aber die schwerste Last des
Kampfes trugen auf beiden Seiten immer die Infan-
teristen.

286/287

X-Zeit 5 Uhr.
Noch drei Minuten. Die leichte Pak steht zum Feuerschutz bereit. Der Kompanieführer schon auf dem Grabenrand • Dann ist es soweit. Vorwärts! • Da fällt einer vom 3. Zug vornüber: »Sanitäter!« • Und die Sanis sind gleich da. Helfen • Ein Stück entfernt davon gibt es nichts mehr zu helfen.

288/289

Charkow.
Mehr als zwanzig deutsche Divisionen haben
im Zweiten Weltkrieg an den vier Schlachten
um Charkow teilgenommen. Wenigstens eine
Million deutsche Soldaten haben ihren Fuß
in diese viertgrößte Stadt der Sowjetunion
gesetzt. Sie orientierten sich an ihren Weg-
weiser-Pyramiden • Bestaunten die Monumentalbauten am Roten Platz • Die Bahnen
und Kanäle erfüllten wichtige Funktionen in
der wirtschaftlichen Kommunikation des Landes. Neben den modernen Prunkbauten standen Elendsquartiere und herrliche alte Kir-
chen.
290/291

Rossosch fällt.

Wer im Verband der 6. Armee südlich Woronesch in den großen Donbogen marschiert ist, der kannte den Windmühlenhügel und die staubigen Rollbahnen über Rossosch zum Don • Der zweite Takt von »Operation Blau« war am 6. Juli angelaufen: Schneller Vormarsch in die Donschleife, um die Russen einzuschließen (rechts); im Hintergrund wieder der Windmühlenhügel.

292/293

Über den Tschir zum Don.
General Paulus manövrierte die sowjetischen Kräfte vor dem Don aus. Seine Panzerdivisionen gewinnen den Übergang über den Tschir (links) • Das VIII. Fliegerkorps trifft mit seinen Stukas die Russen schwer (links unten) • Am 26. Juli stehen deutsche Vorausabteilungen im großen Donbogen am Fluß.

Das ist die Donsteppe.
An der Spitze der 6. Armee rollen zwei Panzerkorps. Dahinter die bespannten Infanteriedivisionen. Ziel ist Kalatsch am Don.

296/297

Und das sind die Donbrücken.
Die technische Maschinerie der Pioniere beim
Brückenbau über den Don funktionierte hervorragend. Die Don-Höhenstraße war berühmt
durch ihre buntscheckig beschilderten Abzwei-
gungen • Die Lutschenskijer Brücke (rechts
unten) führte in den Brückenkopf des XI. Korps
und wurde in einer Nacht siebenundsechzigmal
von sowjetischen Flugzeugen angegriffen.
298/299

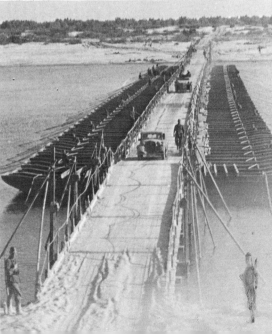

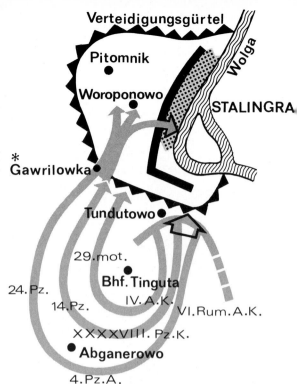

Am 19. August 1942 steht die 4. Panzerarmee vor dem äußeren Verteidigungsgürtel Stalingrads bei Abganerowo (unten) • Grenadiere der 29. I. D. (mot.) stürmen die Stellungen der 64. sowjetischen
Armee (rechts) • Aber an dieser Stelle
geht es nicht weiter. Elf Tage später, am
30., reißt Hoth mit einer kühnen Umgruppierung (Karte) den inneren Verteidigungsgürtel von Südwesten her auf. Noch
300/301 dreizehn Kilometer bis Stalingrad.

Verteidigungsgürtel

Pitomnik

Woroponowo

Wolga

STALINGRA

*
Gawrilowka

Tundutowo

29. mot.

24. Pz.

Bhf. Tinguta

14. Pz.

IV. A. K.

VI. Rum. A. K.

XXXXVIII. Pz. K.

Abganerowo

4. Pz. A.

Durchbruch bei Gawrilowka am 30. 8. 1942 ✳

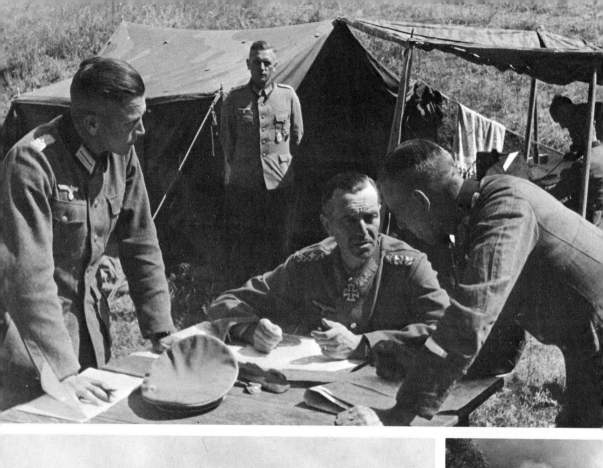

Der Stoß in die Stadt.

»Ein Plan, der vorher in einem Armeezelt ausgearbeitet wird, entscheidet den Sieg, der Tausende Meilen entfernt errungen wird«, sagt ein altes chinesisches Sprichwort, das gern von Mao Tse-tung zitiert wird. Links: Gefechtsstand der 6. Armee vor Stalingrad • Am Kartentisch General Paulus, rechts zu ihm gebeugt General Rodenburg, der Kommandeur der 76. I. D.; links Oberstleutnant Elchlepp, der Ia • Am 9. September brechen deutsche Panzerkräfte in den Nordteil der Stadt ein • Am 14. September ficht die 71. I. D. bereits in der Stadtmitte • Der Getreidesilo, der zu einem Brennpunkt der Kämpfe wurde, ist zum Greifen nahe • General Paulus entwarf eigenhändig einen Armschild mit dem Motiv des Silos (oben), der nach dem Sieg allen Soldaten der 6. Armee verliehen werden sollte.

302/303

Kampf in der Stadt.
Die Fotos der folgenden drei Seiten stammen aus
dem Nachlaß von Generalfeldmarschall Paulus. Sie
zeigen den harten Kampf gegen den sich immer
mehr verstärkenden Widerstand der 62. sowjetischen Armee • Im Feuerofen Stalingrads entsteht
der Stalingradkämpfer • Es wird Oktober. Ein MG
geht in Stellung. Der Schütze rechts trägt die Lafette
für das sMG.

Vor der Siedlung Barrikady.
»So machen wir's: Erster Zug
links, zweiter rechts« • Im Lauf-
schritt geht es über das freie
Gelände.

306/307

In der Geschützfabrik.
Die Männer der sächsischen 14. Panzerdivision
und die Hessen der 389. I. D. schlagen sich durch
die Montagehallen der Geschützfabrik ›Rote
Barrikade‹.

308/309

Die sterbende Stadt.
Verbrannt, zerstört, mit leeren Fensterhöhlen und in
düstere Rauchwolken gehüllt, so sieht der sowjetische
Bildberichter im Oktober Stalingrad auf dem west-
lichen Hochufer der Wolga • In den ausgestorbenen
Straßen hasten ein paar Frauen unter dem Feuer der
Granaten mit der letzten Habe aus der Stadt • Die
Balkas, uralte Lösschluchten und Erdhöhlen, bieten
der geplagten Zivilbevölkerung letzte Zuflucht. 310/311

Der Stalingrader Winter bricht an.
Und noch immer wird in der Stadt gekämpft. Die sowjetischen Truppen verteidigen verbissen jeden Meter Boden. »Die Preisgabe der Stadt würde die Moral unseres Volkes zerstören. Wir werden Stalingrad halten oder dort sterben.« So lautete der Schwur, den General Tschuikow am 12. September vor Nikita Chruschtschow und General Jeremenko geleistet hatte.

Historische Dokumente vom letzten Akt.
Am 19. November, als die 6. Armee in Stalingrad noch einmal antrat, um die letzten Bastionen vor der Wolga zu stürmen, durchbrechen die Russen mit vier Armeen und einem Panzerkorps die rumänischen Stellungen nordwestlich (links) und südlich (rechts) von Stalingrad und jagen zur Handreichung nach Kalatsch: Die 6. Armee ist eingeschlossen.

314/315

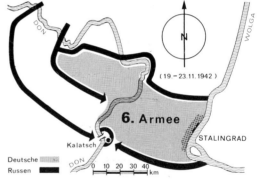

DON
WOLGA
N
(19. – 23. 11. 1942)
6. Armee
STALINGRAD
Kalatsch
DON
Deutsche
Russen
0 10 20 30 40
km

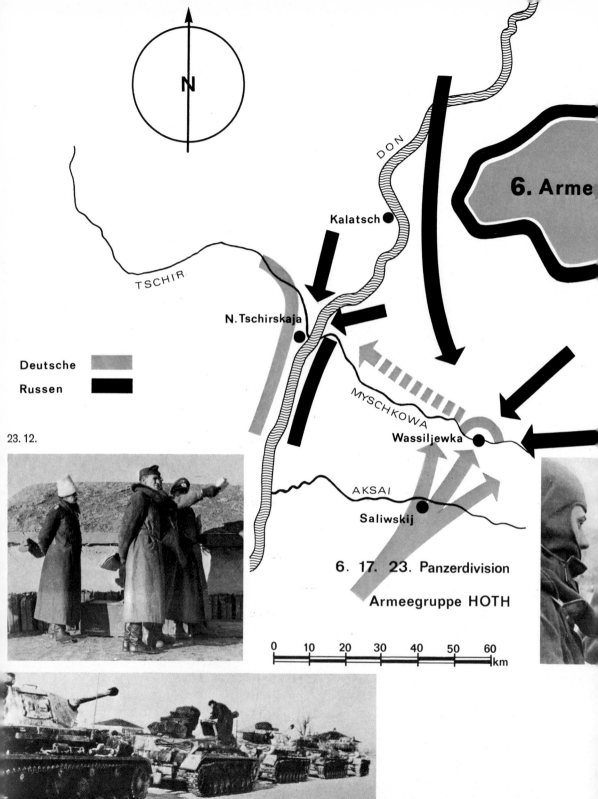

N

DON

6. Arme

Kalatsch

TSCHIR

Deutsche

Russen

N. Tschirskaja

23. 12.

MYSCHKOWA

Wassiljewka

AKSAI

Saliwskij

6. 17. 23. Panzerdivision

Armeegruppe HOTH

0   10   20   30   40   50   60
km

24. 12.

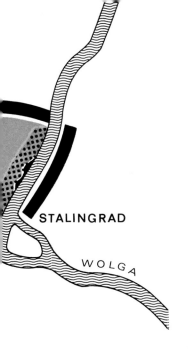

STALINGRAD

WOLGA

Der Entsatzangriff.

Generaloberst Hoth bekommt den Auftrag, die 6. Armee zu entsetzen. Hundert Kilometer hat er vor sich. Am 12. Dezember geht es los: Einsatzbesprechung beim Panzerregiment 11 • Am 14. sind sie schon über den Aksai. Drüben stehen die Panzer IV lang • Am 22. und 23. sind Hoths Panzerspitzen bis auf 50 Kilometer an Stalingrad heran, in Bol.-Wassiljewka ist Einsatzbesprechung der Generale Kirchner (mit Schiffchen) und Raus mit den Regimentskommandeuren. Aber bei der 8. italienischen Armee bricht der Russe durch • Hoth muß am 24. Dezember starke Panzerkräfte abgeben, um eine neue Katastrophe am Tschir zu verhindern. Die Stalingrader in ihren Schneehöhlen aber warten.

316/317

12. 12.

22. 12.

14. 12.

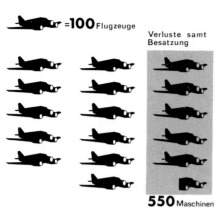

= **100** Flugzeuge

Verluste samt
Besatzung

550 Maschinen

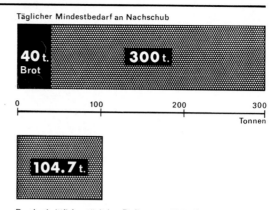

Täglicher Mindestbedarf an Nachschub

40 t.
Brot

300 t.

0   100   200   300
Tonnen

104.7 t.

Durchschnittlicher täglicher Einflug vom 25.11.42 — 11.1.43

Der Winter ist stärker.

Die Luftversorgung einer Armee unter sibirischen Witterungsbedingungen erwies
sich als unmöglich. Das Wetter besiegte die Luftflotte 4 • Die nach Stalingrad ge-
flogenen Versorgungsgüter reichten nicht, um die Kochgeschirre zu füllen, die
Kampfkraft der Truppe zu erhalten oder so viel Sprit einzufliegen, daß der Ausbruch gewagt werden konnte. Ein Drittel der eingesetzten Maschinen ging verloren • Für die Sowjets jedoch arbeitete die Zeit. Mit Verbissenheit verteidigen sie
die Trümmer der Stadt und holen sich im Nahkampf immer wieder wichtige Stützpunkte für ihre Scharfschützen, wie rechts die alte Fabrikruine.

318/319

Die geheimnisvollen Höhlen.

Die Russen in Stalingrad bekamen über die zugefrorene Wolga
Nachschub und Ersatz. Und wenn Bomben und Granaten das
Eis aufbrachen, brachten die Trosse die Versorgungsgüter mit
Flößen und Kähnen über den Strom • Das westliche Steilufer
am Fluß, das für die deutsche Artillerie unerreichbar war, bildete
die Geheimwaffe der Verteidiger: Hier saßen die Stäbe der Sowjets, waren die Lazarette, die Munitionsdepots und die Mann-
schaftssammelstellen untergebracht.

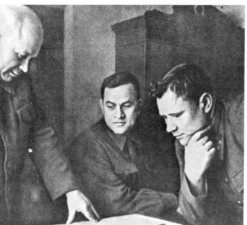

Die Motoren des Widerstandes.
Links: Nikita Chruschtschow, General
Tschujanow und General Jeremenko.
Unten (v. l. n. r.): General Krylow, General Tschuikow und General Gurkow.   321

Das Ende.
Die Verwundeten erfroren, die Leichen
erstarrten • Die Überlebenden ergaben
sich • Die Strohschuhe, die sich die
Soldaten beschafft hatten, wurden ihnen abgenommen und als Pferdefutter
verwandt.

322/323

Von links: General Lattmann, 14. Pz. Div. • General Sonne, 100. I.D. • General Dr. Korfes, 295. I.D. • General v. Seydlitz-Kurzbach, II. A.K. • General Magnus, 389. I.D. • General Rodenburg, 76. I.D. • General Leyser, 29. I.D. (mot.) • General Pfeffer, IV. A.K. • General Vassoll, Arko 153 • General von Lenski, 24. Pz. Div. • Generaloberst Strecker, XI. A.K.

In der Nacht zum 2. Februar sitzt Generaloberst Strecker im Gefechtsstand der Kampfgruppe des Oberstleutnant Julius Müller. Als der Morgen graute, sagte Strecker: »Ich muß jetzt gehen.« Und Müller versteht. »Ich werde tun, was meine Pflicht ist«, sagt er. Als es hell wird, hört auch im Nordkessel der Kampf auf. Strecker funkt um 8 Uhr 40 an das Führerhauptquartier: »XI. A.K. hat mit seinen sechs Divisionen seine Pflicht getan.« Auch hier treten nun die hohlwangigen, ausgehungerten Männer aus Gräben und Trümmern, sammeln sich zu grauen Kolonnen. Und werden in die Steppe geführt. Immer noch endlos anmutende Züge. Wie viele?

STALINGRAD: Verlustliste der 6. Armee

☫ = 6 000 Mann

18.12.1942
Verpflegungsstärke der
im Kessel befindlichen
deutschen und verbün =
deten Truppen

230 300 Mann

Bis zum 24.1.1943
werden ausgeflogen
(Verwundete und Spe =
zialisten) 42 000
Bis zum 29.1.1943
gefangen ✳ 16 800

171 500 Mann

31.1.1943 – 3.2.1943
✳ 91 000
gehen in Gefangenschaft
80 500
Tote und Verwundete
bleiben auf dem
Schlachtfeld

Gefangene

107 800 Mann

Heimkehrer

6 000 Mann

✳ Sowjetische Angaben

**Die Last des Krieges ist nicht in Zahlen
auszudrücken.**
General Rodimzew, der Mann der Stalingrader Garde, verkündete auf dem Roten Platz die Vernichtung
der 6. deutschen Armee. Was von der 6. Armee zu-
rückblieb, lag als Schrott in den Straßen der toten
Stadt • Die Farbaufnahme aus dem Industriegebiet
von Kriwoi Rog, die Günther Thien machte, symbo-
lisiert, daß die Last des Wiederaufbaus auf den
Schultern der russischen Frau lag. 326/327

ANHANG

Dokumente

Der Führer und Oberste Befehlshaber
der Wehrmacht
OKW/WFSt Nr. 55 616/42 g. K. Chefs.
GEHEIME KOMMANDOSACHE / CHEF-SACHE /
NUR DURCH OFFIZIER

F. H. Qu., den 5. 4. 1942
14 Ausfertigungen
4. Ausfertigung

Weisung 41

Die Winterschlacht in Rußland geht ihrem Ende zu.

Durch die überragende Tapferkeit und den opferfreudigen Einsatz der Soldaten der Ostfront ist ein Abwehrerfolg von größtem Ausmaß für die deutschen Waffen errungen.

Der Feind hat schwerste Verluste an Menschen und Material erlitten. In dem Bestreben, scheinbare Anfangserfolge auszunutzen, hat er auch die Masse seiner für spätere Operationen bestimmten Reserven in diesem Winter weitgehend verbraucht.

Sobald Wetter- und Geländeverhältnisse die Voraussetzungen dazu bieten, muß nunmehr die Überlegenheit der deutschen Führung und Truppe das Gesetz des Handelns wieder an sich reißen, um dem Feinde ihren Willen aufzuzwingen.

Das Ziel ist, die den Sowjets noch verbliebene lebendige Wehrkraft endgültig zu vernichten und ihnen die wichtigsten kriegswirtschaftlichen Kraftquellen so weit als möglich zu entziehen.

Hierzu werden alle verfügbaren Kräfte der deutschen Wehrmacht und die der Verbündeten herangezogen. Dabei muß aber gewährleistet sein, daß die besetzten Gebiete im Westen und Norden Europas, insbesondere die Küsten, unter allen Umständen gesichert bleiben.

I. Allgemeine Absicht:

Unter Festhalten an den ursprünglichen Grundzügen des Ostfeldzuges kommt es darauf an, bei Verhalten der Heeresmitte, im Norden Leningrad zu Fall zu bringen und die Landverbindung mit den Finnen herzustellen, auf dem Südflügel der Heeresfront aber den Durchbruch in den Kaukasus-Raum zu erzwingen.

330

Dieses Ziel ist in Anbetracht der Abschlußlage nach der Winterschlacht, der verfügbaren Kräfte und Mittel und der Transportverhältnisse nur abschnittweise zu erreichen.

Daher sind zunächst alle greifbaren Kräfte zu der Hauptoperation im Südabschnitt zu vereinigen mit dem Ziel, den Feind vorwärts des Don zu vernichten, um sodann die Ölgebiete im kaukasischen Raum und den Übergang über den Kaukasus selbst zu gewinnen.

Die endgültige Abschnürung von Leningrad und die Wegnahme des Ingermanlandes bleibt vorbehalten, sobald die Entwicklung der Lage im Einschließungsraum oder das Freiwerden sonstiger ausreichender Kräfte dies ermöglichen.

II. Die Führung der Operationen:

A) Erste Aufgabe des Heeres und der Luftwaffe nach Abschluß der Schlammzeit ist es, die Vorbedingungen für die Durchführung der Hauptoperation zu schaffen.

Das erfordert die Bereinigung und Festigung der Lage an der gesamten Ostfront und in den rückwärtigen Heeresgebieten mit dem Ziel, dadurch möglichst viele Kräfte für die Hauptoperation zu gewinnen, an den übrigen Fronten aber mit geringstem Einsatz dennoch jedem Angriff gewachsen zu sein. Wo zu diesem Zweck Angriffsoperationen mit begrenztem Ziel nach meinen Anordnungen geführt werden müssen, ist aber auch hierzu jeweils ein überwältigender Einsatz sämtlicher verfügbarer Angriffsmittel des Heeres und der Luftwaffe sicherzustellen, um schnelle und durchschlagende Erfolge zu erreichen. Nur dadurch wird vor allem auch schon vor dem Beginn der großen Frühjahrsoperationen in der eigenen Truppe die unbedingte Siegeszuversicht wieder gestärkt, dem Feind aber seine hoffnungslose Unterlegenheit eingehämmert werden.

B) Die nächsten Aufgaben in diesem Rahmen sind es, auf der Krim die Halbinsel Kertsch zu säubern und Sewastopol zu Fall zu bringen. Die Luftwaffe und demnächst auch die Kriegsmarine haben den Auftrag, zur Vorbereitung dieser Unternehmungen den feindlichen Nachschubverkehr im Schwarzen Meer und in der Straße von Kertsch nachdrücklichst zu unterbinden.

Im Südraum ist der beiderseits Isjum eingebrochene Feind im Zuge des Donez abzuschneiden und zu vernichten. Die in der Mitte und im Nord-Abschnitt der Ostfront noch erforderlichen Frontbereinigungen können erst nach Abschluß der laufenden Kampfhandlungen und der Schlammperiode endgültig übersehen und entschieden werden.

Hierzu müssen aber die notwendigen Kräfte – sobald die Lage dies zuläßt – durch Strecken der Front geschaffen werden.

C) Die Hauptoperation an der Ostfront:

Ihr Ziel ist es – wie schon betont –, zur Einnahme der Kaukasusfront die russischen Kräfte, die sich im Raume von Woronesch nach Süden, westlich bzw. nördlich des

Dons befinden, entscheidend zu schlagen und zu vernichten. Aus Gründen des Eintreffens der hierzu verfügbaren Verbände kann diese Operation nur in einer Reihe von nacheinander folgenden, aber untereinander im Zusammenhang stehenden bzw. sich ergänzenden Angriffen durchgeführt werden. Sie sind daher von Norden nach Süden zeitlich so aufeinander abzustimmen, daß außerdem in jedem einzelnen dieser Angriffe ein Höchstmaß der Konzentration sowohl von Heeres- als auch besonders von Luftstreitkräften an den entscheidenden Stellen sichergestellt werden kann.

Bei der nunmehr zur Genüge erwiesenen Unempfindlichkeit der Russen gegenüber operativen Einschließungen ist entscheidender Wert – ähnlich wie in der Doppelschlacht von Wjasma–Brjansk – darauf zu legen, die einzelnen Durchbrüche in die Gestalt enger Umklammerungen zu bringen.

Es muß vermieden werden, daß durch ein zu spätes Einschwenken der Umklammerungsverbände dem Gegner die Möglichkeit offen bleibt, sich der Vernichtung zu entziehen.

Es darf nicht vorkommen, daß durch ein zu schnelles und weites Ausgreifen der Panzer- bzw. mot. Verbände die Verbindung mit der nachfolgenden Infanterie abreißt oder die Panzer- und mot. Verbände selbst die Möglichkeit verlieren, den schwer vorwärts kämpfenden infanteristischen Kräften des Heeres durch ihr unmittelbares Einwirken in den Rücken der umklammerten russischen Armeen zu Hilfe zu kommen.

Es ist also, abgesehen von dem großen operativen Ziel, in jedem einzelnen Fall die Vernichtung des angegriffenen Gegners schon durch die Art des Ansatzes und der Führung der eigenen Verbände unter allen Umständen sicherzustellen.

Die Einleitung der Gesamtoperation hat mit einem umfassenden Angriff bzw. Durchbruch aus dem Raum südlich Orel in Richtung auf Woronesch zu beginnen. Von den beiden zur Umklammerung angesetzten Panzer- und mot. Verbänden hat der nördliche stärker zu sein als der südliche. Das Ziel dieses Durchbruchs ist die Besetzung von Woronesch selbst. Während es nun die Aufgabe eines Teiles der Infanteriedivisionen ist, zwischen dem Ausgangspunkt des Angriffs von Orel in Richtung auf Woronesch sofort eine starke Verteidigungsfront aufzubauen, haben die Panzer- und mot. Verbände den Auftrag, von Woronesch aus mit ihrer linken Flanke, angelehnt an den Don, nach Süden den Angriff fortzusetzen zur Unterstützung eines zweiten Durchbruchs, der etwa aus dem allgemeinen Raum von Charkow nach Osten hin geführt werden soll. Auch hier ist es primär das Ziel, nicht die russische Front als solche einzudrücken, sondern im Zusammenwirken mit den Don abwärts vorstoßenden mot. Verbänden die russischen Kräfte zu vernichten.

Der dritte Angriff dieser Operationen ist so zu führen, daß die den Don abwärts stoßenden Verbände sich im Raum um Stalingrad mit jenen Kräften vereinigen, die aus dem Raum Taganrog–Artemowsk zwischen dem Unterlauf des Don und

Woroschilowgrad über den Donez nach Osten vorstoßen. Diese sollen abschließend die Verbindung mit der gegen Stalingrad vorrückenden Panzer-Armee finden.

Sollte sich im Zuge dieser Operationen, besonders durch die Inbesitznahme unversehrter Brücken, die Aussicht bieten, Brückenköpfe ostwärts bzw. südlich des Dons zu bilden, so sind solche Möglichkeiten wahrzunehmen. Auf jeden Fall muß versucht werden, Stalingrad selbst zu erreichen oder es zumindest so unter die Wirkung unserer Waffen zu bringen, daß es als weiteres Rüstungs- und Verkehrszentrum ausfällt.

Besonders erwünscht wäre es, wenn es gelänge, entweder unversehrte Brücken, sei es in Rostow selbst, oder sonst gesicherte Brückenköpfe südlich des Dons zu gewinnen für die weitere Fortführung der für später beabsichtigten Operationen.

Um zu verhindern, daß wesentliche Teile der nördlich des Dons befindlichen russischen Kräfte über den Strom nach Süden entweichen, ist es wichtig, daß die aus dem Raum von Taganrog nach Osten vorgehende Kräftegruppe eine Verstärkung ihres rechten Flügels durch die Zuführung von Panzern und schnellen Truppen erhält, die – wenn notwendig – auch durch improvisierte Verbände zu bilden sind.

Entsprechend dem Fortschreiten dieser Angriffe muß nicht nur auf starke Sicherung der Nordostflanke der Angriffsoperation Bedacht genommen, sondern auch der Ausbau der Stellungen in Anlehnung an den Don sofort begonnen werden. Dabei ist auf stärkste Panzerabwehr entscheidender Wert zu legen. Die Stellungen sind von vornherein auch im Hinblick auf ihre etwaige Ausnutzung im Winter festzulegen und dafür mit allen Mitteln vorzubereiten.

Zur Besetzung der sich im Laufe dieser Operation mehr und mehr verlängernden Donfront werden in erster Linie die Verbände der Verbündeten mit der Maßgabe herangezogen, daß deutsche Truppen als starke Stütze zwischen Orel und dem Don sowie an der Stalingrad-Landenge einzusetzen sind, im übrigen aber einzelne deutsche Divisionen hinter der Donfront als Eingreifreserven verfügbar bleiben.

Die verbündeten Truppen sind weitgehend in eigenen Abschnitten so zu verwenden, daß am weitesten nördlich die Ungarn, demnächst die Italiener, am weitesten südostwärts die Rumänen eingesetzt werden.

D) Die schnelle Fortsetzung der Bewegungen über den Don nach Süden zur Erreichung der Operationsziele muß in Hinblick auf die jahreszeitlichen Bedingungen gewährleistet sein.

gez. Adolf Hitler

Zeugnisse und Dokumente über den Ausbruch des deutsch-sowjetischen Krieges 1941

»Der deutsch-sowjetische Krieg (1941–1945) ... hat eine Fülle gegensätzlicher, auch irrtümlicher und irreführender Beurteilungen gefunden. Viele Autoren, besonders in Westdeutschland, neigen zu der einseitigen Betrachtungsweise, 1939 habe allein Hitler aggressive Ziele verfolgt, während die Sowjetunion Stalins ein friedliebendes und nur an ihrem ›Aufbau des Sozialismus‹ interessiertes Land gewesen sei ... Diese Darstellung gipfelt dann zumeist in der These vom ›deutschen Überfall auf die (friedliebende) Sowjetunion‹ ... Die skizzierte Argumentation (ist) häufig von bewußter Verschleierung von Fakten und einer Unterdrückung von Schlüsseltexten gekennzeichnet. Sie versucht, sich dann auf die mehrheitlich noch nicht zugänglichen sowjetischen Archive hinauszureden, ohne die bereits vorliegende Fülle beweiskräftiger Quellen einzugestehen, die heute eine verhältnismäßig eindeutige Beurteilung erlaubt.«[1]

Am 23. August 1939 Abschluß des Hitler-Stalin-Paktes mit Geheimklauseln über Interessenszonen und eine Aufteilung Polens.

»Stalin ging es (bei dem Pakt) vor allem darum, daß nun endlich der Krieg zwischen jenen beiden Lagern ausbrechen sollte, in die sich der Kapitalismus gespalten hatte. Stalin hatte sich ausgerechnet, Hitler werde sich, wie es ein vernünftiges Sicherheitskalkül zwingend erscheinen ließ, auf einen großen Waffengang nur einlassen, wenn er Rückenfreiheit durch ein Bündnis mit der Sowjetunion besäße.

Es war darum Stalin, der die Annäherung einleitete und ... über die Hürden brachte.«[2]

Am 19. August 1939, vier Tage vor dem Abschluß des Hitler-Stalin-Paktes, hielt Stalin auf einer Geheimsitzung des Politbüros eine Rede, in der er die Beweggründe seiner Politik darlegte. Dabei sagte er: »Wenn die Sowjets einen Allianzvertrag mit Frankreich und Großbritannien abschließen, so wird Deutschland sich gezwungen sehen, vor Polen den Rückzug anzutreten und mit den Westmächten einen modus vivendi zu suchen. Auf diese Weise könnte der Krieg vermieden und die spätere Entwicklung der Sachlage würde einen gefährlichen Charakter für uns haben. Wenn wir andererseits den Vorschlag Deutschlands annehmen, so wird es sicher zum Kriege mit Polen kommen, und die Intervention Englands und Frankreichs wird unvermeidlich sein. Wir werden denn große Chancen haben ... und wir können mit Vorteil unseren Zeitpunkt erwarten. Das ist es, was unser Interesse verlangt.«[3]

Am 24. August 1939, einen Tag nach dem Abschluß des Hitler-Stalin-Paktes, sagte Stalin zu Chruschtschow: »Ich habe ihn (Hitler) getäuscht, hinters Licht geführt.«[4]

16.–22. Juni 1940: Während Deutschland im Frankreichfeldzug gebunden ist, besetzt die Rote Armee die Baltischen Staaten und erklärt sie zu Sowjetrepubliken.

24. Juni 1940: Stalin fordert von Rumänien ultimativ Bessarabien und die Nordbukowina und besetzt diese Gebiete durch die Rote Armee. Rußland hat sich damit an die für Deutschlands Kriegführung notwendigen rumänischen Ölfelder herangeschoben.

Bis Ende Juli 1940 verstärkt die Sowjetunion ihre Streitkräfte an ihrer Westfront vom Finnischen Meerbusen bis zum Schwarzen Meer auf 113 Divisionen und 28 mot. Brigaden. Auf deutscher Seite standen sechs Sicherungsdivisionen und 27 rumänische Divisionen.[5]

Am 12.–13. November 1940 stellt Stalins Außenminister Molotow bei seinem Besuch in Berlin fast ultimative Forderungen nach territorialem Einfluß auf dem Balkan, in Finnland, an den Dardanellen und den Ostseeausgängen. Hitler lehnt ab.

Am 1. Mai 1941 wurden von der Roten Armee 800 000 Reservisten einberufen, die Divisionen und Korps in den westlichen Grenz-Militär-Bezirken erhielten Befehl, näher an die Grenze aufzuschließen und Frontgefechtsstände einzurichten. Das Kräfteverhältnis an der deutschen Ost- bzw. russischen Westgrenze sah so aus:

Auf russischer Seite: 118 Schützendivisionen, 20 Kavalleriedivisionen, 49 Panzerbrigaden.

Auf deutscher Seite: 77 Infanteriedivisionen, 3 Panzerdivisionen. Bei diesen deutschen Kräften, vor allem den geringen Panzerkräften, war ein deutscher Angriff praktisch ausgeschlossen.

Am 15. Mai 1941 verlangen Volkskommissar Timoschenko und Generalstabschef Schukow in einem Geheimbericht an Stalin den Angriffsbefehl gegen Deutschland. In dem Bericht heißt es: »Wenn in Betracht gezogen wird, daß Deutschland zur jetzigen Zeit seine Armee mobilisiert und mit breiter Nachhut hält, so hat es die Möglichkeit, uns zuvorzukommen und einen plötzlichen Schlag zu versetzen. Um dies zu vermeiden, halten wir es für unumgänglich, dem deutschen Kommando keinerlei Möglichkeiten der Initiative zu geben, dem Gegner zuvorzukommen und die deutsche Armee in dem Moment anzugreifen, wenn sie sich im Stadium der Entfaltung befindet …«. Die Rote Armee stand also am 15. Mai 1941 sprungbereit an Deutschlands Ostgrenze und konnte offenbar in kürzester Zeit zur Offensive übergehen.[6]

Am 21. Juni 1941 deutscher Angriff auf die Sowjetunion. Deutsche Kräfte: drei Heeresgruppen mit 123 Divisionen, davon 17 Panzerdivisionen und 35 Divisionen der Verbündeten. 3330 Panzer, 2000 Maschinen der Luftwaffe.

Auf russischer Seite standen nach jetzigen Erkenntnissen: die erste Staffel aus fünf Heeresgruppen mit 170 Divisionen, 46 mot. Verbänden, 10 000 Panzern, davon 1475 T 34 und KW, die den deutschen Panzern überlegen waren. Dahinter stand die zweite Staffel mit 70 Divisionen und 8000 Panzern. Seit dem 13. Juni rollten diese Kräfte an die russische Westfront; sie sollten ihre Stellungen am 10. Juli erreichen. Wäre der deutsche Angriff nicht am 21. Juni erfolgt, hätte die Rote Armee am 10. Juli mit 240 Divisionen, 29 mot. Korps, 20 000 Panzern und 10 000 Kampfflugzeugen in ihren Stellungen bereitgestanden. Bereitgestanden wofür?[7, 8]

Die Antwort gibt die PRAWDA, das offizielle Organ der russischen KP am 8. Mai 1991. Zum Jahrestag der deutschen Kapitulation publizierte sie, daß der deutsche Angriff »Barbarossa« in einen im Gang befindlichen Offensivaufmarsch der Roten Armee hineingestoßen ist. Der Wortlaut der PRAWDA: »Infolge Überschätzung eigener Möglichkeiten und Unterschätzung des Gegners schuf man vor dem Krieg unrealistische Pläne offensiven Charakters. In ihrem Sinne begann man, die Gruppierung der sowjetischen Streitkräfte an der Westgrenze zu formieren. Aber der Gegner kam uns zuvor.«[9]

Damit bestätigt die PRAWDA, was aus deutschen kriegsgeschichtlichen Beurteilungen und sowjetischen Memoirenquellen seit langem geschlossen werden konnte: Der deutsche Angriff am 21. Juni 1941 war objektiv ein Präventivschlag.

1. Prof. Klaus Hornung, »Das Signum des Jahrhunderts«, 1992. Aus: Manuskript vor Drucklegung
2. Konrad Guthardt, »Präventivschlag oder Überfall« unveröffentlichte Aktenstudie, 1992. Aus: Gottfried Schramm: »Grundmuster deutscher Ostpolitik 1918–1939«, S. 16 f.
3. Victor Suworow, »Der Eisbrecher«, 1989. Georg F. Willing, »Der Zweite Weltkrieg«, 1988, S. 139
4. Nikita Chruchtschow, »Vospominanija (Erinnerungen)«, New York, 1981, S. 69
5. »Vergleichsübersicht über die Verstärkung der Roten Armee seit dem 1. 9. 1929«, OKW an Auswärtiges Amt, Anlage zu 944/41-9 GKDOS
6. Dr. Walter Post, »Zur Vorgeschichte des deutsch-russischen Krieges unter Würdigung der
7. sowjetischen Geschichtsschreibung«, CRITICON
8. Mai/Juni 91. Nach Victor Suworow a.a.O., OKW-Tagebuch, Dimitri Wolkogonow, »Stalin, Triumph und Tragödie«, 1989, S. 557; Marschall Schukow, »Erinnerungen und Gedanken«, 1969, S. 195–201
9. PRAWDA, Moskau, 8. Mai 1991. Text nach Prof. Topitsch in DIE WELT 7. 12. 1991

Stellungnahmen zur Tragödie Stalingrad

Adolf Hitler am 5. Februar 1943 zu Feldmarschall von Manstein:

»Für Stalingrad trage ich allein die Verantwortung! Ich könnte vielleicht sagen, daß Göring mir ein unzutreffendes Bild über die Möglichkeiten der Versorgung durch die Luftwaffe gegeben hat, und damit zum mindesten einen Teil der Verantwortung auf ihn abwälzen. Aber er ist mein von mir bestimmter Nachfolger und deshalb kann ich ihn nicht mit der Verantwortung für Stalingrad belasten.«

General von Seydlitz, Kommandeur des LI. Armeekorps der 6. Armee in seinen Memoiren:

»Es wäre nie zu dieser Katastrophe des Zusammenbruchs des Entsatzversuches gekommen, wenn Hitler nicht von A–Z wie ein Besessener an Stalingrad festgehalten hätte.«

Feldmarschall von Manstein, Oberbefehlshaber der Heeresgruppe Donfront:

»Die Einschließung der 6. Armee hätte nur verhindert werden können, wenn sie bereits in den allerersten Tagen der feindlichen Offensive zum Durchbruch . . . angetreten wäre. Den Befehl hierzu zu geben, war Sache der Obersten Führung. Gewiß hätte auch General Paulus von sich aus den Entschluß fassen sollen, sich von Stalingrad zu lösen. Nur vermochte er ihn wohl kaum so frühzeitig zu fassen, wie dies dem OKH möglich gewesen wäre, da er nicht über die Lage bei den Nachbararmeen unterrichtet sein konnte. Als er am 22. oder 23. November den Antrag stellte, mit der Armee nach Südwesten ausbrechen zu dürfen, war . . . die entscheidende Stunde verpaßt. General Paulus kannte Hitler und wußte, daß Hitler sich das Verdienst zuschrieb, in jenem Winter (1941) das deutsche Heer durch den Befehl zum Halten um jeden Preis vor der Katastrophe eines napoleonischen Rückzugs gerettet zu haben. Er mußte sich sagen, daß Hitler nach seiner [Münchner Löwenbräukeller]-Rede niemals die Räumung der Stadt zugestehen würde . . . Die einzige Möglichkeit wäre also gewesen, Hitler vor die vollendete Tatsache der Loslösung der Armee von Stalingrad zu stellen, zumal, wenn sich die oberste Führung 36 Stunden in Schweigen hüllte, wie dies geschehen war. Daß eine solche Handlungsweise dem General Paulus u.U. den Kopf gekostet haben würde, ist allerdings möglich. Man darf jedoch annehmen, daß es nicht die Besorgnis vor einem solchen Ausgang gewesen ist, die Paulus gehindert hat, eigenmächtig das zu tun, was er für richtig ansah. Es war wohl eher eine Loyalität gegenüber Hitler, die ihn veranlaßte, um die Genehmigung zum Ausbruch der Armee zu bitten.«

Generalmajor Hans Doerr, Generalstäbler und Divisionskommandeur im Rußlandkrieg in seinem Buch ›*Der Feldzug nach Stalingrad*‹:

»Als Hitler am 24. 11. den Ausbruch verbot, war die Armee noch voll kampffähig.
Wenn die Führung der Front auch der Auffassung war, daß es eine andere Lösung als
Ausbruch nicht gab, so lagen doch keine Beweise dafür vor, daß die befohlene
Befreiungsoffensive nicht gelingen und die zugesagte Luftversorgung versagen
würde. Einen Bruch des Gehorsams an jenem 24. 11. konnte und kann man nicht
ohne weiteres billigen; solche Handlungen erfahren ein Urteil, je nach Erfolg oder
Mißerfolg, erst durch die Geschichte. Am 22. 12. hatte sich die Lage für die 6. Armee
bereits entscheidend verschlechtert. Die Befreiungsoffensive der Armeegruppe
Hoth war gescheitert und die zugesagte Luftversorgung nicht eingetroffen. Immerhin war die Armee noch kampfkräftig und nur 65 km von der nächsten deutschen
Front entfernt. Sie hätte bei der damaligen Gesamtlage den größeren Teil ihres
Bestandes retten können. Da klar vorauszusehen war, daß diese Möglichkeit innerhalb weniger Tage schwinden und nicht wiederkehren würde, wäre ein Handeln
gegen den Befehl Hitlers berechtigt gewesen. Am 8. Januar bestanden die Voraussetzungen für einen Ausbruch nicht mehr; denn die Armee war nicht mehr kampffähig
und die deutsch-verbündeten Fronten waren 200 Kilometer ab.«

General der Bundeswehr a.D. Franz Uhle-Wettler in seinem Buch ›*Deutsche Militärgeschichte*‹:

»Ein freiwilliger Rückzug aus dem Kaukasus oder aus Stalingrad . . . hätte es den
Deutschen ermöglicht . . . gestützt auf starke Reserven, die russische Winteroffensive gelassen abzuwarten. Aber die deutsche Führung wußte nicht genug von ihrem
Gegner, um zu einem so schweren Entschluß zu gelangen . . . Freilich, wo in der
Geschichte gibt es ein Beispiel dafür, daß ein kraftvolles, auf strahlende Siege
zurückblickendes Heer eine Niederlage eingesteht. Ein solcher Entschluß hätte
mehr Weisheit und mehr Selbstbescheidung erfordert, als den meisten, sicherlich
aber Hitler, gegeben war. Aber auch ein anderer Ausgang der Schlacht um Stalingrad
hätte schwerlich zu einem anderen Ergebnis des Krieges führen können . . . Wegen
seiner gewaltigen Größe, Räume und Entfernungen war Rußland nur durch Russen
zu besiegen . . . Mehr als eine Million Russen haben im Zweiten Weltkrieg auf deutscher Seite gedient, ein unerhörtes Ereignis in der Geschichte der Kriege. Mehr als
20 000 von ihnen kämpften und starben in Stalingrad. Nur wenige dieser Russen
dürften für Hitler oder ein nationalsozialistisches Deutschland gefochten haben,
sondern die meisten von ihnen wollten den Untergang von Hammer und Sichel.«

Marschall Tschuikow, der Verteidiger von Stalingrad am 31. Januar 1942 (nach
Seydlitz-Memoiren):

Frage an die gefangenen deutschen Generale: »Warum sind Sie nicht ausgebrochen? Wir hatten anfangs große Angst.«

Marschall Schukow, Stellvertretender sowjetischer Oberbefehlshaber in seinen
Memoiren:

»Welche Umstände haben zum katastrophalen Zusammenbruch der deutschen Truppen und zu unserem historischen Sieg beigetragen? Das Scheitern aller strategischen Pläne Hitlers im Jahre 1942 war eine Folge der Unterschätzung der Kräfte und Möglichkeiten des Sowjetstaates, der moralischen Stärke seines Volkes und der Überschätzung der eigenen Kräfte und Truppenleistungen durch die Hitler-Faschisten.«

Manfred Kehrig in ›Stalingrad, Beiträge zur Militär- und Kriegsgeschichte des militärgeschichtlichen Forschungsamtes‹:

»Die Einnahme von Stalingrad gelang aus drei Gründen nicht: Es fehlten die nötigen starken Infanteriekräfte, es mangelte der ungewöhnlich starken Artillerie an ausreichender Munition und es fehlte nicht zuletzt die Ausbildung im Stadtkampf. Vor allem diesem letzten Mangel sind die hohen Verluste zuzuschreiben. Erst gegen Ende des Krieges war man im Begriff, dieser Kampfart des modernen Krieges ausbildungsmäßig Rechnung zu tragen.

Joachim Wieder, Ordonnanzoffizier eines Armeekorps der 6. Armee, hebt in seinem Buch ›Stalingrad und die Verantwortung des Soldaten‹ das Problem aus der militärgeschichtlichen in die sittliche Dimension und zitiert dafür General Ludwig Beck, den Vorkriegsgeneralstabschef aus dessen Vermächtnis:

»Es ist ein Mangel an Größe und Erkenntnis der Aufgabe, wenn ein Soldat in höchster Stellung in solchen Zeiten seine Pflichten und Aufgaben nur in dem begrenzten Rahmen seiner militärischen Aufträge sieht, ohne sich der höchsten Verantwortung vor dem gesamten Volk bewußt zu werden. Außergewöhnliche Zeiten verlangen außergewöhnliche Handlungen.«

General Arthur Schmidt, Chef des Stabes der 6. Armee in seinen hinterlassenen Notizen:

»Nach außen hin mußten wir Zuversicht zeigen, damit der Durchhaltewille nicht erlahmte. Nur diesem Verhalten ist es zu verdanken, daß die Armee noch weitere vier Wochen kämpfte. Mit Ideologie (Vertrauen zu Hitler) hatte dies nichts zu tun. ›Nicht Vertrauen zu Hitler‹ oder eine ›Trotzreaktion‹ waren die Ursache unserer damaligen Haltung, sondern der Ausdruck von Pflichterfüllung gegenüber Deutschland bestimmte unsere Haltung: Auch wenn die Armee untergeht, kann und muß der Krieg noch gewonnen werden. Dazu konnten wir durch langes Aushalten, als Bindung russischer Kräfte, beitragen. – So sind unsere Aufrufe an die Truppe und Fernschreiben an Manstein oder an Hitler zu verstehen.«

Walter Görlitz in der Einleitung seines Buches ›Paulus – Ich stehe hier auf Befehl‹, Nachlaß des Feldmarschalls:

»Wer freilich Kriegsgeschichte betreibt, wird immer wieder die Frage stellen, ob Paulus nicht in diesen Tagen (um Weihnachten 1942) hätte handeln müssen, für seine Armee, in der noch eine große Kraft lebte, die auf den Ausbruch hoffte, die sich wie die Löwen geschlagen haben würde – ohne mehr nach Manstein oder Hitler zu fragen? Zumal vermutlich Manstein, der Preuße alten Stils, solch Handeln gedeckt haben würde. Vielleicht hätte ein Karl XII. von Schweden so gehandelt, vielleicht auch Feldmarschall von Reichenau, vielleicht der Feldmarschall Model, diese beiden dann ihrer Taktik gemäß unter Meldung an den Führer: Sie hätten in seinem Sinne zu handeln geglaubt und darum dies oder das befohlen. So war Reichenau verfahren, als er gegen den Befehl Hitlers im Dezember 1941 die Heeresgruppe Süd auf den Mius zurückgenommen hatte. Paulus, der gründliche, kühl jeden Entschluß doppelt und dreifach wägende, soldatische Denker, war aus anderem Holz geschnitzt.«

Und Feldmarschall Paulus:

». . . welche überzeugenden und stichhaltigen Argumente hätten – nun einmal ohne Kenntnis des tatsächlichen Ausgangs – von dem Oberbefehlshaber der 6. Armee für sein befehlswidriges Verhalten vor dem Feinde vorgebracht werden können? Birgt im Grunde eine drohende oder subjektiv erkannte Ausweglosigkeit der Lage für den Truppenführer ein Recht der Befehlsverweigerung in sich? Im Falle Stalingrad war die Frage der völligen Ausweglosigkeit durchaus nicht absolut zu bejahen, geschweige denn als subjektiv eindeutig erkannt anzusehen, wenn man vom letzten Stadium absieht. Von welchem Unterführer hätte ich später in ähnlicher – nach dessen Meinung – schwieriger Lage Gehorsam fordern können oder dürfen?

Entbindet die Aussicht auf den eigenen Tod oder den wahrscheinlichen Untergang oder die Gefangenschaft der eigenen Truppe den Verantwortlichen vom soldatischen Gehorsam?

Für diese Fragen möge heute ein jeder für sich selbst und vor seinem eigenen Gewissen die Antwort finden.

Damals hätten Wehrmacht und Volk eine solche Handlungsweise meinerseits nicht verstanden. Sie wäre in ihrer Auswirkung ein ausgesprochen revolutionärer, politischer Akt gegen Hitler gewesen. Es steht auch dahin, ob ich durch ein befehlswidriges Verlassen der Position Stalingrad nicht gerade Hitler die Argumente in die Hand gespielt hätte, die Feigheit und den Ungehorsam der Generale an den Pranger zu stellen, ihr (ihnen) die ganze Schuld an der sich immer drohender abzeichnenden militärischen Niederlage aufzubürden . . .

Die umstürzende Absicht, die Niederlage bewußt herbeizuführen, um damit Hitler und das nationalsozialistische System als Hindernis für die Beendigung des Krieges zu Fall zu bringen, ist weder von mir erwogen worden, noch kam sie mir aus meinem ganzen Befehlsbereich in irgendeiner Form zur Kenntnis.

Solche Gedanken lagen damals außerhalb des Bereiches meiner Überlegungen. Sie lagen aber auch außerhalb meiner persönlichen Eigenart. Ich war Soldat und glaubte damals, gerade durch Gehorsam meinem Volk zu dienen.

Was die Verantwortlichkeit der mir unterstellten Führer anbetrifft, so befanden sie sich, taktisch gesehen, in der Ausführung meiner Befehle in der gleichen Zwangslage wie ich im Rahmen der großen operativen Lage und der mir erteilten Befehle.

Vor den Truppen und den Truppenführern der 6. Armee sowie vor dem deutschen Volke trage ich die Verantwortung, daß ich die von der Obersten Führung gegebenen Durchhaltebefehle bis zum Zusammenbruch durchgeführt habe.«

Abkürzungen und Erklärungen

Die römischen Ziffern, mit denen die Korps bezeichnet sind stehen für:

3 = III.	24 = XXIV.	47 = XXXXVII.
4 = IV.	30 = XXX.	48 = XXXXVIII.
7 = VII.	40 = XXXX.	49 = XXXXIX.
8 = VIII.	41 = XXXXI.	51 = LI.
11 = XI.	42 = XXXXII.	54 = LIV.
14 = XIV.	46 = XXXXVI.	57 = LVII.

A. K.	Armeekorps, mehrere Infanteriedivisionen unter dem Befehl eines Generalkommandos
Pz. K.	Panzerkorps, mehrere Panzerdivisionen bzw. mehrere Panzer- und Infanteriedivisionen unter dem Befehl eines Generalkommandos für schnelle Truppen
Geb. K.	Gebirgskorps, mehrere Gebirgsdivisionen bzw. mehrere Geb.-Divisionen und andere Divisionen unter dem Befehl eines Generalkommandos für Gebirgstruppen
AOK	Armeeoberkommando
Arko	Artilleriekommandeur
Chef	Chef des Generalstabes vom Korps aufwärts
Ia	erster Generalstabsoffizier (Führung)
Ib	zweiter Generalstabsoffizier (Versorgung)
Ic	dritter Generalstabsoffizier (Feindnachrichten/Sicherheit)
Fla	Fliegerabwehr des Heeres
Flak	Flugabwehrkanone, auch Bezeichnung für Truppenteil der Luftwaffe für Fliegerbekämpfung
F. HQu	Führerhauptquartier
G. R.	Grenadierregiment
He	Typenbezeichnung für Flugzeuge der Heinkelwerke
H. Gr.	Heeresgruppe, mehrere Armeen
HKL	Hauptkampflinie
Hornisse	Panzerjäger mit 8,8 cm Pak

Hummel	schwere Feldhaubitze 18 (gepanzert)
I. D.	Infanteriedivision
i. G.	im Generalstab, Bezeichnung für Offiziere mit Generalstabsausbildung
I. R.	Infanterieregiment
I-Trupp	Instandsetzungstrupp
Ju	Typenbezeichnung für Flugzeuge der Junkerswerke
Krad	Kraftrad
KTB	Kriegstagebuch
Kwk	Kampfwagenkanone
Me	Typenbezeichnung für Flugzeuge der Messerschmittwerke
mech. K.	mechanisierte Korps, sowjetische Bezeichnung für vollmotorisierte Korps mit Panzer- und Schützenbrigaden
MG	Maschinengewehr
sMG	schweres Maschinengewehr
mot.	motorisiert
MPi	Maschinenpistole
MTW	Mannschaftstransportwagen
OB	Oberbefehlshaber
OKH	Oberkommando des Heeres
OKW	Oberkommando der Wehrmacht
OT	Organisation Todt (Arbeitseinheiten)
Pak	Panzerabwehrkanone
Pz. D.	Panzerdivision
Pz. Gren. R.	Panzergrenadierregiment
RAD	Reichsarbeitsdienst
S. Br.	Schützenbrigade
Schtz. Div.	Schützendivision, russische Infanteriedivision
Schtz. Rgt.	Schützenregiment
SPW	Schützenpanzerwagen
SS-Kav. D.	SS-Kavalleriedivision
Stalinorgel	Soldatenwort für sowjetisches Salvengeschütz
STAWKA	Großes Hauptquartier, Stalins militärischer Führungsstab
Stoss. A.	Stoßarmee, sowjetische Bezeichnung für besonders gut mit Angriffswaffen ausgestattete Armee
Stuka	Sturzkampfbomber
ung.	ungarisch
V. P.	Vorausbefördertes Personal eines höheren Stabes
z. b. V.	zur besonderen Verwendung

Literaturverzeichnis

Benary, Albert: Die Berliner 257. Bären-Division, Podzun Verlag, Bad Nauheim, 1957

Bereshkow, Valentin: In diplomatischer Mission, Frankfurt/M., 1967

Böhmler, Rudolf: Fallschirmjäger, Podzun Verlag, Bad Nauheim, 1961

Braun, J.: Enzian und Edelweiß, 4. Geb. Div., Podzun Verlag, Bad Nauheim, 1955

Buchner, Alex: Gebirgsjäger an allen Fronten, Adolf Sponholz Verlag, Hannover, 1954

Carell, Paul: Die Wüstenfüchse, Nannen Verlag, Hamburg, 1958

Carell, Paul: Sie kommen, Stalling Verlag, Oldenburg i. O., 1961

Carell, Paul: Unternehmen Barbarossa, Ullstein Verlag, Frankfurt/M.–Berlin, 1963

Carell, Paul: Verbrannte Erde, Ullstein Verlag, Berlin, 1966

Carell, Paul: Unternehmen Barbarossa im Bild, Ullstein Verlag, Berlin, 1966

Carell, Paul/Böddecker, Günter: Die Gefangenen, Ullstein Verlag, Berlin, 1980

Carnes, James D.: General zwischen Hitler und Stalin, Droste Verlag, Düsseldorf, 1980

Dallin, Alexander: Die Sowjetspionage, Verlag für Politik und Wirtschaft, Köln, 1956

Dieckhoff, G.: Die 3. I. D. (mot.), Erich Börries Druck und Verlag, Göttingen, 1960

Doerr, Hans: Der Feldzug nach Stalingrad, E.S. Mittler & Sohn, Darmstadt, 1955

Dokumentensammlung über die Hauptkriegsverbrecher vor dem Internationalen Gerichtshof Nürnberg, Bd. 34

Ernsthausen, A. von: Wende im Kaukasus, Vowinckel Verlag, Neckargemünd, 1958

Esteban-Infantes, General: Blaue Division, Druffel Verlag, Leoni, 1958

Fabry, Philipp W.: Die Sowjetunion und das Dritte Reich, Busse-Seewald Verlag, Herford, 1971

Fischer, Johannes: Über den Entschluß zur Luftversorgung Stalingrads, Militärgeschichtliche Mitteilungen, Heft 2, 1969

Förster, Jürgen: Hitlers Entscheidung für den Krieg gegen die Sowjetunion, zitiert bei Topitsch

Fretter-Pico, M.: Mißbrauchte Infanterie, Verlag für Wehrwesen Bernard & Graefe, Frankfurt a.M., 1957

Fuller, J.F., Generalmajor: Der zweite Weltkrieg 1939–1945, Humboldt-Verlag, Wien–Stuttgart, 1952

Garthoff, R.I.: Die Sowjet-Armee, Markus Verlag GmbH, Köln, 1955

Görlitz, Walter: Keitel, Verbrecher oder Offizier? Musterschmidt Verlag, Göttingen, 1961

Görlitz, Walter: Paulus: Ich stehe hier auf Befehl, Verlag für Wehrwesen Bernard & Graefe, Frankfurt, 1960

Grams, Rolf: 14. Panzer-Division, Podzun Verlag, Bad Nauheim, 1957

Graser, G.: Zwischen Kattegat und Kaukasus, 198. I. D., Selbstverlag, 1961

Guderian, Heinz: Erinnerungen eines Soldaten, Kurt Vowinckel Verlag, Heidelberg, 1951

Halder, Generalstabschef Hitlers: Kriegstagebuch, W. Kohlhammer, Stuttgart, 1962

Halder: Hitler als Feldherr, Münchner Dom-Verlag, München, 1949

Herhudt von Rohden, H.-D.: Die Luftwaffe ringt um Stalingrad, Limes Verlag, Wiesbaden, 1950

Hillgruber, Andreas: Der Zweite Weltkrieg 1939–1945, W. Kohlhammer, Stuttgart, 1983

Hoffmann, Joachim, in: Der Angriff auf die Sowjetunion, Sammelband des Militärgeschichtlichen Forschungsamts, Freiburg

Hoth, Hermann: Panzer-Operationen, Scharnhorst Buchkameradschaft, Heidelberg, 1956

Hubatsch, Walter: Hitlers Weisungen für die Kriegführung, Verlag für Wehrwesen, Bernard & Graefe, Frankfurt a.M., 1962

Hubatsch, Walter: Kriegstagebuch des Oberkommandos der Wehrmacht, Band 1942/1943

Hughes, Emryn: Churchill – Ein Mann im Widerspruch, Tübingen, 1959

Jacobsen, Hans-Adolf, 1939–1945, Der zweite Weltkrieg in Chroniken und Dokumenten, Wehr und Wissen Verlagsgesellschaft, Darmstadt, 1959

Jacobsen, Rohwer: Entscheidungsschlachten des zweiten Weltkrieges, Verlag für Wehrwesen Bernard & Graefe, Frankfurt a.M., 1960

Jeremenko, A.I.: In westlicher Richtung, Moskau, 1959 (russisch)

Jeremenko, A.I.: Stalingrad, Moskau, 1961 (russisch)

Kalinow, Kyrill D.: Sowjetmarschälle haben das Wort, Hansa Verlag, Hamburg, 1950

Kardel, Hennecke: Geschichte der 170. I. D., Podzun Verlag, Bad Nauheim, 1952

Keesing: Archiv der Gegenwart, 1941/42

Kehrig, Manfred: Stalingrad: Analyse und Dokumentation einer Schlacht, Deutsche Verlags-Anstalt, Stuttgart, 1974

Keilig, Wolf: Das deutsche Heer 1939–1945, Podzun Verlag, Bad Nauheim

Kesselring, Albert: Soldat bis zum letzten Tage, Athenäum Verlag, Bonn, 1953

Konrad, R.: Kampf um den Kaukasus, Copress Verlag, München, o.J.

Kunert, Dirk: Ein Weltkrieg wird programmiert, Arndt Verlag, Kiel, 1984

Kunert, Dirk: Hitlers Kalter Krieg . . ., Arndt Verlag, Kiel, 1992

Lanz, Hubert: Gebirgsjäger, Podzun Verlag, Bad Nauheim, 1954

Lemelsen, Joachim: 29. I. D. (mot.), Podzun Verlag, Bad Nauheim, 1960

Liddell, Hart/Basil, Henry: Die Rote Armee, Verlag WEU Offene Worte, Bonn, o.J.

Lusar, Rudolf: Die deutschen Waffen und Geheimwaffen des zweiten Weltkrieges, J.F. Lehmanns Verlag, München, 1962

Mackensen, Eberhard von: Das III. Panzer-Korps im Feldzug 1941/42 gegen die Sowjetunion, Mitteilungsblatt der 23. Pz. D., April 1959

Mannerheim, Marschall: Erinnerungen, Atlantis Verlag, Zürich, 1952

Manstein, Erich von: Verlorene Siege, Athenäum Verlag, Bonn, 1955

Martini, Winfried: Der Sieger schreibt die Geschichte, Universitas Verlag, München, 1991

Mellenthin, F.W. von: Panzerschlachten, Kurt Vowinckel Verlag, Heidelberg, 1963

Middeldorf, Eike: Taktik im Rußlandfeldzug, E.S. Mittler & Sohn, Berlin, 1956

Munzel: Panzer-Taktik, Kurt Vowinckel Verlag, Neckargemünd, 1959

Nehring, Walther K.: Geschichte der Deutschen Panzerwaffe 1916–1945, Propyläen Verlag, Frankfurt/M.–Berlin, 1969

Philippi, A./Heim, F.: Der Feldzug gegen Sowjetrußland, W. Kohlhammer Verlag, Stuttgart, 1962

Platanow, S.P./Pawlenko, N.G./Parotkin, I.W.: Geschichte des zweiten Weltkrieges 1939–1945, 3 Bände, Moskau 1958 (russisch)

Ploetz, A.G.: Geschichte des zweiten Weltkrieges, A.G. Ploetz Verlag, Würzburg, 1960

Röhricht, Edgar: Probleme der Kesselschlacht, Condor Verlag, Karlsruhe, 1958

Samjalow, A.S./Kaljadin, T.J.: Die Schlacht um den Kaukasus, Moskau, 1956 (russisch)

Selle, H.: Die Tragödie von Stalingrad, Verlag Das andere Deutschland, Hannover, 1948

Senger, U. von/Etterlin jr., Dr. F.M.: 24. Panzerdivision, vormals 1. Kavalleriedivision, Kurt Vowinckel Verlag, Neckargemünd, 1962

Seydlitz, Walther von: Stalingrad Konflikt und Konsequenz, Stalling Verlag, Oldenburg i. O., 1977

Shilin, P.A.: Die wichtigsten Operationen des Großen Vaterländischen Krieges 1941 bis 1945, Moskau, 1956 (russisch)

Spaeter, Helmuth: Die Geschichte des Panzerkorps Großdeutschland, Selbstverlag

Speidel, Helm: Reichswehr und Rote Armee, Vierteljahreshefte für Zeitgeschichte, 1/1953

Scheibert, Horst: Nach Stalingrad – 48 Kilometer, Kurt Vowinckel Verlag, Neckargemünd, 1956

Schramm, W. von/Drechsler, H.: Deutschland im Zweiten Weltkrieg, Berlin, 1976

Schröter, Heinz: Stalingrad bis zur letzten Patrone, Kleins Druck- und Verlagsanstalt, Lengerich, o.J.

Schukow, Georgi K.: Erinnerungen und Gedanken, Deutsche Verlagsanstalt, Stuttgart, 1969

Steets, Hans: Gebirgsjäger in der Nogaischen Steppe, Kurt Vowinckel Verlag, Neckargemünd, 1956

Steets, Hans: Gebirgsjäger zwischen Dnjepr und Don, Kurt Vowinckel Verlag, Neckargemünd, 1957

Suworow, Viktor: Der Eisbrecher, Klett-Cotta Verlag, Stuttgart, 1989

Tippelskirch, Kurt von: Geschichte des zweiten Weltkrieges, Athenäum Verlag, Bonn, 1951

Toepke, Günter: Stalingrad wie es wirklich war, Kogge Verlag, Stade, 1959

Topitsch, Ernst: Stalins Krieg, Busse-Seewald Verlag, Herford, 1990

Tschuikow, W.I.: Am Anfang des Weges, Moskau, 1959 (russisch)

Uhle-Wettler, F.: Höhe und Wendepunkt deutscher Militärgeschichte, Hase & Köhler, Mainz, 1984

Voyetekhov, Boris: The Last Days of Sevastopol, Cassel, London, 1943

Wagener, Carl: Der Vorstoß des XXXX. Pz. Korps von Charkow zum Kaukasus, in Wehrwissenschaftliche Rundschau, Sept./Okt. 1955

Wegner, Bernd: Zwei Wege nach Moskau – vom Hitler-Stalin-Pakt zum Unternehmen Barbarossa, Hrsg. v. Militärgeschichtliches Forschungsamt, Freiburg

Werthen, Wolfgang: Geschichte der 16. Panzerdivision, Podzun Verlag, Bad Nauheim, 1958 und Bildband 1956

Wieder, Joachim: Stalingrad, Nymphenburger Verlagshandlung, München, 1962

Zeitzler, Kurt: The Battle of Stalingrad, in: The Fatal Decisions, Michael Joseph, London, 1956

Sonderdrucke und selbstverlegte Publikationen:
»Geschichte der 24. Infanteriedivision«, Arbeitskreis der Division, 1956
»Panzerkeil im Osten«, Verlag »Die Wehrmacht«, Berlin, 1941

Unveröffentlichte Manuskripte, Studien, Vorträge und Informationen durch Befragung stellten zur Verfügung:
Oberstleutnant I.G. von Below, Oberst a.D. Arthur Boje, General der Flieger a.D. Paul Deichmann, Oberst a.D. Joachim Hesse, Generaloberst a.D. Hermann Hoth, Major a.D. Hermann Kandutsch, General der Panzertruppe a.D. Hasso von Manteuffel, General der Panzertruppe a.D. Walter K. Nehring, Generalmajor a.D. Hermann von Oppeln-Bronikowski, General der Flakartillerie a.D. Wolfgang Pickert, Oberstleutnant a.D. Eberhart Pohl, Dr. Helmut K.G. Rönnefarth, Generalleutnant a.D. Alfred Reinhardt, Generalleutnant a.D. Arthur Schmidt, Oberst a.D. Herbert Selle, Generaloberst a.D. Strecker, General der Panzertruppe a.D. Walter Wenck, Oberstleutnant a.D. Coelestin von Zitzewitz.

Personenregister

Ränge und Dienstgrade nach dem Stand vom 1. Februar 1943.
Abkürzungen der im Register genannten militärischen Ränge der Deutschen Wehrmacht:

Gfr.	= Gefreiter
Uffz.	= Unteroffizier
Fw.	= Feldwebel
Wm.	= Wachtmeister
Lt.	= Leutnant
Oblt.	= Oberleutnant
Hptm.	= Hauptmann
Rttm.	= Rittmeister
Maj.	= Major
Oberstlt.	= Oberstleutnant
Oberst	= Oberst
Gen.Maj.	= Generalmajor
Gen.Lt.	= Generalleutnant
Gen.	= General
Gen.Oberst	= Generaloberst
GFM	= Generalfeldmarschall
i.G.	= im Generalstab

Adam, Oberst 180, 185, 209
Annen, Hans, Flugzeugbeobachter 210
Antonescu, Jon, rum. Marschall 23, 152
von Arensdorff, Oberst 124, 127

Baake, Maj. 50
Bätcher, Hptm. 211
Batow, sowj. Gen.Lt. 151
Batrakow, sowj. Oberst 139
Beck, Ludwig, Gen.Oberst 339
Behr, Hptm. 201
von Below, Günter, Oberstlt. i.G. 201, 208
Blumenthal, Oblt. 64 f.
von Bock, Fedor, GFM 30 ff., 58 f., 63 ff., 70 f., 78
von Boineburg-Lengsfeld, Gen.Lt. 51, 54, 57
Boje, Oberst 16 f., 151, 207
Boll, Oblt. 90 f.
Bormann, Martin, Politiker 19
Breith, Gen. 51 f., 68, 83
von Bremer, Kp.F. 67

von Brockdorff-Ahlefeldt, Graf, Gen. 15, 129
Büsing, Oblt. 75
Buff, Oblt. 27
Busch, Gen.Oberst 67
Busch, Kp.F. 119
Busse, Oberst 40 f.

von Chadim, Oblt. 47
Chopka, sowj. Maj. 140
Chosjainow, Andrej, sowj. Serg. 144
Chruschtschow, Nikita 127, 136 ff., 141 f., 176, 312, 321, 335
von Clausewitz, Carl, preuß. Gen. 11, 82
Clausius, Oberst 174

von Daniels, Alexander, Edler, Gen.Lt. 207
Dechant, Oblt. 54 f.
Denikin, sowj. Gen. 118, 152
Dieckmann, Stubaf. d. W.-SS 205
von Dörnemann 127
Doerr, Hans, Oberst i.G. 147, 185, 338
Domaschk, Hptm. 149
Drabbe, Oberst 15
Dragalina, rum. Gen.Lt. 131
Dreger, Erwin, Fw. 17 f.
Dubjanski, sowj. Oberst 141
Dr. Dürrholz, Oblt. 107
Dumitrescu, rum. Gen.Oberst 180

Eglseer, Gen.Maj. 99
Eichhorn, Rttm. 61
Eisenhower, Dwight David, General 155
Eismann, Maj. i.G. 189 f.
Elchlepp, Oberstlt. 303
Engel, Maj. 171
Engh, Uffz. 106
Esser, Uffz. 148 f.
Euler, Lt. 103 ff.

Fangohr, Oberst i.G. 132 f.
Fedorenko, sowj. Gen.Lt. 61
Feldle, Andreas 271
Fiebig, Martin, Gen.Lt. 142, 187
Filipow, sowj. Oblt. 166
Fischer, Gefr. 198
Förster, Friedel, Uffz. 47
Franz, Gerhard, Oberst i.G. 52 f., 55 p.
Fredebold, Maj. 144
Fremerey, Gen.Maj. 51, 139
Fretter-Pico, Maximilian, Gen.Lt. 25, 38, 49
Freudenfeld, Maj. 203
Friebe, Oberst 95
Fürnschuß, Lt. 27
Fuhn, Ogfr. 50

Gämmeler, Hptm. 97 f.
Gehlen, Reinhardt, Gen. 153
Georg, der Kosak 101 ff.
Frhr. Geyr von Schweppenburg, Gen. 58, 62 f., 72, 109
Gilbert, sowj. Agent 118
Gille, Herbert, Brigf. d. W.-SS 102
Glinka, sowj. Koch 138, 144
Göring, Hermann, Reichsmarschall 19, 57 f., 165, 169 ff., 337
Goldberg, Fw. 89
Gordow, sowj. Gen.Lt. 87
Gorodnjanskij, sowj. Gen.Lt. 37
Gottlieb, Oblt. 101 ff.
Grabert, Siegfried, Oblt. 76
Grams, Rolf, Maj. 147
von Greiffenberg, Hans, Gen.Lt. 82
Greve, Hptm. 27
von Groddeck, Oberst 28 f.
Groth, Hptm. 96 ff.
Guderian, Heinz, Gen.Oberst 70, 131 f., 158, 173
Gurjew, sowj. Gen.Maj. 150
Gurkow, sowj. Gen. 328
Gurtjew, sowj. Oberst 148

Ortsregister

351

Bildnachweis:
Alle im Buch verwendeten Schwarzweiß- und Farbfotos sowie Karten aus:
»Unternehmen Barbarossa«
© 1963 Verlag Ullstein GmbH, Frankfurt/M. · Berlin
»Unternehmen Barbarossa im Bild«
© 1967 Verlag Ullstein GmbH, Frankfurt/M. · Berlin